有一种境界叫

苏东坡

壹

冷成金 著

北京联合出版公司
Beijing United Publishing Co.,Ltd.

图书在版编目（CIP）数据

有一种境界叫苏东坡 .1/ 冷成金著 .—北京：北京联合出版公司，
2014.3（2024.3 重印）

　ISBN 978-7-5502-2593-0

　Ⅰ.①有… Ⅱ.①冷… Ⅲ.①传记小说－中国－当代 Ⅳ.
① I247.5

中国版本图书馆 CIP 数据核字 (2014) 第 007177 号

有一种境界叫苏东坡 .1

作　　者：冷成金
出 品 人：赵红仕
责任编辑：王　巍
封面设计：吴黛君

北京联合出版公司出版
（北京市西城区德外大街83号楼9层 100088）
北京新华先锋出版科技有限公司发行
小森印刷霸州有限公司印刷　新华书店经销
字数266千字　787毫米×1092毫米　1/16　18印张
2014年5月第1版　2024年3月第5次印刷
ISBN　978-7-5502-2593-0
定价：49.00元

【目录】

目录

一　新　婚

岷江犹如一股富有诗意的思绪，自北向南，缓缓地流过眉州；在眉山这个地方，轻轻地打了一个弯，仿佛怕惊扰了两岸如黛的青山，然后静静地注入长江。

当年，唐朝诗人李白就是从这里"仗剑出峡"的。那时候，李白留下了这样一句诗："东风动百物，草木尽欲言。"

自李白离去后，三百多年过去了，转眼已是北宋仁宗至和年间。这一天，春风骀荡，草木暗长，眉山纱縠行大街上苏家大院张灯结彩，街道两旁挤满了看热闹的人群，他们在兴奋地议论着什么。三百年前李白的诗，好像就是为今天写的。

很快，远处两队送亲的队伍吹吹打打，从两个方向朝纱縠行大街走来。人们一下子兴奋地迎上去。

这个时候，自然是孩子们的节日，他们跟在送亲的队伍后面，不停地拍手，欢唱着儿歌："大苏郎，小苏郎，兄弟同日入洞房。入洞房，辞爹娘，明日双双登朝堂！"

在那个年代，人们是很重视儿歌的。它可以是一种吉祥的预言，也可以是一种不祥的谶语；可以是一种祝福，也可以是一种诅咒。儿歌表达的，往往就是他们的心声。听到这样的儿歌，两支迎亲队伍的鼓乐奏得更响了，看热闹的人们也笑得更欢了。两边的轿子里，新娘子王弗和史云也不禁露出了羞涩、幸福的微笑。

在看热闹的人群中，有一个十分英武精悍的青年，显得格外兴奋。他叫巢谷，曾是苏轼、苏辙兄弟的同窗好友，后来他父亲服兵役客死他乡，母亲不久也去世，剩下他一个人，苏家出资葬了他的父母，巢谷从此就留在苏家。平时他帮苏家干一些杂活，闲来苏轼兄弟也教他读书。苏家从来没有拿他当仆人看待，在不知情的外人看来，巢谷就是苏轼、苏辙的亲兄弟。

后来，苏洵的至交好友吴复古来访，见巢谷聪颖可爱，就收他做了徒弟，教他练习武功。巢谷有伯父苏洵和师父的疼爱，有苏轼兄弟的友情，并不觉得孤独。今天，巢谷确实应该感到高兴，不仅因为苏轼、苏辙兄弟同日娶亲，也是因为自己的师父赶回来为苏轼兄弟主持婚礼，师徒久别，今日得以重见。

巢谷像只松鼠在人群中跑来跑去，仔细地观看了两边送亲的队伍，情不自禁地拍手笑笑，然后飞快地跑回苏家大院。

这时，苏家大门里走出了吴复古、苏洵、苏辙。巢谷迎面跑来，对苏洵和吴复古一揖道："伯父、师父，送亲的都到了！"

吴复古是当世高人，不仅学识渊博，更难得的是对世事人生都有独到之见。他好云游，又交游极广，不仅在僧、道两界大有名望，就是贤士大夫，也莫不仰慕其名。此人既出世，又入世，既洒脱佻挞，又沉稳深邃。他性情率真，与苏轼兄弟脾气相投，极有缘分。这次来替苏轼兄弟主婚，既是应苏洵之邀，也是出于对苏轼兄弟的喜爱。

吴复古半嗔半笑地对苏洵说："明允兄，我这方外之人，四处云游不定，历来不问世事，今天竟来为二位公子主婚，怕不坏了我的清修！呵呵！"苏洵历来通达不羁，对吴复古一揖道："哎呀，道长的道行高深，哪里还分什么方内方外！吃饭睡觉是修行，为犬子主婚，自然也是修行。"

吴复古听了，十分高兴，指着苏洵对周围的人说："呵呵，谁说明允公不会讨好人！这话就是太上老君听了，也定会高兴。不过，贫道以为，明允公这般解释修道，却不纯正！"苏洵故作惊讶地问："哦？如何不纯？"吴复古说："这明明是以禅解道嘛！"苏洵知道，越是与他夹缠不清，他就越是高兴，便说："释、道本来就是一家。"吴复古听了，果然提起了兴致："好久没有人跟我斗嘴了，今日……"

苏洵的夫人程氏在一旁看见，怕他们耽误了正事，急忙制止道："道长，新郎都没看见，你主的什么婚啊！"吴复古急忙打住嘴，四下一看，果然不见苏轼，着急道："哎，怎么不见子瞻贤侄啊？"

此时喜乐声愈发地近了，苏洵却不见苏轼的身影，急忙对苏辙说："辙儿，你哥哥呢？"苏辙茫然地摇摇头，转身问采莲："表姑，你看见哥哥了吗？"

采莲觉得很不好意思，这些本来是该她想到的。她是苏轼、苏辙的表姑，也是他们的乳母。丈夫去世后，她就留在苏家，苏洵夫妇对她以礼相待，从来不把她当作仆人看待，采莲也把苏家当作了自己的家。今天这大喜的日子不见了新郎，她却并不着急，她知道苏轼的脾气，便对巢谷说："你去轼儿的书房看看。"巢谷一拍脑袋："是啊，表姑，我怎么没想到啊，子瞻兄一定在书房！"采莲笑笑说："你啊，别人娶媳妇，你先乐晕了头！"

这时，鼓乐停止了，似乎隐隐传来了争吵声。吴复古对苏洵说："明允公静候，贫道先去看看。"说着，对身后苏家迎亲的众人说："跟贫道走吧！"

两支送亲的队伍吹吹打打，都向纱縠行大街走来，在路口相遇，两边的吹鼓手互不相让。史云虽是弟媳，但送亲队伍先到片刻，想要走在前边。王弗的送亲队伍中有人急忙跑到前面，不让先走，两方吹鼓手争吵起来。

王弗这边有一个吹鼓手大声说："哎，这兄弟俩娶媳妇，得讲个长幼有序吧！"史云那边也有人立即站出来说："是啊，是啊，但总得有个先来后到吧。"双方吵吵嚷嚷，街上的人都围过来津津有味地看着热闹。

王弗听到争吵声，挑开轿帘，小声问伴娘："什么事啊？"伴娘回答说："你弟妹那边的人要先过去。"王弗未加思索，很自然地说："那就让他们先过去嘛！"

伴娘听了，觉得小姐好不晓事，着急地说："哎呀呀，小姐，那怎么行！这可不是小事，你没听说吗，送亲要是占了上风，一辈子占上风。路上就是碰到一头牛，也要走上首道；要不，就一辈子落下风了。"王弗微笑道："好啦好啦，哪天你出嫁的时候，不要走正门进婆家，从屋顶上打个洞，跳下去，你就一辈子占你丈夫、公婆的上风了。"伴娘知道小姐是个非常聪明的人，自己是说不过她的，只好嗔怒道："小姐，大家都是为了你好！"王弗静静地笑笑，小声说："知道知道，快，让妹妹的嫁妆先走。"伴娘无可奈何地应道："是。"

史云也听到了争吵声，问伴娘道："什么事啊？"伴娘说："你嫂子的嫁妆要先过去。"史云说："那是自然。"伴娘十分着急："小姐，那可不行。我们路远，起了个大早，图的就是先来后到，要是让她先过去了，以后还不得一辈子受嫂子的气。"史云大方地说："我听说嫂子可是个过目不忘的才女，大家闺秀，品行又好，怎会欺负我！快去，不可无礼，让嫂子先过去。"伴娘不情愿地说："好吧。"

吹鼓手们还在争吵。王弗的伴娘走过来说："别吵了，别吵了，小姐让他们先走！"众人颇感意外地"啊"了一声。王弗的伴娘没好气地说："'啊'什么，你们难道不知道小姐的脾气？！"就在这时，史云的伴娘也走过来，厉声说："小姐让嫂子先过去。"领头的吹鼓手一时不明白什么意思，愣头愣脑地说："不行不行。"史云的伴娘有些气恼，扭住了领头的吹鼓手的耳朵："行还是不行？"那位吹鼓手被扭疼了，叫道："哎哟，小姑奶奶，再不放手，你出嫁时没人给你吹唢呐了。"众人听了，大笑起来。

于是情形倒转过来，由刚才的相争，忽然变成了两方相互推让。就在这时，吴复古带着吹鼓手、轿夫走过来。两方的司仪急忙向前，王家司仪对史家司仪说："接亲的来了，客随主便，对吧？"史家司仪急忙说："正是。苏家闻名遐迩，司仪必有道理。"两个司仪迎了上去，向吴复古施礼道："请问先生，谁该先行？"

吴复古淡淡一笑："呵呵，兄弟如手足，岂有先后！大道如砥，安分左右。何不兄弟同行。"众人大悟："啊，是啊，是啊。"吴复古高喊道："接亲了——"众人将两方的轿夫、担夫换下。两支队伍在大街上并排而行，鼓乐也奏得更加高亢动听。

巢谷匆匆来到苏轼的书房，果然，苏轼正在作诗，一脸兴奋。巢谷看见他的样子，哭笑不得："子瞻，原来你在这儿，让我们这番好找！你知道吗，你的新娘子正在门外落轿，你还有闲心在这里吟诗作赋的，伯父已经大发雷霆了！"

苏轼却不以为意，还在写着未完的诗句："巢谷兄，我偶得妙语一二句，要全把它写下来，怕日后忘了……"巢谷已顾不上许多，抓起苏轼的胳膊就走，边走边说："快点走吧，要不新娘子就叫人抢去了！"苏轼还想挣扎，怎奈巢谷实在力大，苏轼一个失手，新袍染上了一道墨迹。

苏家大院门口，新娘子已经到了。吴复古正在高喊："高卷珠帘挂玉钩，香车宝马到门头。花红利市多多赏，富贵荣华过百秋。"

按照当时的风俗，接下来就是新人下轿了，下轿之后，便是新郎以红绸带领着新娘，往正堂拜天地。可到了此时还看不见苏轼的踪影，连一向沉稳的程氏也急了。她看看采莲，采莲也有些发慌。正在这时，巢谷拉着苏轼，急急跑了过来，一边跑，还一边喊着："来了，来了！"

采莲等人赶忙帮苏轼整理衣服，看到新衣上的墨迹，采莲向苏轼嗔怪地一笑。在她的心里，早已把苏轼、苏辙当作了自己的亲生儿子。

这时，吴复古终于放心地高喊："下轿，新人开口接饭！"

当两位新娘子下轿之际，孩子们的欢呼声骤然高起来，看热闹的乡亲也往前挤了上来，无不啧啧赞叹。苏家在当地人缘极好，很受乡亲们爱戴，苏轼、苏辙又是有名的才子，父母们教育孩子，往往拿苏家兄弟作榜样。今日他们兄弟同日成婚，更是在乡里传为佳话。

新娘子象征性地吃了一口司仪递过的米饭，苏轼兄弟各自用红绸领着新娘，走向正堂。

那位年老的司仪似乎从来没有这样高兴过，抖擞精神，朗声道："一拜天地。二拜高堂。夫妻对拜。新人挪步过高堂，神女仙郎入洞房。花红利市多多赏，五方撒帐盛阴阳。"

在一群孩子的簇拥下，苏轼兄弟各自将新娘子领入洞房。接下来是撒帐，那是孩子们最盼望的时刻，因为不仅可以听歌儿一般的撒帐辞，还可以拣拾撒下的各色红枣、花生、栗子等。

一中年妇人高声道：新人坐床。

撒帐啰——

撒帐东，画堂日日是春风。

撒帐西，嫦娥画眉桂带枝。

撒帐南，好合情怀乐且耽。

撒帐北，芙蓉帐暖春宵美。

撒帐上，交颈鸳鸯成两两。

撒帐中，神女红云下巫峰。

撒帐下，来岁生男定声价。

撒帐前，文箫今遇彩鸾仙。

撒帐后，夫妇和谐长保守。

撒帐啰——

苏家后院，高朋满座。眉州知州吴同升携夫人前来赴宴，苏轼兄弟敬罢酒，吴同升问道："明允兄，小弟有一事不明，不知可否相问？"苏洵谦逊地说："大人有话请讲，在下自当知无不言。"吴同升急忙摆摆手："明允兄万不要这样客气，我这个官，说不定哪天还要你二位公子照顾！小弟不明白的是，二位公子都是大才，此次大比定然高中，为何要公子成婚后再进京赶考？若是能招赘在帝王将相之家，岂不美哉！莫非明允公另有高见？"苏洵微微一笑，道："高见不敢，只是在下常常留意这朝廷之事。如今朝廷清议成风，党争将成，若真是招赘入达官贵人家，必会成为清议的对象，若想为国效力，怕是难了。"吴同升站起一揖，道："小弟佩服！佩服！古人说，爱子孙，要为之计深远，明允兄不仅为子孙计深远，更为我大宋计深远！有这样的父亲，方能教出这样的儿子。真我大宋之福也。来，愚弟敬你一杯！"

苏轼兄弟已有些醉意，他们要各归洞房。苏轼好酒，但其量甚浅，终生未有长进，实乃一大憾事。苏轼来到自己的洞房外，巢谷搀扶着他，巢谷说："新娘一定很漂亮！"苏轼醉醺醺地说："巢谷兄，我俩车马衣服皆可共之，唯妻子不可！"巢谷仍是坚持："我就是看看而已。"苏轼说："看也不许。"巢谷诡秘地一笑。

来到门前，苏轼推门欲入，伴娘伸手拦住："新郎留步，新娘说了，要想进洞房，先对出新娘的对联。"苏轼一惊，酒有些醒了，诧异地问："这么多规矩？"巢谷抿嘴偷乐："子瞻，今天晚上我可长见识了。"

伴娘道："听着，'月圆花好红灯照'。"巢谷说："此时此刻，出这样的对联，足见嫂子学识不凡。"苏轼微一思忖，道："有了！'风扁竹长紫气飘'。"巢谷拍手道："好，月圆花好，说得是新婚之夜良辰美景；风扁竹长，说的是轻风入竹林，如琴瑟相和，夫妻相得。好，真好！"

苏轼笑了，推门欲进。伴娘再次伸手拦住道："别急，还有第二联。听好了，'水仙子持碧玉簪，风前吹出声声慢'。"巢谷"哟"了一声，说："新郎官，水仙子、碧玉簪、声声慢，嫂子连出了三个词牌名组成上联。你呀，必须用三个词牌名才能答出下联。看来嫂子是要难为一下你了。"苏轼笑着说道："这一联比上一联容易。听着：虞美人穿红绣鞋，月下引来步步娇。怎么样？"说着就要进洞房。

伴娘急忙阻止："哎，等等，还有第三联！"说着，进入房中，关上房门。苏轼无奈地说："还有第三联？看来我今夜，只能独眠了！"

新房内，伴娘对王弗说："小姐，莫把姑爷给真的难倒了！"王弗遮着红盖头，淡淡一笑，说："看他是不是徒有虚名，快去出第三联。"伴娘只好打开房门，说："先生听着，最后的一联是'天作棋盘星作子，日月争光'。"苏轼、巢谷听罢，都为之一惊。

巢谷一拍手说："好联，大有男子气概。你夫妻要如日月争光了。"说着，调皮地看着苏轼，"只是不知你夫妻二人谁是棋盘，谁是棋子！"苏轼踱步，喃喃自语道："呵呵，这本不难对，可要对出夫妻情味来，却是有些难了。"苏轼在门外徘徊，而王弗也在屋里焦急地期盼，生怕丈夫对不出来。

巢谷看着苏轼，有些着急地说："你们哪是新婚之夜，倒像是夫妻打架！"苏轼一怔，恍然道："打架！对，就是打架。我对'雷为战鼓电为旗，风云际会'。"巢谷高兴地跳了起来："真乃绝对也！"

另一边，苏辙兴冲冲地走到门外，刚要开门，发现门被两只锁形的东西锁着。略一摆弄，见锁鼻长而弯曲，构成了一个连环套，明明有缺口，可就是难以将两只锁鼻脱开。伴娘在一旁看着，偷偷地发笑。苏辙思索着，踱着步，自言自语道："奇怪啊。"丫鬟说："我家小姐说了，打开这把锁，方能入洞房。"苏辙憨憨地问："要是打不开呢？"丫鬟说："那……就休想入洞房。"苏辙说："没有钥匙啊！"丫鬟扑哧一笑："用钥匙开锁，不算能耐！"苏辙不解地问："娘子为何要出这题目考我啊？"伴娘思忖了片刻，说："我猜是要用锁把先生锁住吧！"苏辙沉思了半天，终于将锁鼻构成的连环套解开，丫鬟"啊"地惊叹一声。

苏辙推门而入，史云刚要站起躲避，苏辙迅速用连环套把门锁上："夫人，你这可是锁住了你自己了！"史云嘤嘤而语："夫君，是锁住了我们俩！"苏辙一惊，"哦"了一声，觉得有佳语成兆之象。果真，后来二人白头偕老。

这边，王弗在屋内听到苏轼对上了下联，心中大喜，忙双手合十祷告。苏轼昂首进入，巢谷紧随其后，伴娘惊呼道："哎，哎，你怎么也进来了！"说着，把他推出门去。巢谷装作不介意地说："真小气。"

苏轼有些醉态，来到桌前，望着桌子上的挑捧，迟疑了一下，然后抓起，来到新娘床前："娘子，为夫可要挑盖头了？"王弗没有吱声。苏轼微微一笑，道："巫山一片云，云遮是何人？"王弗嘤嘤而对："楚国万里路，路逢乃仙君。"听了王弗的下联，苏轼想起了与王弗的两次相逢。

去年的上元节，灯市如昼，苏轼兄弟也来赏灯。各色灯谜吸引了不少游人，这时，只听一个丫鬟模样的女子说："小姐，你看这个，是打一个词牌的。"那位小姐打扮的女子慢慢地说："春色满园关不住。啊，我知道了，是出墙花。"丫鬟说："小姐的学问真好。"那女子笑道："小丫头，学会讨好人了。"丫鬟嘟嘟囔囔地说："小姐冤枉人，谁不知道你是才女。"王弗羞涩地说："什么才女，好不羞人。"

苏轼兄弟本无心听她们多说，却听那丫鬟说："小姐你看，这个怕是难猜。"苏轼兄弟转过身来，想看看是什么灯谜，只听那女子轻声说："'若要占天时，须得有人和。'孟子曰，'天时不如地利，地利不如人和'……"苏辙听了，觉得难猜，对苏轼说："若要占天时，须得有人和。哥哥，这谜底是什么？"苏轼用手一比划，当即猜出了谜底，说："是二。"

那女子听到了苏轼的话，但又不解，用手指在空中比划着，她猛然醒悟，说："'二''人'相和，正是'天'字啊！"这时，苏辙也已明白，拍手叫好。那女子抬起头，正看见苏轼兄弟，有些不好意思，急忙扭头对丫鬟说："咱们走吧。"

苏轼兄弟都觉得这女子不仅美貌多才，而且大有温婉之致。苏轼不禁向二人的背影看去，点着头说："以圣贤之语入灯谜，实在难得！"苏辙似乎看穿了哥哥的心思，调皮地说："呵呵，岂止难得，更是天赐良缘啊！哥哥你说，这'二人相和'是什么意思？"苏轼反问："你说是什么？"苏辙说："是夫妻之道。哥哥今日为小姐猜得这灯谜，日后定能与她结为夫妻。"苏轼没有想到一向敦厚的弟弟竟会说出如此话来，一时竟有些呆住了。

另一次与王弗相逢，是在眉州青神中岩寺。这座寺庙背靠青山，西临岷江，景致十分清幽，苏轼兄弟曾在这里读书。

这一天，王弗的父亲、进士王方带着家眷从中岩寺出来，一老僧相陪。王弗说："父亲，这次游览中岩寺，一定要给那池子取个好名字，那些鱼儿只要听到人拍手就游过来，太可爱了。"苏轼、苏辙闲来游春，也正往中岩寺走，迎面路过，恰好听见王弗的话，苏轼与王弗四目相对，都吃了一惊。王弗羞涩地避开苏轼的目光。苏轼、苏辙随王方一行人来到鱼池旁，见那里挤满了围观的青年人。

王方向周围一揖："诸位，这池子在我家的田亩之中，池中的鱼儿只要听到有人拍手就游过来，甚是灵异。但这池子历来无名，诸位风雅，不知可否赐名！"

一个长相俊雅的书生摇头晃脑地说："听说王家小姐是位才女，何不让小姐取名！"另一书生趁机起哄："莫不是要题名招亲吧！"依宋时的风俗，这类言语倒也不算无礼。王弗也大方，只是羞涩地一笑。王方说："在下是真的想为这池子题名。"

最先说话的书生率尔应道："我说呢，不如题作'叫鱼池'。"众人听了，轰然大笑。那个起哄的书生说："哎，兄台不雅，依小弟看，不如叫作'看鱼池'！"又一书生出来打趣说："既然一拍手这鱼儿就过来，不如就叫'拍鱼池'。"众人哄笑，另一个书生走上前，森然道："以在下看，不如叫作'戏鱼池'。"王方似有赞许之意。

这时苏轼站了出来，朗声道："何不叫作'唤鱼池'！"王弗一惊，偷偷向苏轼看去。众人也恍然大悟，低声议论称是。王方大喜，认为此题甚好，上前请教苏轼姓名。苏轼一揖，说："不敢，学生苏轼，还请前辈指教。"王方稍一迟疑，问道："啊，那阁下是否认识苏洵苏明允啊？"苏轼说："那是家父。您认识家父？"王方笑道："曾经同年赶考。怪不得呢。苏公子能否一并题名？"苏轼说："那小侄就唐突了。"老僧吩咐小和尚送上笔墨，苏轼在岩石上题写了"唤鱼池"三个大字。

想到这里，苏轼把盖头全部挑开。十六岁的王弗光彩照人，一身大家闺秀的气派。苏轼弯腰细观，王弗羞红了脸，低下了头。苏轼仍凝神端看王弗。

王弗羞涩地说："相公如此看人，羞煞人了。"苏轼笑道："人云：楼上观山，城头观雪，灯前观月，舟中观霞，月下观美人，是为会观。殊不知红烛之下观新娘别是一番情景。"王弗笑道："青春易老，花容易褪，不知那时，夫君又当如何？"苏轼道："所谓'十年修得同船渡，百年修得共枕眠'，姻缘前定，岂是人力可为！"苏轼本是无心之语，但王弗一愣，觉得新婚之夜自己不该引丈夫说这些没来由的话，心中隐隐感到不安。

王弗德、才、貌俱全，或许是天妒红颜，王弗后来早逝，终未能与苏轼白头偕老，此似为谶语。

王弗眼睛里掠过一丝惶恐，苏轼没有察觉。王弗缓缓倚在苏轼身边，任丈夫轻轻取冠……

苏轼问："弗儿，为夫有一事不明。"王弗说："夫君如此聪明，还有何事不明？"苏轼道："岳父大人第一次来我家时，是倒骑毛驴的。不知岳父大人为何喜欢倒骑毛驴？"王弗微微一笑："向后看，因为只有发生过的事情才是真的。"苏轼笑道："妙哉，妙哉。不过那头驴，定非泛泛之物，必是驴中之精。"王弗笑道："我父亲到你家提亲时，那头驴不用鞭策，自己就径直而来。"苏轼大笑："如此说来，我们也该为那头驴子记一功了！"

这时，不知何时躲进屋的巢谷实在憋不住了，哈哈大笑起来，从床底爬出，把苏轼夫妇吓了一跳。

"哎呀！"王弗羞得双手捂脸。苏轼哭笑不得："巢谷兄，你何时钻到了我的床下？"巢谷大笑着朝外走去。苏轼不放心，又弯腰向床下看去。巢谷回头笑道："放心，床底下没人了。"苏轼这才有些后怕，惊道："天哪！要不是说驴的事，他还在床下呢！"

王弗和史云卧房灯光相继熄灭。眉山的月，今夜似乎格外明亮。

二　离　蜀

　　嘉祐二年（公元 1057 年），汴京皇宫文德殿内，仁宗临朝，专门讨论此次大比的主考官问题。平心而论，仁宗不是个坏皇帝，只是大宋积贫积弱已久，想中兴大宋，谈何容易！早在庆历年间，仁宗就曾实行"庆历新政"，怎奈触犯了权贵的利益，再加上仁宗的性格也过于宽仁，那些新政条款就难以落实，最终新政无疾而终。后来，仁宗体弱多病，年老无子，终于放弃了改革的打算。但他知道，冗兵、冗官制度不改革，大宋终将不能振兴。因此，他还是要做一些力所能及的事，比如改革文风，比如为后继者选才⋯⋯

　　仁宗扫了一眼殿下，见韩琦、欧阳修等大臣都在。仁宗问道："韩卿家，春闱大比将近，主考官的人选因何迟迟未能呈报上来？"韩琦是宰相，为人忠直，令人敬畏，但有时又偏于保守，往往循规蹈矩。对于这些，仁宗知道得很清楚，但又有什么办法呢？皇帝就能事事遂心吗？

　　韩琦缓缓奏道："回禀陛下，这次的主考官人选，臣思量再三，在欧阳修和王珪二人之中实难以取舍，故不敢贸然举荐。"

　　这样的回答是仁宗早就料到的，仁宗说："能选出此二人，倒也难为你了。王珪是历届会试的主考，欧阳修则堪称我朝文宗。欧阳修、王珪，你们自己说说，朕该让谁担此重任？"

　　欧阳修是个率性之人，首先站出来说："回禀陛下。古人云，谦谦君子，卑以自牧也。主考官一事臣该当谦卑自守，礼让他人才是。只因韩琦大人说出王珪来，臣才不得不毛遂自荐。"仁宗有些乐了，笑道："听你这话的意思，你是让给谁，也不会让给王珪了？"欧阳修说："正是！陛下，王珪大人主持往年科考，太学生几乎占尽皇榜。礼部会试已俨然成为太学院的会试，而非天下士子的会试。"仁宗微微吃惊："哦，有这等事？"

王珪的性格不易琢磨，他似乎没有什么固定的主张，总是相机而动，态度也往往是不卑不亢。他不慌不忙地出班奏道："回禀陛下。太学院所教授的太学体，乃御制应试文体。因而太学生在科举中容易夺魁，也是有的。"欧阳修直言反驳道："陛下，天下之学者非一家，其为道虽同，言语文章，未尝相似。又何必拘泥于太学体，而使得天下之才不能尽收于陛下囊中。"仁宗说："王珪，果然如此，你就误了朕的选才大典。"王珪这次有些着急："陛下明察，微臣也是遵循祖制，不敢动辄改弦易张，恐怕动摇了国之根本。"遵循祖制，这是王珪常常拿来自卫的法宝，也是朝廷中很多大臣的法宝。

仁宗对此却不以为然："可祖制也说不得以出身论短长，不能因出身有所偏废。你遵循了吗？"王珪发现皇上并不站在自己这边了，赶忙改口说："臣惶恐！臣知罪！"

仁宗思忖了片刻，似乎下了决心，说："今年礼部会试，朕准欧阳修知贡举，王珪、范镇同为考官。文备众体，才取八方。欧阳修，朕盼着本朝文风从此焕然一新。"在一片"吾皇万岁万万岁"的祝贺声中，仁宗退朝。

就在朝廷筹备科考大事的时候，四川眉山的苏家也在作着准备。

苏轼兄弟新婚的第二天清晨，采莲表姑来到苏辙房外，轻轻地敲着门："二少爷、二少奶奶，快起来拜见公婆了。"苏辙夫妇慌忙穿好衣服。采莲刚要离去，史云追了出来，鞠躬说："表姑，以后千万不要叫什么少奶奶，你是我们的表姑，我们是晚辈。"对于这些，采莲早已习惯了，她轻轻一笑："家有家规，该怎么叫，我自己心里有数。你赶快洗漱吧。"史云看着采莲离去的身影，第一次体会到了苏家人的"执拗"。

在苏家的走廊里，苏轼和王弗正站在厅外等着苏辙、史云。苏辙牵着史云的手，慌张地走来。苏辙说："见过嫂嫂。让哥哥嫂嫂久等了。"史云红着脸，好像见了哥哥嫂嫂害羞似的。苏辙倒颇为放达，对她说："哎，人生之快，莫过洞房花烛。有什么可羞的呢？"史云嗔怪地看了苏辙一眼。王弗上前，拉着不好意思的史云："妹妹，我们还是赶快去拜望公婆吧，莫再耽搁了。"

苏家正堂，父亲苏洵和母亲程氏端坐堂前，吴复古坐在一旁。苏轼四人一齐跪下："拜见父亲、母亲、道长。"苏洵高兴地笑道："好啦，都起来吧。"苏轼等站起身，史云毕竟年龄小，有些手足无措的样子。程氏看了，笑了笑，赶紧解围说："弗儿、云儿，你们父亲有话要对他们兄弟说，你们随我到后堂去吧。"王弗招呼史云搀起婆母，向后堂走去。

苏洵让苏轼、苏辙坐下，兄弟二人眼神交会，似有觉察。苏洵正色说："朝廷就要大比了，为父想带你们进京赶考，各自回去准备一下，明日启程。"苏洵满以为兄弟二人会欢天喜地的，不料他们二人听了，竟然默不作声。苏辙着急地看看苏轼，苏轼不言语，似乎也没有什么表情。

苏辙仗着自己年幼，父亲疼爱自己，先站起身来说："父亲，孩儿恐怕才疏学浅，有负父亲的期望。还是再苦读三年，等下次再说吧。"苏洵一惊，但他没有说话，只是咳嗽了一声，并喝了一口茶。苏辙不顾苏洵不悦，接着说："父亲，孩儿以为，凭您的才学都屡屡不中，做儿子的怎敢造次。不如这次父亲去好了，等父亲高中之后，我跟哥哥才敢一试啊。"

苏洵脸上有些挂不住了。他虽屡试不中，但生性豁达，自己本也没有当回事。但这次好友吴复古在旁，儿子竟然直言不讳地说出来，他还是有点不太高兴。他看看两个儿子，稍有不快地说："唉呀，难得你们一片孝心，竟考虑到为父的脸面，真是没白读这圣贤书，给咱们苏家的列祖列宗长脸啊。"苏轼仍不说话。

苏辙又说："父亲，我与哥哥真的是怕名落孙山，自己倒没什么，却怕给父亲丢人。"苏洵忽然脸色一沉，怒道："哼！整天待在家里饱食终日、不思进取，就不怕给我丢人吗?！"苏辙慌忙跪下道："孩儿向来谨记父亲教诲，不敢有丝毫懈怠，父亲如此说，叫孩儿不敢承受。"苏洵觉得真是又好气又好笑，但还是板起面孔喝道："胡说！"到了此时，苏轼不跪也不行了，只是依旧沉默不语。

苏洵装作生气地瞧着苏轼，有些讥讽地说："轼儿，平日你大言滔滔，真是口吐珠玑啊，此时为何一言不发啊?"苏轼装得一本正经，却透出几分机智可爱，说："父亲正在教诲孩儿，孩儿洗耳恭听便是，未敢造次说话。"

苏洵觉得自己居然说不过他们，气得站起来说："住口！看看你们，成什么样子，一个说什么才疏学浅，搬弄借口！一个倒成了闷葫芦，说什么未敢造次！舍不得你们的燕尔新婚才是真！你们平时的志向都到哪里去了，为父向来就是这样教诲你们的吗?!"苏轼兄弟见父亲真的动怒,都吓得噤声不语。吴复古颔首微笑,咳嗽了一声。

苏洵一怔,道:"啊,道长,我这两个犬子让你见笑了。唉,老夫一生想报效国家,可是科场屡屡失意,如今只能寄望于两犬子,却想不到他二人如此不成器……让道长看家丑了。道长,你还是帮我劝劝吧!"

吴复古诡秘地一笑:"这世上岂有这样的道理,要我这方外之人来管你的儿子。你既然管不了,当初就不该生他们!呵呵,看我,一身的清静!"苏洵深知他的脾气,执拗地说:"你也算方外之人?"谁知吴复古这次没有和他纠缠,十分干脆地笑道:"不和你斗嘴了,你这事我可不管,贫道这就又要云游去了。"说罢,起身要走。苏洵嗔怪地说:"你——"苏轼、苏辙也起身齐呼:"道长——"吴复古仰视天空,微笑不语,然后拂尘一挥,飘然而去。

夜晚来临,苏洵夫妇回到卧房。苏洵虽然没有把早上的事情当真,但也还是要想个办法,免得让儿子笑话自己。他不免叹气:"这两个犬子,真是气死我了。"说着,不断地在房内踱步。程氏早已猜到了苏洵的心意,道:"老爷,别着急,我有办法。"

对于夫人,苏洵向来是十分佩服的。苏洵未婚时并未刻苦读书,而是喜好交游。程氏进门后,相夫教子,苏洵这才闭门谢客,折节读书。苏洵能有今日的文名,儿子能有这样的人品学识,程氏确实功不可没。对夫人的聪明和见识,苏洵向来自叹不如。苏洵奇怪地说:"夫人知道我怎么了?就有办法了?"

程氏笑道:"为妻佩服你为儿子的前程着想,先让他们成婚,再去赶考。但为妻早就算到你有'一失'。你想想,年轻人燕尔新婚,你就要拆散他们,他们自然不会愿意,这也是人之常情嘛。"

苏洵恍然大悟地说:"是了是了,为夫自然没有你心细。只想到将来不要让我们的儿子尚那皇亲国戚达官贵人之女,免得陷入党争,就没想到这温柔乡原是英雄冢。这可如何是好,我本来并未当真,经你这一说,我真有些着急了。他们若是真的等三年再去科考,那如何是好?我,我真是自作聪明,真的有些后悔了!"程氏淡淡地一笑:"我说了,我已替你想好办法了……"

次日,程夫人将王弗与史云叫到堂前,淡淡地说:"为娘有一事要同你们商量。"

史云很吃惊，但王弗似乎知道什么，镇静地说："母亲，我们是一家人，孩儿有什么不懂的地方还请母亲教诲。"史云附和道："是啊，母亲。"程氏望着两个儿媳，说："好，就知道你们是懂事的孩子。如今，轼儿、辙儿不愿进京科考，你们知道该怎么办？"王弗很痛快地答应说："是，孩儿知道。"史云一脸茫然，王弗拉起史云，对程氏说："母亲，孩儿回去了。"

程氏望着两个儿媳的背影，目光落到王弗身上。良久，程氏回过神来，轻轻地叹了口气。

晚上，苏轼微醺回房，待要推门进去，不想门却被反锁了。苏轼刚要叫门，听见王弗在房中说："夫君，莫怪我无情，好男儿哪有不去博取功名的。不进京赶考，从此莫进我的房门。为妻的脾气，夫君想必早就听说过。"

苏轼推门不开，叹了口气："娘子，你我二人新婚方才一二日，怎可以单居独处？就算你有意劝我赶考，又何必如此呢？"王弗不为所动："夫君，我要歇息了，你也早去睡吧。"屋内的灯光熄灭了。

苏轼着急地说："哎——娘子，你怎么知道我不愿进京赶考呢？"屋内仍无动静。苏轼欲言又止，只好离开。

苏轼来到苏洵房前，不想竟遇到了苏辙，原来他也被史云挡在门外。苏辙说："哥哥，你也被赶出来了？"苏轼说："哪里哪里，是你嫂子她不舒服。怎么，难道你是被弟妹赶出来的？"苏辙涨红了脸。兄弟俩"同是天涯沦落人"，相对片刻，忽然放声大笑。

苏辙笑道："哥哥，你说是父亲有办法还是母亲有办法？"苏轼说："嗯，父亲有学问，母亲有办法。"苏辙说："要是我们的父母联起手来呢？"苏轼说："那我们兄弟俩就斗不过了。既然如此……"兄弟俩同时说："那就去赶考吧！"说毕，二人笑了起来。

第二天，苏家正堂。兄弟二人进来，同时跪下说："孩儿拜见父母大人。"苏洵将头转向一边，程氏让两人起身，一脸严肃地说："轼儿、辙儿，知道你父亲为什么非要你们进京赶考不可吗？"苏辙摇摇头，苏轼并不表示，但似已了然于心。

程氏叹了口气，说："唉，为娘哪有不疼儿的，娘怎忍心拆散你们两对鸳鸯。若是以往，再过几年去也不迟，但是这次不同。"苏辙不解地看着母亲，苏轼则瞅了一眼父亲。

程氏继续说："此次科考，皇上钦点欧阳修大人知贡举。据你父亲判断，其用意是要废止太学体，改革文风，为我朝选择一批栋梁之材，实乃我大宋读书人的一大幸事。倘若不能抓住这次机会，将来万一文风不振，那你们就只能像父亲那样为太学所排斥，终生报国无门啊。"

苏辙突然跪倒："母亲，你不要再说了，孩儿明日就随父亲启程。"苏轼也赶紧跪下。程氏关切地看着苏轼，问道："轼儿，你是怎么想的，为何不说话？"

苏轼终于将真心话和盘托出："父亲、母亲，其实孩儿早已猜到父亲的一片苦心，为使我兄弟二人不被朝廷官员招赘，故于完婚之后再进京赶考，实在是为我兄弟二人作深远计！孩儿怎会不理解父亲的良苦用意，又怎能不感激父母的忧爱啊？"苏洵激动地眼含泪光："轼儿，你……"

苏轼接着说："所以孩儿早就打定主意，成婚后即与弟弟一同进京赶考，但功名是功名，夫妻是夫妻。孩儿也没料到，前日与弗儿成婚之后，心中却生出一种从未曾有的牵绊，一想到她新婚才一日，就要独守空房，于心不忍，便犹豫不决起来。孩儿不孝，所以惹得父亲怪罪。"

程氏叹了口气。苏洵站起来看着苏轼，欣慰地点了点头："轼儿啊，世事不能两全，但求无愧本心，总有一日你会明白的。"

眉州郊外长亭，程氏带着两个儿媳为苏洵父子三人送行，采莲和丫鬟摆设酒席。

程氏对苏洵道："老爷，两个儿子我就托付给你了，一路保重，早点回来。"苏洵道："夫人放心吧。"

王弗强压住内心的不舍，对苏轼说："夫君，到了京城，莫挂念家里，我会照顾好母亲的。"苏轼点点头，说："母亲近来身体有恙，照顾好她，家里也交给你了。"另一旁，史云娇羞地对苏辙说："出门在外，自己照顾好自己。"苏辙道："嗯，我知道了，你放心吧。"

酒过三巡，苏洵对苏轼、苏辙道："好了，时候不早了，我们上路吧。"转身对程氏关切地说："夫人请回吧。"苏轼、苏辙对程氏作揖道："母亲保重。"

程氏在王弗和史云的搀扶下，望着苏洵父子三人渐渐远去。

三　文　争

　　大道上，"三苏"并马而行，巢谷从后面追来，边追边喊道："伯父，等等我。""三苏"停了下来，巢谷很快就追上了："伯父，带我一起去吧。"苏洵说："你是背着师父来的吧！"巢谷嘴硬，说："没有没有，师父答应我了。"苏洵笑着说："你啊，从小就不会说谎话，说了也不像，我就知道你是瞒着吴道长偷偷跑出来的。你是吴道长的徒弟，既未禀过师父，老夫怎敢私自带你！"

　　巢谷虽然学问不及大小苏，但机智却毫不逊色。一来是他天生聪明，二来是他自小和苏轼兄弟厮闹在一起，也学了不少应变之方。他知道苏洵的弱点，机智地说："我以为伯父无所畏惧，原来怕我师父！"苏洵果然中计，道："什么？谁说我怕那牛鼻子老道了？"巢谷一脸无奈地说："哎，刚才伯父明明说'怎敢私自带你'，岂不是怕了吗？"

　　苏洵虽是文章大家，但机智却未必赶得上年轻人。不过，他生性洒脱，也有一套应付的办法。他一拍脑袋，道："我说了吗？好，老不和少争，就算我说了。那日那牛鼻子不帮我劝说轼儿、辙儿，反倒拂尘一扬，云游去了。哼，我就偏偏带走他的徒儿，这叫一报还一报。"

　　巢谷跳了起来，喜道："太好了，太好了！我又可和二位哥哥在一起了。要是伯父路上遇着劫道的强人，我也好替伯父打发了他们。"苏洵说："嗯，好。说不定你也考个武状元回来，你那牛鼻子师父怕是要气疯了。"众人大笑起来。

　　经过月余的跋涉，苏洵四人从陆路来到汴京，暂时寄居在兴国寺。

　　仁宗嘉祐二年（公元1057年）秋天，汴京贡举院的大门缓缓打开。随着沉闷的吱吱呀呀的声音，贡举院内外的古树上，众鸟受惊，呼啦啦地飞走了。

　　宋代礼部考试，有锁院、誊抄等繁复的制度。就说誊抄吧，举子的亲笔试卷都必须经过抄手的抄写，再编号上送，以免考官认出了考试的笔迹，内外联通作弊。此时的贡举院里，一群带刀侍卫紧盯着长案前的两排抄手。这些抄手一个个鹄首鸠面，多是屡试不第的书生。他们在进来时都换上了统一的服色，等出去时再换上自己的衣服。抄手后面立着带刀士兵，神色肃穆。抄手们一边疾书，一边还惊恐地看着身后的军士。他们虽是读书人，但此刻形同囚徒。

终于，抄写编号完毕，一军官大声喝道："誊抄完毕，起立！"抄手们齐刷刷地站起。军官又说："封卷。"于是，士兵们向前将各自面前的原卷和抄写卷封好，并贴上封条，军官收起放入箱中。抄手离场后，军官指挥士兵，将装有试卷的大箱子抬向阅卷处。

此时，刚刚考完的考生们也鱼贯而出，很多人都惊魂未定，脸色还没有缓过来。但以刘几为首的一群太学生走在前面，他们的表情与众不同，多数洋洋自得，面有骄矜之色，仿佛已经高中了。

随后又出来了一群年轻人，他们大多二十岁左右的年纪，面色平和，谈笑自如。其中一位相貌精干的青年向其他人抱拳，客气地说道："诸位兄台，一定都考得不错吧！"他叫章惇，字子厚，出身汴京富家，但性格果毅，为人朴实，与纨绔子弟大不相同。本来，大家都没有直接谈及考试的事，既然章惇率先开口，曾巩就不能不先接下来，因为他是欧阳修的学生，年龄较大，在举子中文名最盛。曾巩客气地说："哪里，哪里，在下意迟笔拙，定然不及子厚兄。"章惇开朗地笑道："兄长客气了，谁不知你的大名，即便不中魁首，也……"曾巩好像十分敏感，急忙用手势打住了章惇的话头。章惇立即会意，就转向了旁边的苏轼："子瞻兄，素闻你才华卓异，想是方才已作了一篇好文章吧。"苏轼当然也十分客气："呵呵，西蜀鄙人，怎可与子厚兄相比！"章惇一笑，又转向旁边的苏辙，说："子瞻兄竟如此自谦。子由一表人才，想来也不会落于乃兄之后！"苏辙急忙说："惭愧，惭愧，苏辙哪里敢与众位才俊相比。"

这时，刘几等一众太学生在前面喧哗起来。他们与章惇、苏轼等人虽然不熟，但都有耳闻，尤其对曾巩，太学生们更是熟悉。他们见曾巩等人走在后面，好像故意找茬似的，大嚷起来。刘几高声说："哎，终于是考完了，就等着发榜之日了。以我十年太学精深造诣，欧阳修虽然是知贡举，又能对我如之奈何？"一个太学生立即迎合说："以刘兄才学，定为此次大考魁首。"众人急忙唯唯称是。刘几故作自谦地说："不过欧阳修如今得势，却也不可轻视。"另一位太学生附和道："刘兄无须多虑，还是先到哪里一聚吧，我等早已等不及了。"刘几说："好哇，所谓饮酒之醉，美色之欢。这种时候，当然是去西池了。"说着，刘几向一个太学生使了个眼色。

那个太学生随即转身，拦住了后面苏轼一行人的去路，傲慢地说："我等这就去西池摆庆功宴，倒想听听，你等秀才会去哪里呀？"章惇秉性峻急，并不相让，反唇相讥说："啧啧，好大的排场，出手真是阔绰啊！尔等不愧是纨绔子弟，岂是我们这些穷酸书生所能比，可以坐吃老子山空呀！"那位太学生涨红了脸，指着章惇说："你，你，你敢侮辱我等斯文……"

刘几走上前来，用手拦住他，说："哎，不要着急，我等的一言一行都要给太学院增光，我们讲的是以文会友，莫要学这些市井小民，出口粗俗，学那欧阳修的什么新文体，失了读书人的体面。"太学生们一听，立即齐刷刷地站到刘几身后，摆出一副一本正经的样子。

曾巩虽然为人沉静，但他再也不能沉默了，大家都知道他是欧阳修的学生。他走上前，厉声说："哼，体面！久闻太学生不学无术，以堆砌华丽辞藻为能事，故而吃饭也要找个华而不实的地方！"曾巩的话虽不多，但每个字都指向了刘几的痛处。刘几有些恼羞成怒了，大声吼道："曾子固，不要以为你那老师欧阳修做了知贡举，今年你就能中榜。依我看，你就是那屡试不中的命，你若不归太学，我料你今年仍是不中。"众太学生觉得挽回了面子，哈哈大笑起来。曾巩毕竟是老实人，气得两手发抖，说不出话来。

章惇却是口齿便给之人，当即反讽道："哈哈，刘兄，依我看，此次该是太学的招牌挂不下去了。刘兄如今该自悔当初错投师门，只可惜大比已过，想要临时抱佛脚，却为时晚矣。"张璪一直跟在章惇的后面，没有说话，他听了这话，也呵呵一乐。这一乐，更加激怒了刘几。

刘几说："哼，我太学精深，岂是尔等井底之蛙所能窥见？区区一个欧阳修，就能撼动我太学百年基业，螳臂当车，可笑不自量。曾子固，我告诉你，不要以为你是欧阳修的得意门生我等就会服了你，有本事我们各施才华，一决高下，看看究竟是你们欧阳体厉害，还是我们太学体高深！"

曾巩说："哦，怎个比法？"刘几说："汴京城内有一汴河酒楼，专以对楹联为趣，如能过三关，不仅酒肉自便，还有美女相伴。今日你我就去那里一决高下，你敢不敢？"章惇是个好事的人，他倒是有些乐了："什么敢不敢，难道怕你不成，谁输谁请客！"刘几道："好，一言为定！"

苏轼站在人后，正欲随曾巩、章惇等人离去，却被苏辙拉住。苏辙说："哥哥，别忘了父亲叮嘱过的话。"苏轼遗憾地说："也罢，那就回兴国寺去吧。"

苏轼与苏辙走过龙津桥，离开了众人，方显得意气风发。苏辙问苏轼说："哥哥，今日考的这篇《刑赏忠厚之至论》，是如何写的，快说给我听听。"苏轼神秘地一笑："父亲不是说我们回去之后，即刻将文章抄写给他观阅吗？子由，你那时再看不迟！"苏辙觉得苏轼表情有些奇怪，狐疑地望了望苏轼，正待追问，巢谷却突然从旁边闪了出来。巢谷拍手叫道："等你二人许久了，这时候才来！"

东京的御街上，苏轼、苏辙和巢谷三人兴致勃勃地走着，说说笑笑，左顾右盼。他们来汴京后，一直准备考试，还没有心思好好看看汴京的风物。

苏辙说："巢谷兄，你陪我们赶考，这一路上，见了甚多景物风情，我看都比不上这汴京的繁华景致。我从来没见过这么多人，这么多的街道店铺，车马行船，好不热闹！"巢谷说："是啊，子瞻、子由，今日咱们该找个地方好好大吃一顿！成日吃这兴国寺的斋饭，我这嘴巴都淡出鸟来了！"苏辙摇头说："不行，不行，父亲还在兴国寺等我兄弟二人，须得赶紧回去。"巢谷不悦地一撇嘴，瞅瞅苏轼，苏轼笑而不语。

此时一书贩当街叫卖："卖文章了，卖文章了，苏洵苏明允的大作《六国论》，历陈六国覆灭之根本，针砭时弊，十文一篇，快来买啊。"苏轼、苏辙、巢谷听了，自然走了过去。苏轼问："店家，这《六国论》卖得好吗？"店家说："不瞒你说，前两天供不应求，可这两天总有人捣乱。这不，刚才有几位公子想买，又来了一群太学生偏不让他们买，双方争执不下，听说是到汴河酒楼比对联去了。"

苏辙气愤地说："哥哥，一定是曾巩、章惇与太学生刘几他们。"苏轼微一思忖，对巢谷说："哈哈，巢谷兄，听说这汴河酒楼专以对楹联为生，如能答对，还能免费吃饭。"苏轼知道巢谷是个极实在又极好事的人，才这样逗他。巢谷说："这可难办，巢谷会看对联，却不会对。"苏轼毫不介意地说："巢谷兄，今日自有我来管你吃个痛快。那些人如此霸道，不让别人买父亲的文章，岂能不去问个究竟？走，我等三人去汴河酒楼吃酒去！"

三人走了不久，来到汴河酒楼门前。门楣之上，首先映入眼帘的一副对联是：常对能对妙对引来八方才士，八折五折零折送尽四海美味。横批：凤鸣京华。

此时，汴河酒楼里，众太学生趾高气扬，显然已占了上风。曾巩、章惇、张璪、曾布等人则心有不甘。刘几说："怎么样，尔等可输得心服口服？这楹联一事，最见真实功夫，来不得半点花言巧语。"张璪辩解道："你们太学生专攻楹联，以己之长，对人之短，赢了又能如何！"刘几说："哼，赢就是赢，输就是输。一个小小的对联都对不上，还有什么资格'登堂入仕'，趁早回家去吧。"众太学生放声大笑。曾巩、章惇等人脸上无光，但又无可奈何。

酒家门口，几个太学生拦住了苏轼三人。一位太学生上下打量着他说："今日这汴河酒家被我们包了，你等吃得起吗？"巢谷说："岂有此理，你们这些太学生，偏这么霸道，不让卖书，也不让人吃饭，这汴京是你们家的吗？我偏要进去，看你能把我怎么样！"说罢便要往里闯。苏轼急忙制止，"巢谷兄，不要乱来。"一位太学生将苏轼打量一番，轻蔑地说："看样子你是个读书人，该是学那欧阳体的穷书生吧。你进去可以，要先过了我等这一关。"苏轼淡淡地说："哦？请出题吧！"

这位太学生摇头晃脑地说："数点梅花和靖笑。"苏轼微笑，正要答对，苏辙拦住说："哥哥，这些太学生太过狂悖无礼，真是是可忍孰不可忍。杀鸡焉用宰牛刀，让我来。你听着，三分明月阮郎归。"太学生听苏辙轻易就对了上来，不免吃了一惊，又出上联道："三更灯火五更鸡，催我十年寒窗成滋味。"苏辙更不作难，脱口而出："二月杏花八月桂，动人千载伟业树功名。"那太学生有些急了，口吃起来："大……大小多少，上……上下来去，天地之间人最大。"苏辙知道这都是熟对，一笑说："前后左右，四面八方，古今内外礼当先。"这时，门口看热闹的人越聚越多，不时传来叫好声。

那位太学生已是满头大汗，结结巴巴地说："杨……杨玉环失意，赵……赵飞燕得宠，避重就轻皆美女。"苏辙还是脱口而出："太子丹图穷，燕荆轲藏剑，趋利赴义乃英雄。就这些？还有吗？"众太学生瞪目结舌。巢谷推开太学生，闯了进去。

汴河酒楼二楼包房内，一个房间的窗户微微启开，微服私访的宋仁宗正摇着折扇，似乎在看着外面的街景。屋内乔装的守卫们很是紧张，一侍卫不小心碰了桌上的茶杯，惊慌地说："陛下……"仁宗以手示意他不要发出声响，继续凝神听着隔壁的喧哗声。

苏轼、苏辙和巢谷大步来到席间，众人的目光齐刷刷地落在他们身上。曾巩、章惇等人正处境尴尬，苏轼等人的出现，令他们登时为之一振。

门口的那位太学生急匆匆跑来，向刘几耳语一番。刘几上下打量着苏轼，朗声道："听好了，求荐孟尝门，寄食田家，非田家也。"苏辙看一眼苏轼，苏轼点头示意。苏辙上前一步："飞投南国树，暂宿杜鹃，岂杜鹃乎？"人群中爆发出喝彩声："好！"

章惇兴奋地说："南方既有杜鹃鸟，也有杜鹃树，此杜鹃非彼杜鹃也，怎样，刘兄？"刘几冷笑道："有点能耐，再听这联——十岁为神童，二十为才子，五十为名臣，六十为神仙，可谓全人矣。"人群中一阵骚动。

苏辙沉思，曾布摇摇头，小声地对曾巩说："这一联难对。全是数字，且是人生悟道之语。"刘几得意地说："我早说过，太学无敌！"众太学生纷纷摇头晃脑，摇动折扇，一派腐儒的样子，他们七嘴八舌地说道："学问之道，对联为本，既对不出，岂不见学问浅薄乎？""是啊，既对不出，那就是对不起诗书也！""岂止对不起诗书，更乃对不起祖宗哉！"你唱我和，气焰嚣张。

苏辙、章惇、巢谷等人看着他们的样子，互相对视微哂。苏辙小声地说："大宋若是用这等人为官，焉能振兴！"章惇等人点头称是。

这时苏轼朗声说道："这有何难？春朝成云苗，夏月成秀干，秋日成栋梁，冬时成云骨，岂非嘉树哉！"一语既出，满堂惊视。

刘几冲苏轼道："兄台好文采，还未请教三位尊姓大名，师从何人？"巢谷在一旁咬着鸡腿，站起身来轻蔑地看着刘几，说："刘几，你们这些太学生，十分霸道，不叫我好好吃饭倒也罢了，我大人有大量，不跟你计较。但可气的是你不让人卖我伯父的书，我伯父是谁？是名满天下的苏洵老学士！爷爷我叫巢谷，这两位就是苏洵老学士的公子，苏轼和苏辙，人称大苏、小苏先生。"

刘几轻蔑地一笑："我道是谁呢，怪不得打二位一进来，就有股茅厕味。"巢谷大怒："你说什么！"苏轼制止巢谷，爽朗一笑道："刘兄，此话怎讲？"

刘几装出一脸无辜的样子，说："苏兄错怪刘某了，不是我不让人卖乃父的《六国论》，而是今日御街书铺里的《六国论》已被我等太学生纷纷解囊抢购一空，你可知有何用处？"苏轼便问何用，刘几笑着说："以作厕纸之用，故而今日汴京的茅厕皆是书香弥漫呀！"一边说一边做着手势，众太学生听了，摇扇狂笑。一个太学生笑得前仰后合，差点背过气去。

曾巩及苏辙等人气得脸色铁青。巢谷起身，就欲上前出手，却被苏轼拉住了。巢谷有些不解，却见苏轼摇头叹息道："刘兄，可惜，可惜呀。"刘几疑惑地问："可惜什么？"苏轼说："可惜刘兄平日所读的太学，险怪诡涩，迂腐无用，使人糊涂。而家父所著的《六国论》，则论道经邦，使人明白事理。刘兄用脑袋来读那太学，却用屁股来读家父的《六国论》。你可知这样会是何等结果？"众太学生齐声问道："能有何等结果？"

苏轼笑道："那就是头脑越来越糊涂，屁股越来越明白！长此以往，只怕有朝一日诸位的屁股倒要比脑袋更明白了啊！"曾巩、章惇等人捧腹大笑。

众太学生你看看我，我看看你，张口结舌。刘几气急败坏地说："你……你……"可就是说不出道理来。

这时，苏轼缓缓地站起来，朗声道："这作楹联原本不是坏事，但若一味追求用典使事，对仗押韵，专用生僻辞藻，甚至当作学问之本，那便入了魔道了。"隔壁的包间中，仁宗手拿折扇，听了苏轼这话，也不由自主地点点头。

气氛一时有些沉默，还是刘几出来反问说："以你说，这楹联就作不得了？"苏轼说："那就看如何作了！"刘几紧追着问道："如何作？"苏轼答道："比如，本朝范仲淹为天下鞠躬尽瘁，德行学问人所共仰，楹联出在这等人身上，方不辱没了祖宗制联作对的美意！"

一太学生尚不死心，结结巴巴地说："如……如何出？你出一联我看看！"苏轼当即应道："太学诸生听好这一联——范文正写《岳阳楼记》，先天下之忧而忧，后天下之乐而乐。"隔壁房间里的仁宗听了，有些激动地站立起来，轻声说："好！"苏辙、章惇、曾巩等人也齐声惊呼："好，好，真乃绝对！"众太学生都作惯了楹联，明白这真是绝对，不由得面面相觑，神情沮丧。

这时，在楼梯口传来了一位老者的声音："出得好！"只见两个太学生扶着一位老者颤巍巍地走上楼来，太学生们纷纷向他施礼。这位老者正是太学先生，他走到苏轼近前，老眼昏花地瞧着他说："我太学三千门徒，能对上此联者恐无一人。不过适才大苏先生说太学如何如何，老夫以为欠妥。"他捋了捋胡须，悠然背诵道："'去年元夜时，花市灯如昼。月上柳梢头，人约黄昏后。今年元夜时，月与灯依旧。不见去年人，泪满春衫袖。'不知大苏先生可否知道这首词是何人所作？"苏轼不假思索地说："自然是我朝当今的文学泰斗欧阳永叔大人。"太学老者以为苏轼中了圈套，摇头晃脑地说："嗯，欧阳大人立志摒除太学体，那大苏先生认为欧阳大人写的这些词却是什么体？宫体？艳体？还是花间体？只怕这欧阳体还不如太学体。哈哈！"众太学生一听，觉得有理，纷纷点头称是，有的人还幸灾乐祸地说："正是，看你如何解释！"

苏轼正色道："老先生之言，晚生不敢苟同。欧阳大人曾说：'坐读文章，卧读小说，入厕才读小词。'欧阳大人偶尔戏作小词，怎么能和改革文风扯在一起？老先生应该读过欧阳大人的政论文章吧，依晚辈看来，与欧阳大人的文章相比，太学体的文章是一味粉饰太平，堆砌辞藻，在故纸堆里讨饭吃，于时事毫无补益。试问不改革如何得了？"

太学老者没有想到苏轼会如此反驳，一时有些乱了方寸，只好硬着头皮狡辩道："什么粉饰太平，什么于时事无补益，不过是朝廷用来排斥太学，党同伐异的借口罢了。难道说，欧阳体就对时事有益？欧阳体就能使大宋消除边疆隐患吗？老夫看来，尔等习欧阳体之辈，不乏专务取巧投机之人，这个体那个体的只不过是你们用来升官发财的阶梯罢了！"太学生们觉得先生义正辞严，轰然叫好。

苏轼不卑不亢地回答："泥沙俱下，鱼龙混杂，害群之马，难免有之，但并不是改变太学体之过。老先生大概在汴京待久了，只知党派之争，却不闻民间疾苦，故而一说变革就归为党同伐异。晚辈自眉州来京，一路所见所闻，触目惊心。老先生你看不见的是，我大宋早已一天天积贫积弱，若不变革，岌岌可危！而要变革，则必从文风改起，文风不改，选出的官员必是太学体的官员。这样的官员只知涂抹辞藻，嘲风弄月，以这样的官员来管理大宋政务，则大宋富国强兵断然无望！"隔壁房间里的仁宗脸色沉重，一边踱步，一边激动地点头。

太学老者有些恼怒，连声反问道："苏轼狂生！老夫问你，你说改革太学就改吗？改成什么？难道是改成令尊的《六国论》吗？"说着还拿出一本书，指着说："老朽刚刚拜读了令尊的《六国论》，其中全是纵横家之辞，出语无据，发言荒唐，与祖宗之制相悖，与大宋百年文风不合。这样下去，大宋读书人就会心无存主，读书人一乱，大宋岂有不乱的道理，更遑论改革了？《六国论》乃倡乱的祸首，应付之一炬。至于你，老夫看你亦有所长，劝你入我太学门，少走弯路，也算为国选才！"

苏轼轻蔑地说："老先生，文章优劣，不是你，也不是晚辈所能决定的，而是人心所决定的。人心是什么？人心就是御街的书铺，家父的《六国论》日日在卖，而你等太学文章却在柜台上落满尘埃。"

太学老者好像忽然抓住了什么把柄，理直气壮地说："大胆，皇上所向才是人心所向，你方才讲的是欺君之言！"隔壁房间内，仁宗默默地沉思着。

苏辙觉得哥哥不该再往下说了，伸手抓住他的胳膊。但苏轼用力甩开苏辙，说："呵呵，道理讲不过就来陷人于罪！若皇上在此，苏轼也要这般进言。太学已朽，新学正兴。入你太学，无异自投坟墓。棺材中人，何谈为国选才！"太学老者听了，急火攻心，摔倒在地。

众太学生忙上前扶起太学老者。张璪见老者晕了，转喜为忧，对章惇嘀咕说："子瞻兄这么说有些过了吧，该见好就收啊。"章惇却豪爽地悦："怕什么！不怕！"

这时刘几冲上来，指着苏轼说："苏轼！你放肆！"几个太学生也上来围住苏轼。章惇等人冲上前护住苏轼，章惇说："不是有言在先以文会友吗？难道说刘兄愿赌不服输？久闻纨绔子弟霸道专横，今日一见，果然如此。"刘几气急败坏地说："哼，苏轼无礼在先，将我先生气成这样……"章惇理直气壮，说："当其子而辱其父，罪莫大焉，是你们先侮辱人家父亲，失礼在先！岂能怨得别人！"刘几听了，有些气馁，但还是不依不饶："哼，反正你将我先生气倒，若不赔罪……"苏轼问："那便怎样？"

刘几看看四周，见自己人多，忽然说："哼，那今天你们一个也别想跑！来呀，关门！"众太学生纷纷抄起家伙堵住去路。这时张璪胆怯缩在后面，对年长的曾巩说："他们人多势众，如之奈何？这苏子瞻也太爱出风头了，这不是惹是生非嘛！"

忽然，巢谷一个鹞子翻身，跳上桌子，哈哈一笑："这两天我拳脚生疏，正愁无处发泄。你等文弱书生不务正业，学人打架，这文风看来是不改不行了。上来吧！"几个太学生一拥而上，巢谷三拳两脚，将他们打得东倒西歪，余者胆怯地纷纷后退。巢谷说："哎呀，原来读书不行，打架也不行。刘先生，要不你来试试？"刘几虽不甘心，但也无可奈何，冲着苏轼咬牙切齿地说："苏轼，咱们发榜之日再说！"苏轼笑笑："苏某奉陪！"

章惇朝着刘几等人离去的方向说："哎，刘兄，今天这顿饭可是要你请了，小二，上菜！"说着，众人大笑起来。

苏轼自然不知，汴河酒楼里发生的这一切都被仁宗听在了耳里。仁宗知道今天是士子考试的最后一天，按照老习惯，这些士子会聚到汴河酒楼，好好吃上一顿。于是他微服出行，在汴河酒楼的二楼订了一间房，他想从这群高谈阔论的士子中，看到几个真正能为大宋朝所用的社稷之才。今天发生的这场争论出乎仁宗的意料，但从争论中，他也确乎看到了平时温顺的太学生在贫寒士子面前趾高气昂的丑态，看到太学体所培养出来的学生确乎难为朝廷所用。而更重要的是，他记住了一个名字——苏轼。

四　青萍之末

礼部阅卷处，众人正在紧张阅卷。欧阳修小声地念道："'天地轧，万物茁，圣人发。'险怪诡涩，狗屁不通，定是太学生所为。"说着，以红笔狠狠地打了一个叉号。旁边的王珪倒显得悠闲自在，他指着欧阳修对范镇说："呵呵，范公，听听，我等苦，欧阳公更苦。'泪眼问花花不语，乱红飞过秋千去。'能写出如此凄艳之词者，岂能耐得住这数十日的寂寞啊！"

范镇并不领情，倒是有些揶揄地对王珪说："禹玉老弟啊，老夫看你数十日以来，一直气定神闲，一副坐怀不乱的样子，倒真想请教，你等太学有什么妙法心得，能消除这寂寞啊？"王珪说："范公玩笑了，我的意思是，欧阳公的文章举子能读，小词歌女能唱，男女老少、三教九流无不喜欢！有天下人为知音，欧阳公又怎会真正寂寞呀？"范镇气哼哼地说："哎呀，禹玉，你就别穿凿附会了。我说呀，这一个多月吃住在院里倒也罢了，外面还有兵丁把守，这哪里是阅卷，简直是坐牢！"欧阳修倒是并不计较王珪刚才的话，说："若是能阅得好文章，倒也值得。"范镇是个火爆脾气，有名的大嗓门，说："什么好文章，净是太学的狗屁！"王珪一愣，似有不快，但是瞬间又和颜悦色起来，堆起一脸慈祥，嘟嘟囔囔地说："太学文章也不都坏。"范镇有些嘲讽地说："是不都坏，岂不闻人将太学文章分为三等！"王珪马上附和说："就是啊，凡事都有个三六九等。"范镇说："唯独太学文章的三等不同。"王珪不解地瞪起迷惘的眼睛说："如何不同？"范镇怒气冲冲地说："有何不同？那太学文章是放狗屁、狗放屁、放屁狗三等。"这一下，连正在阅卷的欧阳修也不解了，认真地问道："范兄，这三等如何不同？"范镇说："哼，'放狗屁'，说的是人在放狗屁，不过毕竟还是人；'狗放屁'那就不是人了，是狗，但狗还可以不放屁，做些有用的事；'放屁狗'则是说那狗只会放屁，不会做别的。你还不明白？"欧阳修似乎刚刚从阅卷中转过思路来，笑着说："言过其实，言过其实，太学文章还不至如此。"王珪则涨红了脸，连说："市井之言，市井之言。"

这时，欧阳修好像发现了什么宝贝似的，兴奋地说："这一典故出自何处嘛，回头再说。在老夫看来，这篇《刑赏忠厚之至论》，堪称我大宋开国以来最好的应试文章，居然没有沾染一点太学的恶习，真是可喜可贺。"说着，他瞟了王珪一眼，见王珪在微笑着，就接着说："此次大比能为皇上发现此文，就算大功告成！"

范镇抢过试卷，端详了一会儿，也十分高兴地说："恭喜欧阳公，我看也没有比这更好的文章了。尤其是用典，不落俗套。"王珪惯会见风使舵，但又有些深不可测地说："欧阳公，看来魁首非此文作者莫属了。"欧阳修听见这话，脸色忽然一变，陷入了沉思。

范镇说："欧阳公，难道还有什么疑问吗？"欧阳修沉吟了片刻，说："我确实有个疑问。不瞒诸公，看此文格调，我怕这文章是我的学生曾巩所写！"范镇呵呵一笑，道："哎呀，欧阳公，我看你是多虑了。大宋数十万读书人，未必就没有人超过曾巩。"

欧阳修仍放心不下，担心若判自己的学生为第一，会有徇私之嫌，便询问范镇的意见："范公，如果你是我，你会怎么选？"范镇说："问心无愧，何畏人言！"欧阳修说："好个何畏人言，可是范公此言差矣。"范镇惊异地说："差矣，差在哪里？"欧阳修看看王珪，似乎是对他宣告一般："范公难道就不想一想，这次我若是一个太学生都不选，而偏偏选了我的门生做了第一，这汴京不大乱才怪！"范镇惊问道："那……那该怎么办？"

欧阳修沉吟半晌，十分干脆地说："我说判此文为第二，就这么定了！""只怕若不是曾巩，可就委屈了此人！"范镇说着，转脸问王珪，"你说呢？禹玉兄？"王珪支吾了几声，起身说："蜀公，我忽告内急，须先如厕。"说完就出去了。欧阳修鄙夷地看着王珪的背影，对范镇说："若是委屈了他一个，也许天下读书人就都不委屈了！"

兴国寺中，苏洵欣赏地再次阅读苏轼的《刑赏忠厚之至论》，这是苏轼专门默写下来给他看的。苏洵边看边点头。

苏洵踱着步，小声说："轼儿的这篇应试文章，只怕已然超过老朽了。"他转过身来，慢慢地品味，道："在上古尧之时，皋陶为大法官，一个人犯了死罪，皋陶三次要杀他，而尧三次赦免了他。这典故用得好，好……"忽然，苏洵愣住，沉思了一会儿，自语道："这……这典故出自何处呀？"

苏洵坐下来重新阅看，"啊"一声站起，脸色大变。

清晨，礼部大门边。这天是放榜的日子，张榜处早已是人山人海。士兵把守着，将人们推开，留出了一块空地。

这一榜，在中国科举史上都大大的有名，因为这一榜上不仅有几对兄弟一同高中，更出了不少历史上有名的人物。

榜上的名字逐次映入人们的眼帘。

第一名 曾巩

第二名 苏轼

第三名 章惇

第四名 程颐

第五名 苏辙

第六名 程颢

第七名 曾布

第八名 蔡确

第九名 张璪

第十名 陈凤

…………

有人欣喜，有人号啕大哭，有人疯疯癫癫，有人大喊："我十年太学，竟然不中，天理何在?!"场面一团混乱。一太学生咬牙切齿地说："欧阳修欺人太甚! 我堂堂太学，竟无一人得中，没那么容易!"另一太学生向周围的同窗说："对! 我等这就去找欧阳修理论，讨还公道，何以要将我等太学生赶尽杀绝!"

刘几呆若木鸡地立在榜前，完全不相信眼前的事实。虽然他从欧阳修知贡举之日就知道此科会试定有大变，尤其太学体文章定会大受打压，但凭着自己的文名和后台，从未想过自己竟会落榜，更不相信太学生竟会全军覆没。他尽可能地控制自己的情绪，因为只有采取行动向欧阳修施压，才有可能扭转当前不利的局面。想到此，他咬咬牙，拂袖转身，带领大批太学生大步离去。

曾巩、章惇、曾布、张璪站在人后。章惇冷冷地说："哼，迂腐可笑，不中活该！"张璪恭维道："恭喜子固兄高中魁首！"曾巩一点都高兴不起来："唉，我中第一……中第一，恩师会陷入口舌的。"章惇劝慰说："子固兄不必自责，考官非欧阳公一人。再说了，考生的卷子皆被抄书公所抄，考官们也见不到我等的笔迹。"曾巩摇摇头，叹口气道："人心叵测啊。自古欲加之罪，何患无辞。"

确实，这两天，太学生到处散发谣言，说知贡举欧阳修徇私舞弊，内定自己的弟子曾巩为状元，并且党同伐异，对朝内异己的攻击殃及到此科会试所有的太学生。尤其是有一位老太学生因多年不中，看到太学体被废，自己以后更无希望，竟绝望地投河自尽。这更是成为了太学生们造谣的口实，使得欧阳修身上的压力越来越大。

现在，欧阳修有门难出。当天，阴云笼罩，众太学生在刘几的带领下身着黑色服饰，神情严肃，抬着刚自杀的老太学生的棺材，沿街示威。很快，众太学生行至欧阳修府，将棺材置于府门前面，把府门团团围住。

刘几高声喊道："欧阳修，说我们的文章不好，拿出凭据来。身为知贡举，对代表当朝文统的太学如此绝情，致使太学生自杀，你如何面对天下斯文？"众太学生纷纷大声附和。一太学生喊道："为何废除太学体，我们学的就是太学体，不会写别的文章……"刘几将其打断："考太学体是祖制，擅改祖制就是欺师灭祖！""对，是欺师灭祖——"众太学生高声附和道。

刘几见呼喊得差不多了，举手示意众人："大家静一静。大家都知晓了吧，此次大比的榜首竟是欧阳修的门人曾巩，无私也有弊呀！"人群立即像炸了锅一般，纷纷喊道："圣人的脸面丢尽啦！我等要为天下读书人维护尊严！考官们为所欲为，还有王法吗？文风突变，目无文章正统，天下必乱啊！"众太学生高声嚷道："出来！欧阳修出来——"

此时，府门轻轻启开一条缝，一家仆推门而出，欧阳修牵白马走出府门。众太学生没想到欧阳修真敢出门，惊愕得几乎停止了呼叫，但随即就围了上来，七嘴八舌地呼喊着。欧阳修翻身上马，笑劝众人："众举子落榜，老夫也很同情，读书人进取功名不易呀。但不可能人人都中，请回去继续努力吧。"

一太学生质问道："曾巩高中第一，就因为是你的门人吗？"欧阳修知道京城的谣言就是这些人捏造的，怒喝道："难道诸位怀疑老夫有私不成！"众人被欧阳修的盛怒震慑，声浪渐小，刘几却高声辩道："那你解释为何要违背祖制，废除太学体？"欧阳修认识刘几，从容说道："太学体迂腐不合世用，难道让老夫取一些古书里的蠹鱼来做大宋的官员吗？"听到此言，太学生们一片哗然，怒言骤起，纷纷挤上前来，越挤越紧。

"岂有此理！"

"这岂是文坛领袖该说的话！"

"不让他上朝！"

"和他辩论三日！"

…………

见此状，欧阳府的家仆们忙过来拦住众太学生，把欧阳修护至府内。

苏轼、曾巩、章惇等听说太学生们围攻欧阳修府第，便纷纷赶来。章惇远远大喝一声："大胆！学识浅薄，非但不思己过，反来威胁考官，这也是你们太学的传统吗？"曾巩也压抑不住怒火，大声呵斥："你们好大的胆子！"

刘几听到曾巩的声音，指着他冷笑道："来得正好，曾巩，你这个年年落第的穷酸秀才，今年靠巴结欧阳修才乞得榜首！"又一太学生叫道："如此营私舞弊，算什么圣人的门徒？我等宁愿落第，也不走你们这种卑劣小人的途径！"

苏轼见太学生不知反省，反而颠倒黑白，摇头叹道："你们要是把这等心思和气节放在大宋的社稷之上，就不会有今日的下场了。"刘几听出苏轼的弦外之音，怒道："苏轼你不要在这里口出狂言，惺惺作态。"苏辙拉一拉苏轼的衣袖，示意要低调行事，苏轼遂不说话。

章惇抢上前去，笑道："看来刘兄不服气？那是要比对子还是写文章？手下败将，还敢语出不恭，呵呵！"刘几见他提起汴河酒楼之事，脸色铁青，气得发抖，又不知如何作答，怒道："你，你……"回头招呼那帮太学生，"我等上！"巢谷走上前，拦住刘几，不屑地笑道："打架，也还是手下败将！"

正在此时，禁军跑来，原来传达圣谕的正是欧阳修的门生，知太学生围攻之事，遂带手下禁军来保护。禁军来至府门前，立即将众太学生与苏轼等隔成两端。禁军首领进府保护欧阳修出门上马。欧阳修对苏轼等人拱一拱手，策马而去。

刘几看着欧阳修远去，转过头来对苏轼等人怒目而视："不要以为这就完了，这才刚刚开始。"章惇回道："我等奉陪。"

欧阳修赶到文德殿门外时，见王珪亦在殿外等候仁宗宣入。王珪早知欧阳修因被太学生围在府前，故而现在才到，但仍微笑道："欧阳公，今日的天气不错呀。"欧阳修听出了王珪话里的意思，也笑道："是啊，就是有点风，若没有风则更舒服了。"

王珪当然知道这风是什么，仍不动声色："与欧阳公有所不同，我倒是喜欢有点风，吹在身上更觉神清气爽。"欧阳修故作怜惜之色，说道："禹玉可不能吹多了，小心染上风寒。"王珪笑着谢道："多谢欧阳公体念。欧阳公日理万机，案牍劳累，更要保重身体才是呀。"

欧阳修认真地说道："这百病始于气，于是我就每天劝诫自己不要生气，要知足常乐，足而生乐，乐而生喜，就一定不会生病。禹玉，老夫说得对吗？"王珪仍是一脸笑容："欧阳公所言极是。"

这时，张茂则走出殿外，向二位大人行礼，说道："欧阳公，皇上宣你进殿。"欧阳修向王珪点头示意，跨进大殿。张茂则对王珪说道："王大人，皇上说今天无甚大事，请您先回吧。"王珪一愣，但迅速堆出一脸微笑，向张茂则施礼告别，走出殿外。

进得文德殿内，欧阳修行礼毕，见仁宗坐在龙椅之上，正在阅读苏轼的《刑赏忠厚之至论》，频频点头微笑。欧阳修见此亦十分高兴。仁宗读罢，抬头对欧阳修说道："好，好！苏轼这篇《刑赏忠厚之至论》，朕以为极好，仿佛说到朕心里去了。但文中有一处典故，朕却不知道，要问问欧阳卿家。"

欧阳修探寻着问道："陛下，是不是皋陶为士那一段？"仁宗道："对，此典出自何处？"欧阳修低头说道："臣万分惭愧，臣也不知典出何处。"仁宗惊异地停了一会儿，问道："哦？欧阳卿家是本朝文宗，居然还有你不知道的典故。这苏轼果真奇人也。"

此时的兴国寺中，苏洵正在与苏轼兄弟交谈。苏洵问："轼儿，你倒是说啊，此典出自何处呀？"苏轼平静地说："父亲，此典乃孩儿杜撰出来的。"苏洵大惊道："轼儿，真是你杜撰的？"苏轼道："是的。"苏洵着急地在房内踱步。苏辙脸色凝重，苏轼仍然十分镇静，谦恭地面对着父亲。

苏洵着急地对苏轼说："轼儿，你居然自造典故，你知道这可是欺君之罪，会授人以柄的！"苏辙听了，也脸色大变："哥哥，你当真不是开玩笑？"苏轼居然若无其事地说："父亲，孩儿当日坐在考场之中，忽然间浑然忘我，于是行笔如飞，兴之所至，决定杜撰一则典故以佐证文中道理，却忘了还有什么规矩定理！"

苏洵一边拍着手，一边焦急地说："吾儿，你好糊涂呀。为父了解你，你与为父是一般禀性，故而一路来叮嘱于你，要你克己忍性，谨言慎行。你说你在哪儿兴之所至不好，偏偏在皇上的考场里兴之所至。轼儿，你会为此丢了性命的！"

苏辙也惶急起来。苏轼倒是为父亲担心："父亲切莫为孩儿急坏了身子，孩儿自己做的事自己担当。"苏洵说："轼儿，我怎能不急呀?！你可别忘了那些太学生，还有他们的老子们，正愁抓不到把柄呢。你若连累欧阳大人，这次文风改革，恐怕都要毁于你手！"

苏洵忽然想到了什么，急忙起身整好衣衫，向门外疾走，一边对苏辙说："我这就出去。辙儿，你看着你哥哥，等我回来，哪儿都不能去。"苏洵夺门而去。兄弟俩互看了一眼，苏辙神色忧虑，苏轼倒泰然自若。巢谷是个不知忧愁的家伙，他悄悄地溜进来，向苏轼做个鬼脸。

苏洵找到方丈觉新大师，说明来意，二人来到院子中的石凳坐下。觉新不断地摆弄筮草，得出一卦。苏洵一看，大惊道："讼卦?"觉新说："明允公，你方才未说是为何起卦，老衲想该是为公子科考一事吧。"苏洵说："万事瞒不过大师。"觉新略一沉吟，说："讼卦固非吉卦，但也要看落在哪一爻。"苏洵一指："九五爻。"觉新说："嗯，九五为上卦的乾体中爻，居位得当，卦辞云'利见大人'，爻辞云'元吉'。明允公，不必担心，定有贵人相助。"苏洵沉吟道："既是讼卦，终归麻烦。但托方丈吉言吧。"寺内钟声响起，群鸟惊飞。苏洵独自忧虑。

此时，刘几正跪在王珪的面前，泣不成声地说："舅舅，请舅舅为学生们做主啊！"王珪坐在椅子上，静静地品着茶，对刘几的抱怨不搭不理，眼观鼻鼻观心，翻看着手中的古籍。刘几跪在地上偷瞟着王珪，王珪眼睛都不抬地说："唉，早知道是这样，当初你们应该拜到欧阳修门下，跟他学欧阳体，是我连累了你们呀！"

刘几立刻露出慷慨赴死的表情："舅舅，有外甥在，你就放心吧。我们不会坐视欧阳老贼只手遮天，我们要跟他闹到皇上那里去。"王珪假装没听见，说："好茶。"然后起身走进屏风后面。刘几喊道："舅舅，舅舅……"王珪向他瞟了两眼，咳嗽了两声，便不再理会。刘几恍然，起身快步离去。

第二天，登闻鼓院，巨鼓高悬，军士守卫们不怒自威。众太学生故作谦让地互相推诿，不肯击鼓。

刘几指着身边的一个太学生说："你，你去！"那太学生立刻现出十分可怜的样子："若击此鼓，无论有理没理，都要羁押上两个月。我上有六十岁老母，下有五岁孩童，万一我出了差池，他们可如何是好呀？"众太学生忽然哭了起来："这可如何是好，如何是好哇！苍天在上，苍天在上……"

刘几不耐烦地看了他们一眼："废物，就知道哭，你们不击，我来击！"说着，刘几走上前去击鼓，鼓声咚咚。众太学生见状，不由都后退了几步。随着鼓声响起，士兵迅速涌出，将刘几拿走，羁押了起来。

崇政殿内，仁宗临朝理事。韩琦和欧阳修等重臣班前抱笏板分两班而立。仁宗说："朕闻登闻鼓院有人击鼓，不知何事？"知谏院吕诲奏道："陛下，臣为此事有本启奏。欧阳修以个人好恶取士，引起众怒，致使落榜太学举子聚众闹事，登闻鼓院击鼓，不仅辱没斯文，且损圣上求贤之德，应当追究其失职之责。"此话一出，立即引得全堂哗然。欧阳修却泰然而立，不动声色。

范镇出班奏道："陛下，臣也有本要奏。文章优劣，非欧阳修一人一言能定，我等都有评判之权。科场失意，不责自己学识浅薄，而迁怒于考官个人好恶，就像落齿之人说肉不烂。"仁宗听了，微微点头。吕诲缩回，瞟了身后的王珪一眼。王珪给御史胡宿使了一个眼色。

胡宿出班奏道："陛下，欧阳修若能奉圣意取贤能之士，当然为我朝之幸也。但是，榜首乃是欧阳修之门人曾巩，曾巩的胞弟曾布也得中榜。曾巩数次科考，皆名落孙山，此次独占鳌头，不能不使人生疑。据悉，考官们在未进贡院之前，曾氏兄弟就私下拜谒过欧阳修大人。故太学举子们闹事，并非空穴来风。"

欧阳修说："陛下，御史胡大人所言不差。但微臣心如明月，无愧于心。"范镇对胡宿之言感到十分气愤，大声奏道："陛下，此次中榜者曾巩、曾布还有苏轼等人早有文章流布天下，中榜并非偶然，怎能说就是舞弊。且判卷之时欧阳大人怕苏轼的文章是曾巩所写，为避嫌特将苏轼的文章定为第二，故而曾巩就阴差阳错地成了第一。这不正说明举子名实相符，考官心正眼准吗？"欧阳修说："范大人所言属实。"范镇看看王珪，王珪低头不语。

仁宗点头微笑说："也就是说，苏轼该是此次科考的第一名。哈哈，这倒是一件趣事。多疑善虑，乃御史之本分，诸位考官不必太在意。"既然皇上这样说了，欧阳修、范镇也只好收场，齐声说："谢陛下教诲。"

但吕诲仍然不依不饶："陛下，欧阳修以个人所好取士，一太学生抗议不公而投河自尽，臣想陛下也许不知道吧。"仁宗听了，惊问道："什么？欧阳修，有这等事吗？"欧阳修说："陛下，确有此事，但臣取士不敢不秉公持正。"吕诲说："陛下，太学生每日都在汴京街头闹事。而欧阳大人竟不闻不问，也不予安抚，此等行事作风不顾大局，实不可取。臣恐长此以往，太学生们怨怒日深，绝不利于我大宋长治久安。"范镇反驳道："陛下，太学生闹事，竟以死要挟朝廷，居心不正，朝廷不能长此风气，当……"

胡宿出班，厉声打断了范镇的话："陛下，太学生联名上书，并击登闻鼓，为我朝所未有，此事非同小可。防民之口，甚于防川。凡事疏导为上，堵塞为下，即使废除太学体，也不可骤然而行。以臣之见，如今只有允执其中，废除此榜，重新评定试卷，择优录取太学生，另行发榜，方能平息太学生的怨气！"

大臣们开始议论纷纷。有人认为大宋从无此种先例，恐引发大乱，也有人认为大乱才能大治。

吕诲继续说:"陛下,君子和而不同,太学源于祖制,应有其一席之地,不可废黜呀!"仁宗站起,来回踱步,神色犹豫。欧阳修和范镇感到压力很大,紧张地注视着仁宗。仁宗看一眼欧阳修,又看一眼议论纷纷的群臣,仍犹豫不决。吕诲、胡宿等众臣齐声道:"请陛下明断!"

仁宗又看一眼欧阳修,欧阳修满面凛然。仁宗终于决断地说:"韩琦,你是当朝宰相,朕命你与御史胡宿、知谏院吕诲共同处理太学生申冤之事。彻查科考是否舞弊,退朝!"仁宗拂袖而去。王珪、吕诲和胡宿相互对视,暗有得意之色。

五　朝堂激辩

王珪府上，王珪正捧着一本厚厚的典籍翻看，不时掩卷沉思。王府管家领着几位老态龙钟、步履蹒跚的老举子前来拜见。太学老者说："王大人，刘几击了登闻鼓，已被羁押，以自由之身终换得我等冤屈到达圣听。王大人，你一定要为我等做主啊！"

王珪平静地说："我人微言轻，能做得什么主呀？如今大势所趋，你等还不明白吗？你等若是立即改弦易辙去学欧阳体，我看仍是大有前途的。"太学老者愣住，随后抽泣。王珪将老举子们打发了去，继续翻看典籍，忽然心生一计。

兴国寺庭院，黄昏时分，曾巩、章惇、曾布、张璪围着苏轼和苏辙，七嘴八舌地讨论废榜一事。苏辙一直不言语，只顾看着苏轼。苏轼说："我看废除此榜也不是大事，我等至多不求功名。可文风改革的大业，也就前功尽弃！此事非一榜进士之事，而是关乎国体运脉。"章惇赞道："子瞻兄高瞻远瞩，令人钦佩。还请指示办法。"苏轼沉吟不决。

曾巩说："我以为我们要联名上奏皇上，痛陈太学体之弊端，彰明文风改革之必要，并将奏章散布天下。道理既明，太学体必倒！"众人轰然叫好。张璪心思细致，说："这奏章易写，但如何才能送到皇上手里？"众人一愣，一时无话。

张璪说："我等没有上奏章的资格。"曾巩突然想到："既然太学生可以，我等也可以去击登闻鼓呀！"章惇爽快地说："好，我们来个以其人之道，还治其人之身。"对于这一做法，众人点头称许。曾巩说："可是谁去击鼓呢？"说到此事，众人面面相觑，皆默默无语。张璪叹道："击鼓者要被羁押坐牢，若无人击鼓，可如何是好呢？"苏轼眼神一动，似乎想到了什么。

就在此时，巢谷突然从一棵大树后跳出来，大喝一声，吓了众人一跳。巢谷说："我去，我去击鼓。"苏辙笑道："巢谷，不要在这里说笑。"巢谷说："谁说笑了，我不会写奏章，你们来写；你们不敢击鼓，我敢。我来击鼓，我若击鼓，半个汴京城都听得见。"曾巩说："巢谷兄，你确定不是说笑吗？击登闻鼓者是要坐牢的。"苏辙欲拦巢谷，巢谷不理他，说："谁跟你说笑了，我巢谷不怕坐牢。不过你们须答应我一件事。"

曾巩忙问："何事啊？"巢谷说："我帮了你们的忙，你们以后写书立传，一定要给我单写一篇，要夸我巢谷是个旷世大英雄，击鼓的声响半个汴京城都听得见。如何？"章惇赞道："巢谷兄真壮士也！我等答应你。"张璪轻声地说："太好了，这一来我等功名无忧了。"巢谷说："那好，君子一言，四个巢谷都追不到。明天我就帮你们去击鼓。"众人哈哈大笑。苏辙知道巢谷的脾气，犯难起来，看看苏轼。苏轼嘴角微露笑容，却不说话。

兴国寺苏洵的寓所，传来咚咚的敲门声。苏洵应声开门，几个门童鱼贯而入，手里拿着盛有饭菜的大食盒，不等苏洵说话就把各式精致的菜肴放于桌上。苏洵说："你们这是……谁让你们送来的？"几个门童并不回答，放置完后即鞠躬出门。苏洵正一脸纳闷，猜想是谁。这时，王珪满脸堆笑地出现在门前，向苏洵拱手。王珪道："久闻明允公大名，当朝参知政事王珪特来拜会。"苏洵感到十分惊异，急忙施礼说："哎呀，这如何敢当。王大人屈尊来此，这可折杀小民也。"王珪客气地说："哎呀，明允公，不必客气，近闻你身体不适，我前来看望，赶快坐下吧。"

苏洵说："多谢王大人关怀，我已经好多了。"王珪谦和地说："明允公不必多礼。哎，为何不见明允公的二位进士公子呀？"苏洵说："两个犬子不才，在寺院与觉新大师谈论佛典，要不让他们和觉新大师一同来拜见大人？"王珪说："哎，不必了，明允公，下次再见他二人不迟。"

苏洵还在与王珪对坐谈话。王珪说："明允公，非我谬赞你，公虽未及第，但文名早已声震四海。过去老夫虽主持贡试，却更要聆听圣意，明允公不会怪罪我吧！"苏洵忙称："不敢"，王珪继续说道，"明允公鸿儒身份，岂会怪罪我呢。我不仅佩服明允公，对二位公子的才华也是欣赏有加啊，这次贡试我也力主二位公子及第。特别是贵公子苏轼的那篇《刑赏忠厚之至论》，我已读了不知多少遍，仍是爱不释手。"苏洵沉稳地说："不提这个，不提这个。犬子劣作，哪当得大人的谬奖。"王珪说："明允公过谦啦，此文皇上都已看过了，也夸好，还说用典不俗呢！"

苏洵学问虽好，但为人却没有机心，不禁担忧地问："皇上这么说吗?"王珪故作真诚而又急切地说："怎么，明允公不知道吗?"苏洵说："苏某不知。犬子苏轼虽有几分学问，却生性狂放，藐视成规……"王珪凝神听着，当听到"藐视成规"，脸上忽然闪过了一丝惊异的表情。苏洵毕竟是聪明人，他似乎觉察到了什么，便突然停住转移话题："这应试之文，本是看不出真学问的，犬子有多少斤两，我这父亲能不清楚嘛……"二人相对一笑。王珪觉察到不对，眼神一转，却并不继续追问，只捻须沉思，体味着苏洵的话。

王珪走后，苏洵携苏轼兄弟拜望欧阳修。在当时，主考官录取了考生，习惯上便被看作是考官的学生，及第后拜望考官，在当时也是一种风俗。更兼苏洵与欧阳修有交往，所以父子一同前去，也表示对欧阳修的敬重。

苏轼、苏辙见到欧阳修，一躬到底："恩师在上，学生苏轼、苏辙拜见恩师。"欧阳修扶起兄弟二人，将苏氏父子请进屋，分宾主落座。

欧阳修欣赏地看着苏轼，对苏洵说："明允兄，我真是羡慕你啊。你生得好儿子。取读子瞻之文，不觉汗出，快哉快哉！老夫当避路，放他出一头地也。呵呵！"苏洵谦恭地一揖，说："全靠欧阳大人栽培！"欧阳修对他们三人说："哪里哪里。子瞻，好啊，老夫的这次文风改革最大的发现就是你。当然，子由也不错。明允兄，真乃苏门鼎盛啊。"苏洵谦恭地说："欧阳公，我来拜见，只为一事，今日王珪大人来访老夫，席间谈话王顾左右而言他。老夫甚为担心，有一事不敢不说，犬子自作聪明，于科考文章中私造典故，恐给大人带来祸端！"

欧阳修看看桌上的典籍，说："明允兄，造典之事老夫早已知道。子瞻年少气盛呀，本没什么大不了的。可皇上已看了子瞻的文章，曾问过我此典出自何处，我当时搪塞了过去。但皇上若再继续追究，却是极难再遮掩的。明允兄放心，老夫也正在想应对之策。"苏洵起身施礼："欧阳公，当受苏洵一拜！"欧阳修急忙还礼："明允兄也学会这凡俗之礼了，快快请起！唉，只怕此事被人利用，借子瞻来敲山震虎，直指我等的文风改革大业。不过老夫一把年纪，已无所谓了，若是子瞻有个三长两短，那可……"苏洵和苏辙万般忧虑，皆看着苏轼。苏轼陷入沉思。

明月当空，兴国寺的庭院里树影稀疏。苏轼与苏辙在院中散步，苏轼说："子由啊，你看这天上的明月，是不是想起眉州老家了？"苏辙忧虑地说："哥哥，你怎么忽然说起家乡来？"苏轼眼里闪着泪花，动情地吟道："'露从今夜白，月是故乡明。'子由，不知如今母亲的身体怎样了，我好生牵挂她。也不知你我新婚的妻子怎样了，也许那洞房里的花烛已将泪流干，她们却垂泪到天明。"苏辙说："哥哥，你说的这些话，竟使我感伤起来。"苏轼说："记得赶考路上，父亲总嘱咐我要谨言慎行。如今我却闯下这个大祸，让父亲担心，我真是个不孝之子。子由，如果我真出了什么事，你要好好照顾父亲。"苏辙有些不解，低头不说话，苏轼神情落寞，久久地仰望夜空……

崇政殿内，韩琦奏道："启奏陛下，臣奉旨同吕海、胡宿二位大人监查此次科考放榜一事，现已查实，主考并未舞弊，对死去的太学生也已安抚。"仁宗点点头，显然早已知道。吕海出班奏道："陛下，知贡举欧阳修虽未舞弊，却至今不能使闹事举子平息……"仁宗皱起了眉头。

此时，皇宫外的登闻鼓院，一帮太学生正张开手阻挡苏轼、苏辙、巢谷、曾巩、章惇、曾布、张璪等人。一太学生说："早就料到你们也要来击鼓。不准过去，要过去，从我等身上踩过去！"巢谷懒得与他们争辩，揪起两个太学生就扔了出去，几个太学生见状死命抱住巢谷的大腿，巢谷一时不能动。曾巩等人拉巢谷助他解围，场面一片混乱。

苏轼站在一边，始终很镇定。他手拿奏章，趁众人不注意，走到巨鼓前，抄起鼓槌，猛击大鼓，鼓声大作。众人忽然停止了扯打，章惇、苏辙等人目瞪口呆。巢谷喊道："子瞻，你疯了！"就要冲过去。但军士将苏轼和巢谷隔开。苏轼双手高举奏章，军士将苏轼带进登闻鼓院，羁押起来。

崇政殿内，一内侍急匆匆地手捧奏折对仁宗耳语着。仁宗看完奏折，忽然眼睛一亮，说："新科进士苏轼击了登闻鼓。进士们正在登闻鼓院，等候朝廷裁决。他们上的这份奏章说，太学生以鲁莽之行泄一己之怨，有损士子之体。"众大臣听说新科进士也击了登闻鼓院，既感到新鲜，又十分震惊，议论纷纷，莫衷一是。吕诲和胡宿也是一惊，他们看了王珪一眼。王珪不动声色。欧阳修和范镇则面有喜色。

仁宗看看众臣，胸有成竹地说："参知政事、知贡举欧阳修。"欧阳修急忙出班应道："臣在。"仁宗和蔼地说："朕看了苏轼的科考文章，颇觉独树一帜，其中'皋陶为士'的典故朕不知出于何处，你是我大宋当今的文坛领袖，现在能告诉朕此典出自何处吗？"欧阳修一脸惭愧，无奈地说："蒙圣上错爱，微臣仍然不知。"仁宗微微一笑，目光转向范镇，说："范卿家，你可是史学大家呀，你可知此典出自何处？"范镇嗓门很大，立即回答道："微臣只觉好，但不知！"他的话引得众人一片笑声。范镇略一思索，对仁宗说："皇上，何不把苏轼叫来，当面问个清楚啊？"

吕诲听了，大惊失色，急忙奏道："皇上，万万不可，苏轼不过是新科进士，尚未授官，本朝从无此先例，只怕此例一开，礼法大乱，请皇上三思。"范镇说："所谓'知之为知之，不知为不知'，吕大人博闻强识，就请吕大人为陛下指点此典故。"吕诲自然也不会知道，支支吾吾地说不上来，只是怒目圆睁地看着范镇和欧阳修，而仁宗脸上却掠过一丝神秘的微笑。

王珪最善察言观色，此时上前奏道："皇上真是求贤若渴，依臣之见，苏轼人才难得，该当让苏轼上朝来问个究竟。所谓礼法，确乎不必过于拘泥。"吕诲和胡宿都是一惊，惊讶地看着王珪。欧阳修也是一惊，暗叫不好。但只听仁宗顺水推舟地说："好吧，那就宣苏轼入殿。"内侍高声宣道："宣新科进士苏轼进殿。"声音回响，久久不散。

内侍带着苏轼匆匆进来。苏轼进殿叩拜道："新科进士苏轼叩见圣上。吾皇万岁、万岁、万万岁！"仁宗从心底里对苏轼赏爱有加，和蔼地说："苏轼平身。听说你击了登闻鼓，你可知朕宣你入朝所为何事？"苏轼躬身答道："回皇上，学生不知！"仁宗说："朕宣你入殿共论太学体利弊。以进士上殿论事，国朝以来你是第一人。你可知无不言。"苏轼再次跪下，谢皇上隆恩。其实仁宗已差不多猜出苏轼文章中的典故是杜撰的，还是微笑着问道："新科进士苏轼，朕读你文章，感觉甚好，你文章中所用'皋陶为士'的典故出自何处啊？"苏轼毫不犹豫地回答："回陛下，苏轼所用典故乃自己杜撰。"此语一出，朝堂之上一片哗然。无论是仁宗还是众大臣，都没有想到苏轼竟回答得如此干脆。

此时的仁宗，几乎面无表情，他观察着众臣的反应。吕诲终于忍不住了，愤怒地出班喝道："苏轼大胆，竟敢欺君诬圣。"胡宿见吕诲先出了头，也激昂地出班奏道："陛下，苏轼竟敢欺君污圣，实属大逆不道，理应处死！"

殿内的气氛霎时紧张起来，众人都紧盯着苏轼，而苏轼却镇定自若。这让很多大臣都颇感意外。

这时，范镇跨出一步，声如洪钟："陛下，圣朝从无杀上书言事的士大夫先例，更无治士子之罪一说；即便是苏轼杜撰典故，也无非是为文而撰，谈不上欺君；至于诬蔑圣人先贤，更是子虚乌有，因为苏轼的典故实是美化了尧舜先王。"但仁宗并不说话，只是居高临下地观望着。吕诲出班反驳说："陛下，此风不可长。如不惩处，杜撰之风必然泛滥，士风必然大坏。"

这时，欧阳修突然出班，奏道："陛下，苏轼杜撰典故，非但无过，还应有功！"众人大惊。仁宗也微微一愣，饶有兴趣地说："噢，为何有功？奏来！"

欧阳修中气十足地说："微臣言出有据，苏轼所谓的杜撰典故并非真正的杜撰。为什么？因为苏轼说的是'传曰'，何谓'传'？'传'与'经'相对，也就是说，'传'是对经典的解释，不是经典本身。因此，这个典故是苏轼对《经》作的传，是苏轼对上古圣贤的所作的理解，而不是说一定实有其事，因此也就不是杜撰典故。所谓'言必有典'，乃太学体的作文之道，苏轼自出机杼，应有革新文风之功！故微臣以为，苏轼非但无过，还应有功！"欧阳修的这番评论，确实难得。众人明知欧阳修是袒护苏轼，却也不能不佩服他的学问才华。众臣中有人感叹："哎呀，欧阳修不愧是当朝文宗啊！""是啊！"范镇像个老小孩一样，可爱地擦了擦额头上的汗，露出放心的微笑。

苏轼向前跨了一步，奏道："陛下，新科进士苏轼禀报皇上。"仁宗换了一个坐姿，以为苏轼有什么高论，充满期待地对苏轼说："嗯，苏轼奏来。"所有人都将目光投向苏轼，不知道他要说些什么。

苏轼说："陛下，苏轼确确实实是杜撰了典故！"欧阳修大惊，众人大惊，连王珪这种喜怒不形于色的人也露出了惊异的表情。唯独仁宗不动声色，嘴角上似乎有一丝满意的笑意，但又马上隐去。

这时，王珪笏板忽然失落在地。王珪素来谨行礼法，当朝失落笏板，是有失朝仪的，胡宿奇怪地看了看王珪，王珪趁机向他使了个眼色。胡宿会意，当即将官帽摘下，放在当地，跪下哭泣，厉声道："陛下，连苏轼自己都已承认了杜撰无疑，实在罪莫大焉！如不杀苏轼，就请陛下杀了微臣！"朝臣都为之一震，仁宗却颇不耐烦。

虽然苏轼年轻气盛，但初次见到这种场面，多少也还是有些惊慌。他环顾左右，见欧阳修、范镇也一时失语，就说："请问陛下，苏轼的这篇文章合乎仁厚否？"众人又很吃惊。朝堂之上，不要说苏轼尚是个没有授官的进士，就是首辅，也不敢"请问"陛下。

但仁宗并不生气，反而平和地说："可称仁厚之至！"苏轼接着说："陛下，文章之本，在于宣讲仁厚之正理，天地之大道。此典确为苏轼自造，但苏轼造典却非为造典而造典，乃是为理而造，为仁而设。反观太学体，却为用典而用典，搜索枯肠，如秉烛而钻鼠洞，以至失文章之根本，迷天地之大义。苏轼造典，却大合仁厚之论；太学从不造典，却为求淫巧雄辩而失仁厚。孰是孰非，唯陛下圣断。"苏轼的话确是义正辞严。众人皆被苏轼的话震慑住了，一时发愣。

仁宗忽然打破沉寂，高兴地拍手说："好，好，苏轼，朕想听的正是你这番说辞，倒还真没让朕失望。好，既有一颗仁厚之心，又何须问那造典的是是非非！科举就是求言，焉能加罪于进言之人。苏轼，朕赦你无罪，下去吧。"苏轼跪道："谢陛下。"

此时范镇回过神来，对胡宿大吼道："好个大胆胡宿，还不起来，你竟敢要挟皇上，难道你要陷皇上于不义吗？"胡宿"啊"了一声，仍不起来。韩琦一贯老成持重，他面无表情地说："陛下，谏官进言，应谏之有道。卖直取忠，陷圣上于两难之地，并非为臣的正道！"众臣见风向已转，大多附和称是，这令胡宿惊慌不已。

仁宗对胡宿和蔼地说："起来吧，进言原是谏官的职责，朕不怪你。"胡宿抬头看看四周，见无人理他。王珪给他使眼色，胡宿才擦擦眼泪，慢慢地爬起："谢陛下！"

　　仁宗说："不过，落第举子闹事，还须再作安抚。朕想把殿试提前，定在下月初五，由朕亲自主持，让他们当堂陈述治国之策，然后排定名次。另外，将两次击登闻鼓的人尽快释放，不得杖责。"韩琦领旨。

　　苏轼大步流星向宫门外走去。其实他早已打定主意，要由自己来击鼓，无论将面临怎样险恶的局面，他都决心一闯。因为他相信自己，相信皇上，更相信天地永存之正道。如今，他不但有惊无险，还得以直抒胸中块垒，年轻的他感到从未有过的激动和痛快。

六　殿试风波

御街上，书肆中都摆上了苏轼的《刑赏忠厚之至论》，也有人沿街叫卖。一摊主叫卖道："苏轼苏子瞻写《刑赏忠厚之至论》，状元之文，屈居榜眼；杜撰典故，推陈出新；国朝文风，为之一变。十文一篇了！"另一摊主叫卖道："苏文熟，吃羊肉；苏文生，吃菜羹。十文一篇了。想考状元吗？就买一份吧！"

吴复古沿街慢行，并买文章阅读，他的古异的相貌和道士的打扮引得行人驻足观看。一书肆贴上一副对联，众人围观，一书生念道："苏子瞻论刑赏本自忠厚，欧阳公分典传原合圣心。横批：文风之变。"众人齐声叫道："好，好！"士子们争买书肆的苏轼、苏洵文章。吴复古见此情景，捻须微笑。

章惇、曾巩等一行人到兴国寺内拜望苏洵。章惇施礼道："久仰苏伯父大名，只恨无缘相见，今日一见，实乃三生有幸，如若不弃，惇愿拜苏伯父为师。"苏洵蔼然长者，十分客气地对章惇说："岂敢岂敢，折煞老夫也。贤侄之才，不可斗量，老夫何德何能，怎可妄为人师？"曾巩说："哎，苏伯父过谦了，尊伯父为文坛泰斗也不为过。"苏洵急忙说："岂敢！岂敢！夫子曰'后生可畏'，国朝文章，还要靠你们。"

章惇见苏洵的旁边站着一位相貌不俗的青年，便向苏洵询问："这位是？"那位青年施礼回答说："小弟陈凤。"曾巩惊讶道："莫不是新科第十名的陈凤？"陈凤说："正是在下。"曾布说："哎呀，这兴国寺真是藏龙卧虎啊，竟住了本科前十名的三位进士。"陈凤赶忙说："我哪算什么龙虎啊，要不是苏伯父和子瞻、子由二兄相救，我早就暴尸街头了。"章惇问："这是何故？"陈凤说："那日我因交不起店钱被店家赶了出来，又身患重病，走投无路，正遇苏伯父和子瞻、子由兄弟将我救起，带到这兴国寺，大恩大德，永生难忘。"苏轼说："区区小事，何足挂齿，诸位同道中人，谁没有三灾四难的时候。"苏辙也说："这是我兄弟与陈凤兄有缘啊！"章惇等人都说："苏家真是好一副侠义心肠！"

苏洵说："蒙诸位来访，暂寓之地，无以相待，请到市上酒楼一坐。"章惇说："伯父不要客气。您是士子的榜样，读书人的楷模，哪能让您破费！今天我们来一是要拜见您，以后请您多多斧正我们的文章，二是要给子瞻兄压惊，三是庆贺鼎革文风初战告捷，这四嘛——"张璪趁机说："子厚，要给子瞻兄压惊，可不是说说而已。"章惇知道张璪的意思，笑道："别急，这第四就是我章惇要请大家到那汴京第一楼——汴河酒楼上来个一醉方休！"

苏洵道："这如何使得！"张璪说："苏伯父不要替他节俭，我们不吃，他的银子怕就会跑到酒楼歌伎的怀里去了。"众人大笑说："就是，就是。"苏洵含笑道："既是如此，老夫也不便拂了你们的雅兴，你们年轻人就去放任一回，我也就不去碍手碍眼了，哈哈！"章惇一揖："苏伯父果然雅量高致，令我等后辈感佩！"众人一笑，都说："拜别苏伯父！"

汴京，州桥街上，小贩摇着拨浪鼓，响声一片。商店、酒楼、瓦肆鳞次栉比，各种摊铺林立，布摊、小吃摊、杂货摊挤在一起，游人如织，叫卖声、讨价还价声此起彼伏。一派繁盛的景象。

章惇一行人边走边看，章惇对东京最为熟悉，他向众人介绍说："这就是东京的御街，说到这汴梁城，就要先从这御街说起。自宣德楼一直南去，约阔二百余步，两边乃御廊，市人买卖于其间，各安立黑漆杈子，路心又安朱漆杈子两行，中心御道，不得人马行往，行人皆在廊下朱杈子之外。"苏轼兴奋地看着街道，说："子厚兄真是汴京通。"

张璪插进嘴来："唐人考中要'一日看遍长安花'，我们不去采花，喝喝酒总可以吧！"曾巩笑话他说："没学问，看花的'花'不是采花的'花'，这'花'指的是秦楼楚馆的声色之伎！"张璪说："当然当然。您是当今文坛泰斗欧阳修的得意弟子，谁敢和您比学问呀！哎——我倒要请教一下，唐人可以'看花'，我们宋人怎么不看？"曾布笑道："哥哥，你上了邃明的当了！你以为他真的不懂？"曾巩一愣，笑道："呵呵，原来邃明兄是此道中人。那今日我们就开宋人之先河，看尽汴京的名花如何？"众人大笑。

汴河酒楼一楼内，五十岁左右的著名说话艺人张山人带着徒弟王任辩正在做场。宋时说话设施较为简单，一般一人独说，有些著名说话人也有徒弟用锣、鼓配合。台上设椅一张，说话时，张山人随着节奏，不时站立、坐下。徒弟王任辩抱一鼓立在左后方，和着师父说话的节奏，不时用鼓槌敲击着。刘几等几个太学生坐在酒楼内喝闷酒。

张山人说道："各位客官，在下张山人，说完了韩信，再说一段公案，以答谢众位的盛意。（咚咚）不知可好？"客人皆称好。张山人笑道："此公案与以往公案不同，（咚咚）以往公案，说的是冤各有头，债各有主，有冤的伸冤，欠债的还钱，总是有个了局。（咚咚）这番公案，却是死了白死，冤了白冤，上到九重阙，下到阎王殿，却是无人理睬！你道说什么来着！（咚咚）说怪也不怪。只因朝廷取士，废了太学体，太学生中，无一人上榜，故有老太学生投河自尽一事。（咚咚）诸位说说，非人所逼，非人所迫，如此投河，岂不枉了自己的性命！（咚咚）"

刘几听见这话，怒拍桌子。一太学生站起，怒道："岂能白死，迟早要找欧阳修算账！"众人侧目。

张山人不知发怒的人即是太学生，笑道："客官休要恼怒。想当年，在下自禹州来京城赶考，颇为自负，未曾想名落孙山，流寓京城，只好做起了说话人。（咚咚）时也，命也，怨得谁来！（咚咚）"刘几站起，蹿上台去，伸手就打："你个臭说书的也敢在这里含沙射影，若不是只取欧阳体，我等岂能不中！"众人大惊，喊道："怎能打人！"

张山人整整衣服，继续说道："想必阁下就是太学生了。那太学只有六品以上的官员子弟才能进入，来欺负我一个说话人，自是伸手就打啊，算不得本领！（咚咚）若是真有本领，就写出一两篇经世济时的文章来。若论起写此文章，只怕还不如我张山人吧！（咚咚）"刘几怒道："混账！你个肮脏破落户，也敢诋毁我太学！"刘几伸手又要打。

巢谷忽然蹿上台去，将刘几推倒在台下，笑道："刘几，你为何又不务正业，学人打架呢？"刘几一看是巢谷，顿时没了气焰，指着巢谷，哆哆嗦嗦地说："你，光天化日之下，你……你竟敢出手伤人！"众人朝太学生喊道："滚出去，滚出去！"刘几等太学生灰溜溜地离开了酒楼。

张山人向众人一拱手，道："这位客官，我张山人在这汴河酒楼带着徒弟做场已有年头了，从来都是靠着客官捧场，不敢有半分的失言，所以日子也算过得平安。（咚咚）今天多谢壮士出手相救。"巢谷嬉皮笑脸地说："哎呀，区区小事，谢什么。山人，我武艺十分高强，山人以后说书，能否也把我说一说？"张山人向巢谷道："壮士古道热肠，英雄了得，我张山人一定为你说话。"

巢谷答礼，又滑稽又一本正经地说："那好，不要忘了啊，我名叫巢谷，鸟巢的巢，山谷的谷，我这名字好听吗……"张山人微笑，转头说道："好听，好听！"（咚咚）然后对听众说："话说巢山先生，上山打猎……"巢谷一愣道："哎——山人，是鸟巢的巢，山谷的谷——"张山人听了一笑，说："话说鸟谷先生，上山打猎……（咚咚）"张山人继续做场，巢谷无奈地摇头离开。

汴河酒楼三楼，伙计殷勤地将章惇等人请入雅座。章惇问道："子瞻兄，想吃点什么？"苏轼说："皆可。我对汴京不熟，你介绍介绍吧。"章惇爽快地说："那我就不客气了。小要小菜、夏月麻腐鸡皮、麻饮细粉、素签砂糖、冰雪冷元子、水晶皂儿、生腌水木瓜、药木瓜、鸡头穰砂糖、甘草冰雪凉水……"

苏轼笑道："哈哈，子厚兄，你哪是什么新榜进士啊，乃是一个御膳房的厨子。"众人大笑。一会儿，菜陆续上来，小二报菜名，众人推杯换盏。

苏轼道："诸位，鼎革文风虽有圣上首肯，但殿试尚未举行，太学生也未必肯善罢甘休。大家还是及早回去准备，希望能毕其功于一役。"众人都说言之有理。张璪说："你慌什么，你如今名满京城，不久就要蜚声海内。就要举行殿试了，皇上还不得把你取为第一！"众人听他这么说，都皱起了眉头。章惇睥睨地说："就你满脑子功名利禄。"张璪作出恍然大悟的样子："小弟失言，小弟失言，小弟自罚三杯……哎呀，我怎么越抹越黑。"

崇政殿内，宋仁宗亲自主持殿试。众举子下笔无声，苏轼与苏辙皆在其中。时辰到了，主考官喊："时辰到，收卷。"

翰林院里，王珪正在阅读苏轼殿试时所写的制策副本。他小声地念道："……无事则不忧，有事则大惧，宫中贵姬以千数，歌舞饮酒，欢乐失节……"他倒吸了一口冷气，慢慢地站了起来，片刻，脸上又露出了阴险狡诈的笑容。王珪拿起试卷，似乎决定了什么，夺门而出，前往御史台。

胡宿急送王珪出门，说："我这就去拿人。禹玉公，你快去忙你的，你要办的事更多。"王珪说："那好，胡大人，那我先告辞了。"

兴国寺内，苏轼兄弟二人正争论着往里面走。苏辙一脸焦急之色，对苏轼说道："哥哥，你的策论写得太过尖锐了！"苏轼激昂地说："子由，为国进言，但求无愧于心！忠言不逆耳，怎利于行！既不利行，又何谓为忠？"苏辙说："哥哥句句是肺腑之言，足见哥哥对朝廷的一片赤胆忠心。但言语锋芒太露，恐遭心怀叵测之人的陷害啊！"

二人进屋后，仍然争论不止。苏轼说："子由，难道你不明白，我露锋芒，奸佞之徒必会来陷害；若我小心翼翼不露锋芒，你以为他们就不来陷害吗？所以横竖是陷害，倒不如挺身而出，先发制人，不与他们委曲求全！"苏辙反驳道："哥哥，我等刚中进士，应韬光养晦，图谋日后，切不可操之过急。前次哥哥私撰典故，弟至今想起，仍心有余悸。若非皇上圣明，哥哥恐怕早已凶多吉少。"说着，苏辙拿起桌上的策论，说："如今哥哥这呈给御览的治策，言辞之大胆，比那撰典有过之而无不及，哥哥不能不顾安危呀。"

苏轼拍案而起，说："子由，怎能为一己安危而不顾国家社稷？那你我为何出来做官，倒不如在眉山老家安分守己，太太平平，颐养天年！"苏辙说："弟弟深知哥哥乃忠奸分明之人，但话虽如此，也要学会变通才是啊。几天前的事虽然暂告段落，但太学生岂肯善罢甘休！他们的背后，可是大宋朝数以千计的朝中重臣和封疆大吏，如今正虎视眈眈，伺机对我等进士发难泄恨，正愁无隙可乘。哥哥这样做，岂非正合其意，恐会招来杀身之祸！"

苏轼慷慨激昂地说："杀身之祸何惧！只要所言，是为圣上计，为天下苍生计，又有何惧？！子由，我以为，这风口浪尖时候才是我等进言的最好时机，断不可贻误。我问你，文风改革改什么？"苏辙说："当然是改革文风。"苏轼摇头道："非也。子由，表面是改革文风，其实是改革吏治。若你我言不敢进，行不能正，只顾一己私利，与太学生这般酸腐文人又有何异？那文风改革何用之有，吏治改革何时能成！"苏辙从来没有这样想过，听哥哥这样说，一时愣住了。

说到这里，苏轼愈发慷慨激昂，滔滔不绝地说道："子由，我心中有些话埋藏已久，今日不吐不快。我苏轼虽为眉山乡野之民，却有致君尧舜之志，先天下之忧而忧，后天下之乐而乐，日后当为王佐宰辅，上不负明主，下造福苍生！"苏辙被哥哥的激情感染了，激动地说："哥哥，弟弟没有想到，你竟有这等青云之志！我听你的，只是——怕爹爹为我们担心。"

这时，苏洵走了进来，激动地说："辙儿，父亲不担心。轼儿，时至今日，父亲才知吾儿是何等人物！你的胸怀，却是为父所不能及也。你且一往直前，义无反顾，父亲为你殿后便是！"

御街上，几个衙役拿着锁枷，气势汹汹地向兴国寺奔去。来到兴国寺苏轼的寓所外，衙役打门高喊："苏轼开门！开门！"巢谷、陈凤迎了出来问："谁在打门？"衙役问道："谁是苏轼？"苏轼从后面走出来，说："我！"衙役亮出御史台公文，苏轼问："我犯了何罪？"衙役说："去跟御史们说吧！"说着就要上前拿人。巢谷护住苏轼，一边喊着"谁敢拿人"，一边顺手推倒了两个衙役。

苏洵闻声急步走过来，阻止道："巢谷不要乱动，免得罪上加罪！"巢谷听了，才慢慢缩手。苏辙看过公文，对苏洵说："父亲，是御史台的公文，并非朝廷所下，也未说明具体罪状，只说言辞狂悖、忤逆圣上，想来是制策惹了麻烦。"苏轼说："我早就知道，制策上的话会惹怒一些人的。"转身对苏洵说："孩儿给父亲惹麻烦了。"苏洵没有责怪苏轼，而是坚定地点点头。苏轼跟衙役走出。巢谷急得手足无措，直在原地打转。苏洵望着儿子离去的方向，叹道："为父早已料到，却没想到这么快……"

范镇府外，欧阳修从轿中走下，风风火火地敲门。仆人打开大门，欧阳修疾行而进，范镇前来迎接。范镇惊异地说："欧阳公，何事如此紧急？"欧阳修说："范公，出大事了。苏轼因制策言论过激，已被御史台抓去了。"范镇吃惊地"啊"了一声。欧阳修说："范公，文风改革正值紧要关头，牵一发而动全身。他们这么急着抓苏轼，其实是冲我而来。刚刚平静了几日，太学又要兴风作浪了。"范镇点头道："定是如此。欧阳公，苏轼依律该当何罪？"欧阳修说："说有罪则罪为大逆，杀头亦不为过；可是——若论皇帝求言，士子上书谏言，则又无罪。"范镇叹道："唉，你说这个苏轼，上次的事余波未平，如今一波又起。实在太过冒失了。"欧阳修说："不管怎样，被御史台抓去，今夜苏轼非皮开肉绽不可。"范镇说："你提醒得是。我这就去御史台按住他们，你赶紧去见皇上。我二人兵分两路，赶快走吧！"

御史台监牢，黑夜沉沉，羁押房内，刑具陈列。一高一矮两个衙役正在威逼苏轼。高个衙役对苏轼说："此门进来容易，出去却难！"苏轼说："我未犯王法，如何不能出去！"矮个衙役说："就算你明日出去，今日也须掉层人皮。"苏轼笑道："哈哈，今日我虎落平阳，你就来欺负我！"高个衙役说："就是摆明了欺负你！"举棍要打，想了想，似乎没有理由，抬起的手又放下了。

矮个衙役忽然说："哥哥，他骂你。"高个衙役脑筋似乎不灵，疑惑地说："他没骂我呀，他怎敢骂我？"矮个衙役说："他骂你是狗。"高个衙役怒道："你才是狗！我长着耳朵呢，他骂我，我会听不见？滚！"矮个衙役急得抓耳挠腮，说不出话来。高个衙役对苏轼说："苏轼，听说你是个才子，可我这里只认钱财，不认文才。"举手欲打。

这时，范镇大步进来，"啪"地将一包银子扔到地上："你不是只认钱财吗？看看这些够不够。"两个衙役一惊，急忙跪下说："小的给范大人磕头！小的哪敢收大人的钱！"范镇说："啰唆什么，叫你收你就收。"两个衙役连声称是。范镇厉声对他们说："你们给我看好了苏轼，若是少了一根毫毛，我让你二人不得好死。"苏轼说："恩师何必助长牢狱的索贿之风！"范镇说："姑且保全了，其余日后再说。明日朝堂我会据理力争，保你出来。"

颐心殿中，仁宗正在翻阅殿试的制策，内侍张茂则递上苏轼的制策，仁宗高兴地阅读着，口里还称赞着"苏轼乃进士中第一才子"。当读到"无事则不忧，有事则大惧，宫中贵姬以千数，歌舞饮酒，欢乐失节"，仁宗转喜为怒，轻轻拍了一下龙案，站起身来。张茂则吃了一惊。

迩英殿外，王珪和欧阳修在殿外等候。张茂则走出殿外，向二位大人行礼。张茂则说："王大人，皇上宣你进殿。"王珪向欧阳修点头示意，跨进大殿。欧阳修也欲入殿。张茂则为难地说："欧阳公，皇上没说要见您。"欧阳修一惊。

迩英殿内，仁宗高坐。王珪奏道："陛下，御史台因苏轼所呈制策中有狂悖言辞，并忤逆圣上，现已将苏轼羁押牢中。"仁宗仔细观察着王珪，做出愠怒的样子，说："羁押得好！朕以为他该被羁押。"王珪听了，十分高兴，从袖中掏出百官联名书，向仁宗禀报："陛下，这是百官联名签署的奏章，称苏轼一再诬贤欺圣，目无君主，罪为大逆，该当处死。"

张茂则将长长的奏章呈给仁宗。仁宗细看奏章，暗暗吃惊。王珪察言观色，急忙对仁宗说："陛下息怒，苏轼年轻无知，陛下也不必与之计较。但据臣所知，联名百官却群情激愤，都说苏轼狂悖无道，上次撰典之事已得陛下宽恕，却不知悔改，如今竟藐视起圣上来了。百官还说，若再纵容苏轼，则引天下读书人效仿，视教条规范如无物，风气败坏，朝纲大乱。陛下，微臣虽然试图劝服，但百官之愤慨不平非臣过往之所见。"王珪以为仁宗会大怒，但仁宗却并不表态，只是说："朕知道了，此事明日上朝再议。"

第二天上朝前，众臣站在崇政殿外等候，纷纷窃窃私语。有人说："太过分了！如此狂生，从未见过！不杀不足以正朝纲！"王珪沿台阶而上，微笑着对大家说："诸公好。"众臣说："王大人好。"欧阳修和范镇走上台阶，却无人理会。范镇对欧阳修说："欧阳公，今日上朝，我二人要为苏轼辩护，无论如何要说服皇上。"欧阳修沉重地点头。一会儿，张茂则从殿门里走出来说："皇上有旨，今日不朝。"

众官哗然道："这苏轼实在大逆不道，定是他使得龙颜震怒，皇上连朝都不上了！皇上还从未缺过早朝，这都是苏轼所致。苏轼沽名钓誉，狂悖无理，目无人主，罪该处死！"王珪并不说话，悠闲得意地从群臣之旁走过。欧阳修和范镇呆立在那里。

御街上，刘几率众太学生走来，黑压压的一片，他们穿着统一服饰，其状悲愤，正游街抗议。引得行人纷纷驻足观望。行人议论纷纷："新科进士苏轼制策直言犯君，太学生们不容，要皇上处决苏轼！"刘几振臂高呼："苏轼诬蔑圣上，罪该处死，以正视听！"众太学生齐声应和。

御史台监牢里，地上一只小蚂蚁在推一块饭团，推而不动。苏轼凝神观察。欧阳修疾步走入，苏轼急忙起身施礼："恩师，您来了。"欧阳修着急地说："唉，子瞻，怎么样，没有受苦吧？"苏轼回答："恩师，苏轼无事。"欧阳修说："唉，你也太冒失了，何必如此呢？文风改革还未告成，太学者正环伺左右，此时最忌急于求成。他们一旦抓住这个机会，就会置你于死地。"苏轼却坦然地说："恩师，学生若能以一己之躯，促成文风改革之变，倒也死得其所。"欧阳修眼眶湿润了，动情地说："子瞻啊，你若有个不测，老夫如何向你父亲，向天下读书人交代呀！你放心，老夫当会据理力争，尽力保你出来的。唉，可是这次终究不像上次啊！"苏轼躬身施礼说："无论如何，苏轼都终身铭记恩师的大德！"

汴河酒楼，夜色沉沉，餐桌上空无一物。曾巩、章惇等人都没有胃口，曾巩叹道："皇上连欧阳恩师都不见，子瞻兄这次恐怕难逃大劫了。"章惇说："苏轼实乃我等进士中的楷模！试问我等之中，有谁敢像他这般正言直谏，不计个人得失，而以国家社稷为己任！我等须再为子瞻写道奏章，劝说皇上。"张璪却颇不以为然："皇上连欧阳恩师都不见，更别说我等了。唉，这个苏子瞻，太过惹是生非，矫饰虚名，连我等功名都陪他一块葬送了。"章惇生气地说："邃明，子瞻连命都快丢了，你还在这儿计较功名。"张璪低头不语，曾巩等人沉着脸，焦急而无奈。

迩英殿外，范镇欲举步入殿，被张茂则拦住。张茂则说："范公，别进去了。"说着指指里面，"皇上从来没发过这么大脾气，摔了许多东西，谁也劝不了。我劝你还是别进去为好。"范镇想一想，又待硬闯，还是被张茂则拦住。范镇说："张公公，那你跟我说，皇上究竟要对苏轼如何？"张茂则沉吟良久，说："要么杀，要么不杀。"范镇急了，"你……你这不是废话嘛！"

深夜，仁宗于龙床上酣睡，鼾声大作，睡得十分香甜。

御史台监牢内，苏洵、苏辙与苏轼隔着牢中栅栏相对而坐。苏轼明显消瘦憔悴了许多，但仍精神饱满。苏洵和苏辙神色悲怆，不知该说些什么好。苏轼平静地对他们说："父亲，子由，我听衙役说，百官已联名上书皇上，要问我的死罪，太学生们也在御街示威。"苏辙不答，苏洵却忽然豪气冲天地说："轼儿，莫忘了你立下的鸿鹄之志。你跟为父不一样，你是干大事的人，就要经得起大风浪。轼儿，你若死了，老夫也为有你这个儿子而感到荣耀，老夫要在汴京亲自为你送葬！"苏轼激动地叫了一声"父亲"，父子俩的手隔着栅栏紧紧相握。

范镇府上，范镇和欧阳修正在对弈。范镇拿着棋子默默地思考，却久久不落子。忽然，范镇将棋子丢在棋盘内，棋盘大乱。他站起来，生气地说："唉，不下了，不下了。永叔，你说下棋能静心，对老夫却一点用也没有，现在心头仍是一团乱麻。皇上就是不见你我二人，我等又能怎么办？满肚子的话都无处说去。"欧阳修仍坐着，也十分忧虑地叹道："树欲静而风不止，难呀！只怕因为此事导致文风改革失败，我等前功尽弃。我是上愧对皇上，下有负新进们呀。"范镇吼道："你说，皇上到底什么意思？杀就杀，不杀就不杀，干脆说个痛快话，为何要避而不见呢？"

这时，房外一声长吟，远远传来："我欲寻你无躲处，你觅我时无处寻。"范镇听到吟声，知道是老乡吴复古来了，忽然一拍脑袋，惊喜地对欧阳修说："高人来了，高人来了，子瞻有救了。"范镇赶紧向外迎去，尚未出房门，吴复古一身道袍，手执拂尘，在院子中悠然现身。范镇急忙施礼道："吴道长，想煞我也，快里面请。"吴复古也不答礼，直向房中走去。范镇对吴复古说："吴道长，这是欧阳修大人。"吴复古对欧阳修倒是蛮有礼数，客气地说："欧阳大人，久闻盛名，贫道有礼了。"欧阳修起身施礼道："道长多礼了。"吴复古悠然坐下。范镇忍不住地问道："道长是闲云野鹤，从不轻涉俗世，猝然来访，不知有何见教？"

吴复古微微一笑，也不说话，从袖中掏出一只小木盒，轻轻放在桌上。范镇和欧阳修将目光集中于木盒之上。吴复古转眼飘然而去。范镇转眼不见了吴复古，往外一看，只看见了院子中吴复古的背影，急忙喊道："吴道长，请留步——"只听远远传来吴复古的声音："送得宝盒金銮殿，抵得二公千万言。"二人看看桌上的木盒，木盒显得古朴而神秘。二人对视了一眼，点了点头。

颐心殿中，仁宗手拿木盒，缓缓打开，内有一张纸，仁宗展纸阅览，小声读道："群雀聒噪尘嚣上，风来谁可负青天。圣君当朝士有语，戒碑犹立岂无言。"

仁宗一惊，对张茂则道："'戒碑犹立岂无言？'张茂则，当日朕登基之时，独自入密殿读戒碑立誓，戒碑上书'不得杀士大夫及上书言事人'，此句当是讲的这个意思。"看着张茂则迷惘的神情，仁宗十分纳闷地自言自语："可是奇怪啊，戒碑上的话，别人都不知道啊。为何……为何……难道世上真有神仙？"

这原是宋太祖赵匡胤为子孙立下的戒碑，新皇登基时，可一个人前往拜谒发誓，遵守戒碑上的规定。据说戒碑说的是不杀上书言事的士大夫，柴家子孙即使犯了大逆之罪也不得弃市等。当时就有这样的传说，直到后来金人破了东京汴梁，才真的发现了这个戒碑。内侍张茂则在一旁，讪讪地说："陛下，微臣鲁钝，不知道。"仁宗好像忽然顿悟，微笑道："时机已到。好，张茂则，宣旨下去，明日朕要上朝。"

第二天，崇政殿内，仁宗高坐，韩琦、欧阳修、范镇、王珪、胡宿、吕诲等人分班左右。仁宗装病，以手支颐，以热手巾敷住额头，说："这几日来，朕称病未朝，众卿的奏章都快堆满朕的御书房了。今日朕精神略有转安，众卿对新科进士苏轼的殿试策论有何看法，都据实说来吧。"韩琦道："陛下，万请保重龙体。至于苏轼，评官以为苏轼专攻人主，为大不敬！"欧阳修缓步出班，慷慨奏道："陛下，臣有话要讲。"仁宗佯装咳嗽了一声，有气无力地说："准。"

欧阳修说："谢陛下。微臣不敢苟同韩琦之论。臣以为，苏轼制策，指正朝廷得失，无所顾虑，持论至公。虽语涉皇上，实乃是循天地之正道，遵人臣之大礼，为国朝以来第一人，应列入殿试的最高等。"胡宿环视周围，出班奏道："陛下，苏轼在制策中，抨击陛下，狂妄至极，闻所未闻，是可忍孰不可忍也！"仁宗说："嗯，继续讲。"胡宿说："陛下，似这等举子，当治大不敬之罪，必当严惩！"

崇政殿中，大臣们继续辩论。范镇说："陛下，胡宿之言谬矣！苏轼直言朝政，乃我朝之幸也！有善纳直言之君，才有直言之臣。过去唐太宗善纳直言，才有贞观之治；我主乃善纳直言之君，才有而今祥和之气。皇祐三年（公元1051年），包拯弹劾外戚张尧佐，朝堂之上，吐沫乱飞，竟至我主龙面。但陛下仍能听谏言，维持正义，接纳弹劾，成为美谈。微臣以为，苏轼虽有激切之言，但出于忠君爱民之心，并无私意，岂能杀之，请陛下明察。"吕诲反驳说："陛下，苏轼目无人主，当杀。"多数大臣跪于地下齐呼："陛下，苏轼当杀！"只有欧阳修和范镇站着。

欧阳修高声道："陛下，不可！制策求直言，而直言者被杀，此为失信天下之举，参政之言不可取。"很多大臣愤怒地看着欧阳修。

仁宗调整了姿势，慢慢坐起来，说："众卿，朕若不杀苏轼，又当如何？"王珪一愣，警觉起来，立即调整策略，决定静观其变。吕诲跪下说："陛下，苏轼杀也要杀，不杀也要杀！"众臣听吕诲这么说，有的一愣，有的响应。

仁宗忽然暴起，将热手巾掷于地上，病态全无，声如洪钟："够了！你等都是朝中大臣，言称孔孟之道，对一个少年进士，岂能说杀就杀！此一来，何谈我朝仁政！苏轼直言了朕几句话，朕就杀他，朕是何等胸怀！岂能叫后人耻笑唾骂！朕虽只见过苏轼两次，但已深知苏轼文章治才、德行操守俱佳。现在国家吏治不振，亟须新锐之才。朕告诉你们，朕不仅不杀他，不黜他，朕还要让他越级受官，让苏轼到翰林学士院供职！"

吕诲等人大惊。吕诲大声道："陛下，不可。即使状元，初次授官也不过六品、七品，翰林学士乃三品朝官，如何能授给一个榜眼！"胡宿附和："按照祖制，吕诲所言不差。况且苏轼多有狂悖之语，也不能说德行操守上乘。"殿内气氛越来越紧张。王珪仍不说话。

宰相韩琦忽然说："若是授苏轼翰林学士，不知陛下是否要将这宰相之位授给状元曾巩！"

仁宗拍案而起："大胆！开口祖制，闭口章法，只有循规蹈矩，你们才觉得舒心安宁，唯独不见大宋陈陈相因，积弱不振。朕每办一件事你们都要横加阻拦，说得冠冕堂皇，实是满口空话。今天竟然敢当面责问朕，若是曾巩有宰相之才，你当朕不敢授他宰相之位吗？"韩琦急忙跪下："微臣只是一时着急，微臣失言，微臣知罪！"吕诲等人也急忙跪下。

仁宗厉声喝道："你一时着急，你为大宋着急了吗？"韩琦一时犹豫："这——"仁宗说："朕即位以来，每遇大事，必招群臣共议之，但行之收效甚少，每每适得其反，致使国力日削月弱。朕有时都怕，怕百年之后无颜面对列祖列宗！"众臣慌忙跪倒："陛下，臣等知罪。"

仁宗怒气未消，斥道："知罪知罪！你们整天就知道知罪！今天，列祖列宗在上，朕要朝纲独断一回！今日朕要宣布两件事，其一，殿试放榜，名次与礼部试相同，特授苏轼翰林学士之职，殿试制策三等，翰林院拟旨吧！"范镇、欧阳修等跪下，齐声道："陛下圣明。"

仁宗大手一挥，继续说："其二，太学体百无一用，国朝文风之坏，多源于此。当下朝廷需要的是干练的治才,太学体中如何出得国家栋梁!从即日起,废黜旧太学,提举新学,昭告天下!"群臣十分惊讶。欧阳修和范镇惊喜万分,而王珪似乎要瘫软在地。

宫外,刘几他们还在振臂高呼:"杀苏轼,杀苏轼!"一大臣悄悄跑出来,向他们招手示意停下。刘几等人见状停止呼喊,莫名其妙地左顾右盼。

七　母丧丁忧

御史台外，苏辙、章惇、张璪、曾巩、巢谷、陈凤等人迎接苏轼。看到苏轼出来，众人一拥而上，将苏轼围在中心，问这问那。苏轼谦逊地说："苏某怎敢有劳诸位！"章惇说："你礼部试自撰典故，殿试制策又专攻人主，两次以身试法，两次赦免死罪！乃是我大宋奇人！我们来迎接你，还不应该啊！"众人齐声迎合道："是啊，是啊！你乃是我大宋奇人！"苏轼诙谐地说："事不过三，也许还有第三次，到时诸兄再来接我不迟！"章惇哈哈大笑，曾巩摇摇头苦笑，张璪则不屑地撇撇嘴。

巢谷带着两个轿夫走来："苏大人，快上轿吧！"转头对两个轿夫说："快叫苏大人！"轿夫躬身施礼："苏大人！"苏轼惊讶地笑道："苏大人？我什么时候成了大人？巢谷兄，为何要坐轿子？"巢谷故意拿腔拿调地说："你还不知道吧，皇上已让你当了翰林学士，你已是苏大人了。苏大人不能走路，苏大人得坐轿子。"一边还做着鬼脸，不由分说将苏轼抱上轿子，众人哄笑起来。轿夫们抬着轿子，一颠一颠地离开御史台。

苏轼与众人回到寓所，看见吴复古正与苏洵谈话。苏轼惊喜地说："是吴仙长，你怎么来了？仙长好！"吴复古顽皮地答道："我欲寻你无躲处，你觅我时无处寻。过去叫道长，现在怎么成了仙长？"苏轼说："听说你已得道成仙，岂不应该称仙长！"吴复古道："听谁说的？我去问问！"苏轼说："世人谁不知你是陈抟老祖转世！"吴复古说："呵呵，你这是咒我啊！那陈抟老祖是汉末人，见天下即将大乱，不忍亲眼目睹，就到华山上睡觉。没想到一睡就是八百年，醒来后骑驴在华山脚下游荡，正遇到了我朝太祖，他端详了一番，大笑道：'天下太平就应在此人身上了，吾无忧矣！'说完从驴背上倒了下来，就没有气了。如今天下将乱，你不是要咒我死吗？至少也是让我睡觉吧！"苏轼笑道："我是要给仙长拍马，怎敢咒你？无心之过，无心之过。"

苏洵见他俩斗嘴，就打断他们的话："这一老一少，一见面就纠缠不清。快说正经的！"吴复古立即转了话头："好，说正经的。我问你俩，我那徒儿巢谷现在哪里？"苏洵故作严肃地说："巢谷不是一直跟着你吗？怎么反问起我来了？没有巢谷，你可要赔我的侄儿！"吴复古说："我徒儿生性顽劣，不知是否又与人去比武。既然你们不知，怕是他的脖子已被人打断了，我去替徒儿寻仇去！"起身要走。众人看他滑稽天真的样子，哈哈大笑。旁边的陈凤也粲然开颜。

这时，巢谷从外面跑进来，跪道："弟子叩见师父。"吴复古异常惊喜，一把抓住巢谷说："让我先看看你的脖子是否被人给打断。你怎知我来了？"巢谷顽皮地伸长脖子，亲热地说："师父已来了汴京好几日了，让徒儿好找，今日终于在此等到师父。"吴复古点头说："嗯，还没忘了师父。"苏洵招呼吴复古和众人："道长屋里请，大家屋里请。"

这时，门外忽然传来宣旨声："懿旨到——苏轼接旨。"大家一惊，吴复古却呵呵而笑："招女婿的来了！"

原来，仁宗在朝堂上一吐胸中郁闷，退朝后兴致不减，兴冲冲地走进后宫来。曹皇后急忙迎上来，问道："官家今天怎么这么高兴？"仁宗满脸是笑："能不高兴吗？朕一日之间就为子孙选了两个太平宰相！"曹皇后也笑着说："官家，是哪两个呀？"仁宗说："是新科进士苏轼、苏辙兄弟，文采道德，都是近年少见，经一番历练之后，定是国家的柱石。"曹皇后喜道："大比之年能选到治世良才，可喜可贺呀！"仁宗说："是啊是啊，千里马常有，但伯乐不常有。选人才乃天下最难之事。"曹皇后感佩仁宗知人善任，说话间忽然想到了什么，略一沉吟，问道："臣妾想问官家，苏轼今年青春几何？不知是否成婚？"仁宗略一沉吟，说："苏轼年岁约在二十多岁，至于是否成婚，却是不知。"曹皇后思忖了片刻，决定叫苏轼来一问。

皇宫内宫，曹皇后端坐帘内，身后站着一位公主，娇羞地看着帘外的苏轼。苏轼跪拜道："参见圣人娘娘。"曹皇后缓缓地说："外边可是新科进士苏轼？"苏轼说："启禀圣人娘娘，正是小民。"曹皇后说："你已是进士了，不要这样谦卑了。这里不是朝堂，随意一些。赐坐。"苏轼拜谢后坐下。

曹皇后仿佛迟疑了一下，问道："听说你本该取为榜首，因避嫌将你取为第二，你受委屈了。"苏轼朗声说："启禀圣人娘娘，朝廷一片至公，在下并无委屈。"

曹皇后听了，语气很是舒缓地说："人生哪能无委屈。你能这样想很好。"苏轼说："谢圣人娘娘教诲。"里面的公主有些不耐烦了，轻轻推拉母后的胳膊，小声地催道："快问，快问啊！"曹皇后对公主笑了笑，说："不知新科进士今年多大岁数？"苏轼答道："二十二岁。"曹皇后又问道："父母可安康？"苏轼说："托圣上、圣人娘娘洪福，父母均安康。"

曹皇后稍作沉吟后问道："不知婚配否？"苏轼对此问早有准备，不假思索地答道："微臣兄弟二人均已婚配。父母之命，不得不尔。"公主有些吃惊，她大概没有想到苏轼回答得这样利索，颇感失落。曹皇后沉吟道："哦……听说蜀地女子貌美多才，以你兄弟大才，夫人也必不同寻常。"苏轼说："圣人娘娘抬爱微臣了。微臣幼有报国之志，聘妻不敢求貌美多才，只求夫妻如梁鸿、孟光，可使微臣无后顾之忧，方不辜负了君父的教诲。"

直到此时，曹皇后才明白皇上说的"为子孙选了两个宰相"是什么意思。她不仅没有为招婿不成气恼，反而高兴地说："明白了。嗯，好一个新科进士，好一个'无后顾之忧'。愿你不要忘了君父的教诲，将来好好为国出力，为君分忧！"苏轼叩首道："谢圣人娘娘教诲。微臣铭记在心，永志不忘。"

公主毕竟年轻，不懂母后为什么还这么称赞苏轼，不满地带着侍女从帘后走了。

翰林院中，王珪坐在椅子上，眼睛盯着桌上的诏书，迟迟不动笔。张茂则走近王珪身边，宣旨道："参知政事翰林院学士王珪接旨。皇上口谕，苏轼是皇上钦定的翰林院学士官居三品，为何翰林院迟迟未下诏书？难道想抗旨吗？钦此。"

王珪说："臣，遵旨。"张茂则轻声对王珪说："王大人，依在下看，还是赶快遵命吧。皇上爱才如渴，苏轼如今已被皇上视作未来宰相。王大人，你是这次大比的主考官之一，也是苏学士的恩师，可谓功不可没，得到皇上的恩赐指日可待。王大人还是赶快拟诏吧。"王珪说："是！多谢公公提醒，这就拟诏！"张茂则走了以后，王珪走到桌前，铺开诏书，提起笔架上的毛笔，无奈地摇摇头，深吸一口气，不情愿地拟写诏书。

兴国寺内，"三苏"、巢谷、陈凤、吴复古等人在屋内闲谈，吴复古对苏洵说："明允兄，你知道，我是不能在一个地方待上数十日的，这次到汴京，都是劣徒巢谷所累。"大家听了，看看巢谷，笑了起来。苏洵说："哎，要不是巢谷，我们如何能够相聚。"吴复古点头道："是啊是啊，十年未到汴京，也该来看看了。"说着，忽然转向苏轼说，"但这次贫道在汴京看的最多的却是子瞻贤侄的文章，依贫道看来，我大宋开国以来的举子只怕无人能比，就是他欧阳老家伙，将来也要服我贤侄。我听说，欧阳老家伙也说三十年后，读书人只知道我这贤侄，而不知道他欧阳老家伙了。"苏轼说："道长千万不要谬奖。"吴复古正色道："贫道几时奖过人，更不要说谬奖了。"众人一怔，哈哈大笑。

吴复古向苏辙端详了一会儿："子由虽文才不及哥哥，但为人谨厚，将来的磨难会少一些。"又转向苏轼审视一番，"子瞻文才盖世，治才盖世，但心地纯白，生性至善，怕是少不了牢狱之灾。"苏洵一惊，忙问道："道长有无破解之法？"苏轼却打断了父亲的话："若能为国为民尽绵薄之力，死尚不惧，牢狱之灾算得了什么！"众人一时不知说什么好，吴复古却敬佩地说："嗯，好，这就是最好的破解之法！"说完，他转向巢谷："徒儿，看来你一时还难消尽俗缘，以后还要多助苏氏兄弟，也算你替师父出力。"巢谷说："是，师父。苏伯父对我家恩德深重，我已孤身一人，苏家就是我家，子瞻、子由便是我的亲兄弟。"

站在一边的陈凤施礼说："道长学究天人，难得遇上道长预言休咎的机缘，请道长为晚辈指点迷津。"吴复古审视了一会儿陈凤，转过身去，叹了一口气，说："寂寥不参哪得破，科举终是镜中花。"苏轼一惊："啊……可是道长，陈兄已中进士了啊？"吴复古笑道："我自说我的话，关人甚事！"

吴复古突然向众人一揖，说："就此别过。"苏洵心知留他不住，答礼问道："将来到何处找你？"吴复古爽然笑道："我想来时何须请，你想找时无处寻。"说罢，飘然而去。"三苏"、巢谷望着吴复古的背影，眼睛渐渐湿润了。

礼部大门边外，清晨，放榜日。前来看榜的举子和围观者人山人海，守榜的士兵也在门前排成了两行。榜终于张出来了，榜上的名字逐次映入人们眼帘。

嘉祐二年（公元 1057 年）殿试榜

第一名 曾巩

第二名 苏轼

第三名 章惇

第四名 程颐

第五名 苏辙

第六名 程颢

第七名 曾布

第八名 蔡确

第九名 张璪

第十名

…………

苏轼、章惇、蔡确、曾布、张璪、巢谷、陈凤等人都在看榜。苏轼吃惊地问："怎么第十名上的陈凤兄没有了?!"陈凤的脸色"唰"地变白了。苏轼问："掌榜官，第十名怎么是空的?"掌榜官翻看了记录后，说："陈凤家拖欠官税今已查出，依律黜落。"章惇问："陈凤兄，是这样吗?"陈凤说："听老人说，我父母病死时是拖欠了官家的税收。父母死后，田产归了伯父，我靠伯父养大，如今过去了十几年，官家也没有追缴，我哪里知道?"曾巩说："原来这样。我们大伙再想想办法，看看能不能挽回。"张璪说："怎么能这样? 一生的功名就这样完了?"曾布也愤愤不平地说："岂有此理。"巢谷倒是爽快，说："陈凤兄，这鸟官不做也罢，子瞻兄还没做官就被抓两次，若真做了官非把命都搭进去。"陈凤淡淡一笑，说道："巢谷兄说得是。"众人从人群中离去。

陈凤走在路上，望着高远的天空，眼神茫然，淡然地喃喃自语："寂寥不参哪得破，科举终是镜中花。"

兴国寺大雄宝殿内，经声佛号。庄严的剃度仪式正在进行，形貌古异的觉新手持雪亮的剃刀，正欲为披头散发的陈凤剃发，苏轼与苏辙闯了进来："慢! 大师，请让我等与陈凤说一句话。"觉新默然点头。

苏轼紧抓着陈凤的双臂，焦急地说："陈凤，能不能听我说最后一句话？"陈凤双手合十，闭目昂头，无动于衷："子瞻兄，这里只有参寥，没有陈凤。"苏轼说："参寥？"陈凤说："寂寥不参哪得破，科举终是镜中花。"苏轼急了："吴道长疯疯癫癫，随口一说，哪能当真？"觉新大师应道："疯疯癫癫？当世第一才子，竟不识当世第一真人！"声调沉郁而威严。

苏轼微惊，稍一定神，说："觉新大师，不要把陈凤兄拉入空门！"觉新的剃刀悬在陈凤头上。觉新眼望苏轼，目光呆滞而深情，慢慢地占出一偈来："顽铁铸成身外累，晨钟敲醒梦中官。烟波毕竟抽帆易，春水桃花一钓竿。"说毕，面无表情地望着苏轼。

苏轼失望无助地看了子由一眼，苏辙无奈摇头。苏轼只好慢慢地松开了手。

经声佛号再度响起，觉新的剃刀落下。一缕缕青发飘然落地……

苏氏兄弟眼含泪水，沮丧地走出大殿，正遇在松荫下徘徊的苏洵。苏洵驻足抬头，打量着两个爱子，明白了一切，叹道："可惜，可惜，一个可造之才皈依佛门了。"苏轼说："父亲，孩儿有一事不明。人入佛门，能解脱自己的烦恼吗？"苏洵说："大隐隐于朝，中隐隐于市，小隐隐于野。为什么把隐于朝和隐于市摆在前面呢？出污泥而不染，才有荷花的圣洁；尽人子之道，救天下之苍生，那才是真正的佛。"苏轼似乎明白了。苏辙有话要说，但到嘴边又咽了回去。苏洵问："辙儿有话要问吗？"

苏辙拱手施礼说："父亲，照此说来，那佛门道观不就毫无意义了吗？"苏洵说："不能这么说。佛是一门学问，佛是一方净土，无奈无助厌世者，不归佛门，又归哪里？"苏辙说："孩儿明白了。那儒、释、道之性又有什么不同呢？"苏洵解释说："儒性在圣，佛性在心，道性在自然。佛家有云：救人一命，胜造七级浮屠。我们读书之人，若为官能救一方百姓，若在朝能致君尧舜，使天下承平，生齿富足，无饥饿，无战乱，无灾疫，其德其量又如何计算呢？那就是儒，是佛，也是道。"苏氏兄弟拱手齐道："孩儿明白了。"苏洵赞许地点点头。

就在此时，御街上，一身孝服的仆人快马加鞭，直奔兴国寺而来。

兴国寺内，苏洵父子三人向寓所走去，苏轼兄弟二人毕竟心中不豫，表情有些黯然。他们忽然看见院内站立着内宫的两位近侍，不由地一惊。一位近侍问道："前面的可是苏轼？"苏轼急忙回答："正是在下。"内侍说："苏轼接旨。"苏轼急忙跪下，只听内侍宣旨道："敕。新科进士苏轼，朕甚爱汝材，今特授汝翰林院学士之职，钦此。"苏轼谢恩后，站起身来，从近侍手中接过圣旨。苏洵欣慰地笑了笑。

突然，外面传来一凄惨的叫声："老爷！""三苏"向外望去。仆人福安由觉新领了进来，见到苏洵，扑通跪倒，大哭："老爷——"苏洵惊慌问："福安，你怎么来了，何事啊？"苏轼、苏辙兄弟也紧张不安地望着福安。福安哽咽着说："老爷，夫人……夫人她已于二十日前去世了。"苏洵怔了片刻，慢慢地软倒。苏轼、苏辙急忙扶住，连喊："父亲！父亲！"

王珪府上，王珪躺在椅子上，摇晃着腿，品着茶。王府管家进来，对王珪轻声说："老爷！老爷！听说苏轼的母亲病逝了！"王珪一怔，问道："当真？"管家讨好地说："这哪能有假，都准备启程回蜀了。"王珪悠悠地说："嗯，按大宋礼制，苏轼要回西蜀守制二十七个月，来回要三年。嘿嘿！"王珪疑思的脸上露出了微妙的笑容。管家凑上去说："老爷，三年以后，皇上怕连苏轼是谁都已忘了。"王珪看了管家一眼，站起身，悠闲地吟道："自古才命不相当啊，不相当啊……"

汴河码头上，章惇、张璪等人相伴前来送行，不一会儿，欧阳修、范镇也到了。苏洵说："多劳诸位相送！"苏轼、苏辙一身孝服，跪地向诸位致谢："不敢有劳恩师及诸位相送。"范镇安慰苏洵说："苏老先生，夫人遽然仙逝，令人悲痛。然先生还需善自珍重，教导孩儿，将来为国出力。"苏洵说："谢范公了。"

欧阳修则是一脸忧虑，"三年之中，朝局难测，只怕子瞻、子由的授职又有变化。"苏洵说："但尽人事，莫问天意。"欧阳修说："也是。明允公能这样想就好了。"范镇对苏轼、苏辙嘱咐说："丁忧守制，乃人子之礼，期间要多读《孝经》《礼记》，多受圣贤教诲，也是孝中的应有之义。"苏轼、苏辙连忙说："谨受教。"欧阳修也对苏轼叮嘱："丁忧期间，也可留意民情吏治。"苏轼点头领教。

苏轼转身对章惇等人说："一场大比，与诸位仿佛结成了生死兄弟，祝各位前程远大！"章惇对苏轼说："我们的任职尚未下来，一旦得知，我们会报知于你。"

正在说着，皇宫内侍来到："圣旨到——苏轼、苏辙接旨。"苏氏兄弟急忙跪下说："臣，苏轼、苏辙接旨。"内侍宣旨道："敕。朕悉汝母病逝，准回西蜀故里丁忧守制。汝母有孟母之德，育才有功，追赠汝母成国太夫人。可。"苏氏兄弟齐呼："陛下万岁，万岁，万万岁！"

"三苏"、巢谷等拜别众人上路。参寥身着佛衣，站在远处，望着苏轼等人远去的帆船，双手合十。

嘉祐二年（公元1057年）四月初八，苏轼母亲病逝，苏轼、苏辙回乡丁忧二十七个月。

眉州城内纱縠行街上挤满了人，其中不乏穿孝服者。众人指点、羡慕、叹息。苏洵骑马，苏轼、苏辙、巢谷皆牵马而行。将进家门，苏轼兄弟扑向母亲的灵堂，伏地号啕大哭起来。

少顷，苏洵从后面急步进来，众人见他摇摇晃晃，急忙架住他。谁知苏洵甩开众人，在妻子的灵堂前"扑通"跪倒，大哭起来，众人大惊。司礼手拿簿本，命人搀起苏洵，苏洵哭着推开。司礼着急地说："苏老先生，按礼夫不跪妻！"苏洵大哭说："古礼夫不跪妻，但夫人于我有大恩，我跪的是恩人！古礼岂能制我！"众人听了，无不哽咽。

苏洵跪着哭诉道："夫人啊，进我苏家，夙兴夜寐，相夫教子，一日不闲。无夫人，便无苏洵的今日，无夫人，轼儿、辙儿也不能中举。为夫曾与你相约，要白头到老，为何要中道相弃啊！即便不怜为夫，难道儿子也忍弃置不顾？今后遇事，让我向谁求正？我的好夫人，我的大恩人啊！"这时，苏轼的姐姐苏八娘哭昏过去，采莲、王弗和史云等人急忙将她救醒。

司礼领苏轼、苏辙看过母亲遗体,高喊："合棺——"众人哭声大作，苏轼、苏辙和苏八娘痛苦地拍打着母亲的棺木。

送葬队伍缓缓穿过街道、小桥、田野。随着棺材抬过，众人跪拜。送葬的人渐渐散去了，苏洵、苏轼、苏辙、王弗、史云、采莲、苏八娘、巢谷等人仍不愿离去，他们或坐或站地围在程氏墓碑之前。苏轼泪流满面，想起小时候母亲教导自己和弟弟读书的情景……

九岁的苏轼与六岁的苏辙正在听母亲授课："范滂是谁呢？据说是当今推行庆历新政的范仲淹大人的祖先。在东汉末年，阉人乱政，大诛党人。范滂当时任太尉，也在逮捕之列。在和母亲诀别的时候，他说：'娘啊，儿舍生取义，死得其所，只是不放心母亲。儿死以后，娘千万不要有更多的悲痛，倘若把身子哭坏了，儿在九泉之下也不会瞑目的。'他母亲从容镇定地说：'儿啊，你现在就义，与党人的领袖李膺、杜密齐名了。既得了美名，又要不死，哪有如此两全其美的事情？放心地去吧。不悲伤是不可能的，你是娘身上掉下的肉。但是娘为你骄傲，身为大丈夫，还有比忠君爱民爱国更重要的事情吗？'"苏轼问："范滂在狱中又如何呢？"程氏说："桓帝派中常侍王甫去问他，范滂仰天长叹：'古人修善，自求多福；今日修善，反陷大戮；身死以后，愿将尸首埋葬首阳山侧，上不负皇天，下不愧夷齐！'王甫听了这话，也感慨动容，命人给他解去桎梏。"

苏轼偎到母亲的怀里，天真地说："母亲，我长大如果想做范滂，你愿不愿意？"程氏高兴地说："你有志能做范滂，娘为什么不能做范母呢？"苏轼坚定地说："母亲，我会让你心满意足的，弟弟也会。"

程氏紧紧地拥抱着两个儿子，脸上露出欣慰的笑容："我有子矣！"

苏洵仍呆呆地凝望着程氏的墓碑，采莲用衣襟擦去眼角的泪水，对他说："老爷，不要过度悲伤。夫人临终前有话，只要两位公子金榜题名，她就可以含笑九泉了。"苏洵悲伤地点点头，站起身道："话虽如此，夫人相夫教子，呕心沥血，积劳成疾，如今二子荣登皇榜可她却……"群山静默，有风轻轻拂过苏洵斑白的鬓角，盘旋而过……

礼制规定，守制期间，夫妻不能同房，甚至共同相处的时间都很少。这时，苏轼、苏辙的姐姐苏八娘就成了王弗、史云的好伙伴。她来到王弗、史云居住的房内，两人正在灯下做针线活计。苏八娘说："这么晚了，妹妹还不休息啊。"王弗二人急忙起身让座。苏八娘拿起二人正在做的一件衣服，问道："这是……"王弗说："听说公公不日就要远行，我和史云妹妹正在商量着为公公赶制几套夏衣。"苏八娘点点头："难为你们了，其实爹爹的衣服不少，倒是子瞻、子由两个你们要多上点心。近日我发现他们兄弟二人的鞋面俱已破损，料想他们男人家在京里只顾读书，穿戴是不讲究的。"王弗听后，羞红了脸低头不语。

史云年纪尚小，脱口而出："姐姐说的何尝不是。但我们婚后不久，他就上京赶考，哪里知道尺寸，眼下怕人说闲话，又不便多问。"说完后才发觉不妥，也羞得涨红了脸，轻揉着衣服下襟。苏八娘见状，笑着点点头："这倒是了，明日我去给你们要个尺寸，你们照着做就是了。"王弗还未开口，史云抢着答道："谢谢姐姐。"苏八娘心疼两个妹妹，硬是接过了未缝完的衣裳，让王弗与史云早些休息。

夜深人静，王弗、史云沉沉睡去，苏八娘坐在灯下，用针拨了拨灯芯，对着手中的衣服细细端详一番，开始缝补起来……

第二天中午，苏轼、苏辙正在房内静心读书，苏八娘提一食盒走进来。苏轼、苏辙看姐姐来了，都高兴地站起来。苏八娘说："歇息一下吧，该吃饭了。"打开食盒，端出两碗面来。苏辙惊喜地说："热汤面，姐姐亲手做的?"苏八娘说："呵呵，还能有谁?"苏轼笑道："太好了，小时候最喜欢吃的就是姐姐做的热汤面。哎，弟弟，说来奇怪，当初在汴梁，章惇兄带着咱们吃了那么多南北美味，竟不及姐姐这碗面的半分香。""哥哥说得对。"苏辙说着，趁苏轼没留神，从苏轼的碗中偷偷地夹了一筷子。苏轼发现后，不依不饶。一个追，一个躲，兄弟俩围着桌子和苏八娘转来转去。

苏八娘笑笑："你看看你们俩，还像小孩子一样顽皮，哪像是新科进士，若传出去了，岂不让人笑话?"苏辙说："怕什么，这是在姐姐面前，又不是在朝堂之上与那些士大夫们辩论国策。"苏轼忽然有些伤感："唉，自从母亲过世之后，好久没有这么开心过了。"三人一时沉默。

苏辙说："姐姐、哥哥，咱们不如到以前经常钓鱼的那个小池塘看看吧。"苏轼说："好啊，记得那时候姐姐经常带我们去玩，现在故地重游，寻找一下当年的感觉。姐姐，好吗?"苏八娘说："要去你们便去是了，何苦让我去呢。"苏辙上前拽着苏八娘的手说："这有什么，好姐姐，去吧。"

"什么事这么开心啊?"苏洵说着走进来。苏辙说："父亲，我们正商量着去钓鱼呢。"苏洵一听，也颇感兴趣："噢? 好啊，为父也算一个。"苏轼有些喜出望外："父亲也和我们一起去?"苏洵笑道："有何不可? 难道还怕别人说我为老不尊不成?"苏八娘说："既然父亲也有此意，我去叫上王弗、史云她们。"苏洵说："嗯，如此甚好。"

正在此时，巢谷进来说："伯父，程家来人了，说……要接小姐回去。"大家一惊，刚才的高兴劲一下子烟消云散。苏八娘怔了片刻，略带忧伤地向父亲说："父亲，女儿要回夫家去了。母亲不在了，您要好好照顾自己。女儿不孝，夫家催逼得紧，不能侍候您了。"转向苏轼、苏辙说："两位弟弟也要多尽心。"说着，哭出声来。

苏轼说："我去跟程家说，留姐姐多住几日。"苏辙说："我也去。"苏八娘急忙拦道："二位弟弟不必。在家这几日，难得跟父亲、弟弟们团聚，我已经很知足了。"

苏洵动情地说："我的好女儿，委屈你了。当初你母亲将你嫁给她的娘家侄子，原是想让你管教于他。可是那程之才冥顽不化，仗着家里有权有势，终日不务正业，反倒日日虐待于你。为父想起来就如万箭穿心，可也帮不了你啊！唉，你母亲啊，一生明白，一生刚强，就是心肠太好，这才——"苏八娘跪下："父亲，女儿谁都不怨，只怨女儿命不好！"

苏洵气愤地扶起女儿："哼，命！命！男人三妻四妾，女人就要从一而终，这是谁定的命！"采莲进来，拉起苏八娘的手："可怜大小姐，一个如花似玉的人儿，自从嫁到那程家，就变成了这等模样。那程家公子真是畜生不如，四邻八乡说起来，谁不叹息！真不知老夫人当初怎么舍得女儿——"

苏八娘默默地向外走，苏轼、苏辙说："姐姐，我们送送你。"苏八娘回过头来，含着泪水摇了摇头，转身走出去。

苏家大门外，有轿子在等候，苏八娘满面泪痕地走向轿子，苏洵领着全家人来门外相送。苏八娘一步一回头，仿佛不愿离开苏家，更不愿踏上轿子。苏洵脸色凝重地说："女儿，你既已嫁给程家，终归是要回去的。"苏轼不悦地说："父亲，姐姐就不能再住几日吗？"采莲也说："是啊，老爷，就让小姐再住几日吧。"苏洵叹了口气，说："唉，程家不对是他们的事，你身正心清便是，还是尽早回去吧。"

苏八娘坐入轿中，掀开轿帘，探头看了一眼父亲与兄弟，悲从中来："唉，不知能否再见到父亲、弟弟们，还请多加珍重！我去了。"轿子远去，众人神色凝重，采莲偷偷拭泪。

八 济 民

　　三个月后，家中丧事已毕，苏洵因事前往成都。自苏洵走后，苏轼兄弟按照父亲的指示，每日除祭拜母亲外，都安心在南轩苦读。守制期间，要夫妻分居，且应尽量避免见面，所以每日王弗、史云做好饭后，就由采莲到南轩叫他们吃饭。采莲虽为两人的表姑，但还是称苏轼兄弟为少爷。苏轼屡次说道："表姑，您老人家以后叫我们轼儿、辙儿就行，千万不要客套。"采莲说："这如何使得，如今你们都中了进士，我怎么还好那样叫。"苏辙也说："就是当了宰相您也是我们的表姑，我们也是吃您的奶长大的。"采莲拭泪道："你一说表姑，我又想起你们的母亲来了。"苏轼安慰道："好了，表姑，以后我们就叫您表姑，您就叫我们子瞻、子由吧！"采莲破涕为笑，说道："好，这样听着近乎。"

　　苏轼、苏辙穿廊过院，来到正堂。王弗、史云见到苏轼、苏辙，忙躲进厨房。采莲见此情景，笑着叹了口气。王弗、史云要等丈夫吃完后，才能进正堂吃饭。而两兄弟也很疼爱妻子，总是舍不得吃太多，尽快将温热的饭菜留给妻子。这让王弗、史云过意不去，但两人又不好意思当面劝他们。

　　史云远远地看着正在低头吃饭的苏辙，心疼地说："嫂嫂，你看，本就是粗茶淡饭，他们兄弟俩又日夜用功，眼见越来越瘦，又吃得这么少，如何是好啊！"王弗明白丈夫的良苦用心，却还是不禁为难地咬了咬下唇，道："他二人知道家中用度紧张，故将饭菜留给我们。可我也不知该怎么劝才是。"史云拉着王弗的衣袖，说："咱们干着急也不是办法啊，嫂嫂，你现在去劝劝他们吧？"王弗羞红了脸，说："我？这可是守制期啊。我不行，妹妹比我会说话，还是妹妹去吧。"两人你推我我推你，谁也不肯过去。

很快，苏轼、苏辙吃完饭，菜还剩下一大半。两人刚要走，却听得厨房里传来一阵娇羞的声音："相公。"兄弟二人不约而同地转过脸，眼睛里有一丝迷惘，但更多的似乎是期待。王弗、史云也都没想到对方会喊，这时又都不好意思地低下头，不吭声。

看着苏轼兄弟探寻的目光，王弗声音压得很低："吃饱了吗？"史云也抢着说："嫂嫂不知饭菜合不合你们的胃口。"王弗拉了拉史云的手，示意她不要这么说。苏轼笑着说："哦，味道不错。"史云挣脱王弗的手，继续说道："那也应该多吃点才是啊，不要辜负了嫂嫂的一片心意。"苏轼、苏辙突然明白过来这话中的意思，兄弟俩复又回到饭桌前，狼吞虎咽地吃起来。

吃完饭后，两兄弟回南轩读书就寝。王弗、史云也回房休息。

回到卧房，关上门，史云笑道："嫂嫂你瞧，刚才他们俩吃得多香啊，想想就好笑。"王弗心里高兴着，却脸色严肃地说："谁是他，他是谁？我不知道。"史云笑道："嫂嫂你坏，就爱取笑我。"看到史云可爱的样子，王弗忍不住点着史云的额头，笑道："你还好意思说，我真没想到你会有这么多心眼，明明是自己想说，却偏偏加在我头上，没羞。"史云低下头，撒娇地说："好姐姐，饶我这一遭吧。再也不敢了。"说完站起来，心不在焉地收拾床铺。

史云也在一旁帮着收拾屋子，看到王弗若有所思的样子，笑道："嫂子向来手脚麻利，今天这么慢，是不是想哥哥了？"王弗佯装生气，嗔怪道："别胡说，睡觉吧。"

苏轼兄弟未忘记离京时恩师欧阳修的嘱托，读书之余，二人经常在眉州附近考察吏治民情。

这天，苏轼、苏辙祭拜过母亲灵位之后，就往城郊探访民情。此时正值盛夏，蜀地已许久未雨。街市上行人稀稀拉拉，大多面黄肌瘦。一位与苏家相熟的老汉迎面走来，身上背着破旧单薄的行囊，看似要远行。老汉见到苏轼兄弟，行礼道："两位公子好。"苏轼、苏辙忙回礼道："老伯好。老伯这是要外出啊？家里都还有吃的吧？"老汉黯然垂头道："连着两年大旱，哪里还有吃的，要出去讨饭喽！"苏轼忧虑地说："可要是去了外乡，这秋粮谁来种啊！"老汉道："顾不上那么多了。"说完，整整行囊，施礼作别。

兄弟二人来到城外，只见烈日炎炎，田地龟裂，禾苗枯萎，一片萧条枯槁之象。苏轼蹲下身来，抓起一把干涸的土壤，摇摇头，叹了口气。苏辙指着远处向苏轼说道："哥哥，你看。"苏轼向着苏辙手指的地方望去，只见一口井旁，等着打水的乡民排着长长的队伍。苏轼边走边道："走，过去看看。"

二人来到一口古井旁，看到这些等待打水的人，大半是年过半百的老人。一位老汉吃力地摇着辘轳，半天工夫，仅打上半桶黄泥浆。老汉无奈地叹着气，将黄泥浆倒进木桶里。

见此情景，苏轼疑惑地问道："老伯，为什么不让年轻人来打？"老汉叹道："唉，公子，家里边能出去逃荒的都走了，就剩下我们这些走不了的，没法子，总不能眼睁睁地在家里饿死不是？"不少人听老汉这么一说，也都擦着眼泪叹息。苏轼看看苏辙，无奈地说道："我们回家吧。"

回到家中，苏轼心中久久不能平静。心想苏氏乃当地望族，往年若逢旱涝，父亲皆能建议官府开仓放粮，救济百姓。甚至母亲有时也能施舍家中余粮以缓眼前之危。可如今母亲过世，父亲游历在外，自己虽暂时主理家务，但毕竟不敢擅作主张。于是苏轼召集家人一同商议此事。

苏轼向众人讲述了事情的来龙去脉，面露忧色地说："若是一家两家出去讨饭，或许还能得到别人的施舍，但这么多人一起出去，哪里会有人家敢给？"巢谷也说："是啊，再这样下去，秋粮就无人种了。到了秋天，岂不更没有收成？"苏辙略微沉吟了一下，抬头对苏轼说："哥哥，不如我们将此事上报朝廷，请朝廷赈灾。"苏轼不假思索地说："可是远水解不了近渴啊，如果可行的话，眉州知州早就上奏折了。"苏辙领会："那哥哥是否已经有了主张？"苏轼点头道："我这两天正在考虑此事。家里还有不少存粮，若借给街坊，应该可以救燃眉之急。"采莲听苏轼这么说，急忙说道："事关重大，要不要先通知老爷？"苏轼道："事不宜迟，父亲若怪罪下来，一切责任由我承担。你们意下如何？"苏辙、巢谷皆点头称是。苏轼遂斩钉截铁地说："今日我就替父亲做一回主。告诉街坊，明日开仓借粮。"

采莲见此情状，十分惊慌，结结巴巴地说："这……使不得，万万使不得。"苏轼不解地说："表姑，为什么？"采莲说："这些粮食的用处我最清楚，这是老夫人经营多年积攒下来的，为的是让你兄弟俩到汴京购置房产。现在若借出去，还拿什么买房产？总不能再住在寺院里吧！"

苏轼听此，释然说："明年他们不就还回来了吗？"采莲忙说："子瞻好糊涂。俗话说，放债看人家。如今赋税沉重，家家丰年仅够口粮，荒年糠菜相伴。能还得起的不用借，借了的可就还不起啊！"

众人都知采莲表姑说的是实情，正厅之中一片沉默。

还是苏轼打破了沉寂，他有些激动地对采莲说："那难道就看着街坊逃荒、饿死？"采莲一时语塞。苏轼平静下来，从容而坚定地说："表姑，我以为就是母亲在，也会这么做的。至于能不能还回来，管不了那么多了。"转头又对巢谷说："巢谷兄，你今天晚上贴出告示，明天一早借粮，一人一斗，空仓为止。"巢谷看着采莲，迟疑道："这——"

苏轼知道巢谷的忧虑，坚决地说："巢谷兄！莫看乡民们眼下平安无事，一旦把他们逼上绝路，他们就会撕破脸，四处去偷去抢。往昔那么多乡民暴乱是为什么？就是为了眼前的这一口粮食！我虽然在守制期内，但也是朝廷官员，不能眼看着那种事情发生。"巢谷知道苏轼已下定决心，于是说："那好吧，我去就是。"

次日，众多乡民来到苏家门口，拿着布袋、碗盆领取粮食。苏轼、苏辙领着众人将粮食发给乡民，巢谷坐在一旁记录，借过粮的乡民纷纷画押。乡民们领完后叩首道谢，都感叹苏家二公子的仁爱之心。可是人多粮少，不到半日，仓中粮食已尽。

晚上，忙了一天的苏轼和苏辙疲惫地回屋，准备宽衣洗澡。

苏轼叹道："子由，今日粮食是开仓放完了，但也只是杯水车薪，仅够百姓眼前这一口粮。你说我若是眉州知州，该如何应对这大旱，又如何救济饥民呢？"苏辙笑道："哥哥是位居三品的翰林学士，做个知州，岂不是杀鸡用牛刀？"苏轼严肃地说道："子由，不是我语出惊人，我看就算朝廷翰林院的大人到了眉州，没了权谋之术的用武之地，也必定无计可施，徒呼奈何。"苏辙收起笑意，安慰道："哥哥，别多虑了。哥哥明年就回京做官，眉州地小，终不能与天下相提并论，哥哥日后才要做真正的大事。"苏轼摇头道："子由，不要忘了，天下不过是千百个眉州而已。流民泛滥，固然是天灾凶猛所致，但地方官员举措不力，施政无能，也是难辞其咎。就以眉州而论，还须由我们家来开仓济民。"说罢转眼遥望窗外，叹道："唉，可惜身在庙堂之高，却是看不见这些景象的。"苏辙略一思索，点头道："细想哥哥的话，似蕴涵着大道理。来，哥哥，洗个热水澡吧。"

苏轼朝着对面偏房的方向望了望，想到大旱之际，还是把热水留给妻子吧，遂说道："不必了，子由，以冷水冲身，更觉畅快。"子由会意，点了点头。

苏轼此次以家中余粮赈济乡民，很快就传到眉州知州吴同升的耳中。吴知州一面赞叹苏轼的仁爱心肠，一面感慨道："苏轼守制期间尚能如此关怀国事民生，我堂堂知州也自叹不如，果真是我大宋将来的宰辅之才啊！"很快，吴知州也开仓放粮，并上书朝廷，请求援助。不久，眉州的灾情得到缓解。在上呈朝廷的奏章中，吴同升自然提到了苏轼在此次旱灾中的仁义之举。

这日，仁宗在颐心殿中看到吴同升的奏章，对身边的宰相韩琦说道："好一个苏轼，这件事办得好！"把奏章递给韩琦。韩琦看过，说道："陛下慧眼识人，苏轼的确是个人才。"仁宗喜道："噢？韩卿家不对苏轼抱有偏见了？"韩琦诚恳地说："圣上英明，微臣以前确实对苏轼抱有偏见，总以为像苏轼这种初出茅庐的学生不足以担当重任。"仁宗笑道："恐怕朝中许多大臣都与卿有一样的想法吧。"韩琦肯定道："陛下，朝中大臣大多以为像苏轼这种初出茅庐的学生还眼高手低，难当大用，要在地方多加历练。"

仁宗锐利的目光射向韩琦，继而嘴角一笑，话锋一转，说道："嗯。苏轼回乡多久了？"韩琦回道："回陛下，已一年有余。"仁宗若有所思地说："时间过得真快，转眼竟已经一年了。"仁宗爱才若渴，一直把苏轼放在心中，并不曾忘记，王珪试图以苏轼远离朝廷而使仁宗淡忘苏轼，现在看来是打错了算盘。

半年过去了，苏洵游历归来。苏轼、苏辙至城郊迎接父亲。到家后，苏洵兴奋地说："这次出游，见闻颇广，尤其在长安张方平的行辕里，看到他励精图治，我是从心底里高兴啊！"苏轼略微迟疑道："父亲，我没经您的同意，就擅自将粮食借给饱受旱灾之苦的乡亲了。"苏洵点头道："我已知道了。你做得对，你母亲如果在世也定会这么做。"

巢谷快步进门，上前说道："伯父，眉州知州吴同升来访。"苏洵道："快请！"

吴同升笑嘻嘻地进来，苏轼、苏辙上前行礼。吴同升笑着扶起他们："哎呀，不敢。两位可是大宋未来的宰辅，老夫将来还要靠你们提携呢。"苏洵笑道："吴大人说笑了。"

主客落座，吴同升递过一封信，说道："明允公，朝廷刚刚送来官递，是宰相韩琦韩大人给你的信。"苏洵接过信，拆开阅读，眉间掠过一丝不屑的神情。吴同升忙问何事。

苏洵将信随意地放于桌上，面无表情，说道："是让我到朝廷应试舍人院。"吴同升笑道："哎呀，那可是大好事呀！如果进入舍人院，就是给皇上写起居注，虽说官位不高，可是近水楼台。再说，几年后就可以进入翰林院，这可是多少人一生都梦寐以求的呀！我这里先给明允公道喜了。"

苏洵摆摆手，摇头道："不可啊！"吴同升惊道："有何不可？"苏洵正色道："老夫年已五旬开外，也算薄有文名，进个舍人院还要考试。朝廷口口声声选贤任能，却处处设下陈规陋俗。即便朝廷丢得起这个人，我苏洵也丢不起啊！"

吴同升频频点头道："明允公说得极是。不过……"苏洵接着说道："还有一件事，去年朝廷就要授轼儿翰林学士之职，为父的怎能在其后呀！"吴同升转头看着苏轼道："哎呀，我倒把这个给忘了。"

听到父亲此言，苏轼不安地说："是孩儿妨碍了父亲。"苏洵摆手道："轼儿，这与你无关。自见你兄弟二人是可造之才，为父就打消了入仕的念头。只要你兄弟两人能够报国，我苏洵夫复何憾！"吴同升笑着附和道："好个苏明允，怪不得能教出这样两个儿子！"

入夜，苏洵正在看书，采莲端水进来，道："天色不早了，老爷该休息了。"苏洵点头道："你先去睡吧！"

苏洵放下书，走出房间。看看苏轼兄弟所住的南轩，还是灯火通明；转头看王弗、史云住的屋子，已是漆黑。苏洵忽然一怔，屈指一算，若有所思。半晌，向南轩走去。

进得南轩，看到苏轼、苏辙正在自己的书桌前埋头苦读，竟不知有人进来。苏洵满意地点点头，但又面露忧色，轻叹了一声。

听到声响，两兄弟看到父亲，遂急忙站起，说道："父亲，这么晚了您还没有休息？"苏洵坐下，说："为父想考考你们《周易》研读得怎样了？"苏轼、苏辙对望了一眼，不安地说："孩儿只怕要让父亲失望。"苏洵道："失不失望，考完再说。轼儿，《周易》第五十四卦是什么？"苏轼不假思索地答道："是归妹卦。"苏洵点头道："归妹卦怎么说？"苏轼道："兑下震上。征凶，无攸利。《象》曰：归妹，天地之大义也。天地不交而万物不兴。归妹，人之终始也。说以动，所归妹也。"苏洵点头道："象辞为谁所写？"苏轼道："传说为孔子所写。"苏洵道："何意？"苏轼看看苏辙，摇头道："不知。"苏洵笑道："听为父讲来。归妹一卦，讲的乃是人之大伦。子曰：'天地不交而万物不兴。归妹，人之终始也。'归妹，就是送女至夫家，女至夫家，才使人有人伦之始，人伦之终。如今三年丁忧，夫妻分居，乃不合人伦，更不合圣人之教。"

苏辙看看苏轼，迟疑地向苏洵说道："父亲，可三年之丧也是孔子制定的礼仪啊！"苏洵道："迂腐，孔子何曾说过这话。丁忧之事出自《晋书》，也叫丁艰，其意是说，丧了父母，男丁陷入了艰难忧愁的境地。但晋人刘毅在丁忧期间曾穿孝服作战，没有不吃荤腥，也不曾夫妻分居。都是后世腐儒，曲解圣人之意，戕害人之本性。"苏轼笑道："父亲如此解易，还是第一次听到。"苏辙问道："父亲之意是？"苏洵道："不孝有三，无后为大，这句古训倒是大有道理。你母亲在世时就曾盼着抱个孙儿，如今你母亲去世两年，也没有孙儿，何谈孝心，更莫说人伦大道了。"

苏轼已知父亲之意，但仍犹豫道："父亲，可是——"苏洵坚定地说道："无须迟疑，今晚你们就各自回房去睡，若有人言，我一身承担。"苏轼、苏辙感动地说道："是，父亲！"

苏洵跟采莲说了这番意思，让采莲去告诉王弗、史云。采莲来到王弗卧房外，敲门道："弗儿、云儿，开门。"两人听出声音，穿好衣服，开了门。采莲进门来，二话不说，就拾掇起史云的铺盖，王弗、史云十分惊愕。史云娇嗔地说："表姑，你干什么呀！"采莲笑道："到你自己的房里睡去！"史云焦急道："哎哎，嫂子不要我了吗？我一个人睡害怕！"采莲笑道："有人陪你睡！"史云不解道："谁陪我睡？"采莲露出神秘的笑容，抱起铺盖，走出门去。史云追出，焦急地嚷道："哎，哎……表姑！"看着采莲表姑的背影，王弗突然明白了，顿时羞红了脸颊。

采莲抱着史云的铺盖来到床前，就铺开了。史云紧随其后，一边嚷道："表姑，我一个人睡害怕。"采莲从衣柜里取出另一个枕头，帮史云整理好床铺，将两个枕头放在一块，笑道："谁说让你一个人睡了？"说完便出门而去。史云默默地望着一对枕头，忽然明白，低下头，用手捂住羞红的脸。

卧室内，王弗用手挑着油灯，脸上泛着红晕……

不一会儿，苏轼抱着铺盖，轻声地推门而入。王弗脸也不回，含羞道："夫君，你为何来了？"苏轼略一思索，支吾着说："我——我来看看你。"王弗听他这样说，有些失落，略转头说道："这么晚了，我要睡了。"苏轼假装欲走，不舍地说："那，你睡吧，我走了。"王弗看着苏轼，着急地说："你，你去哪儿？"说完低下绯红的脸。苏轼从容笑道："娘子，刚才问我为何而来，是给天下第一才子出了个天下第一难题。我才疏学浅，答不出来，与其在这里无地自容，倒不如走为上策。"王弗低声嗔道："你呀，真是一个书呆子，你就不能说几句暖人心的话？"苏轼笑着走上前，将王弗揽在怀里，在她耳旁低语了几句。王弗笑了笑，脸越发羞红，轻轻捶了一下苏轼。

王弗和史云卧房灯光相继熄灭，窗外明月高悬……

第二日一早，苏轼与王弗走向正堂，看到苏辙与史云从另一个方向走来。苏轼、苏辙两兄弟容光焕发，王弗与史云两人却羞红了脸，谁也不敢看对方。见此情景，两兄弟会心地一笑。史云更加害羞，放开苏辙，要往回走。苏辙一把拉住她，笑道："云儿，不要害羞，哥哥与嫂嫂又不是外人。"苏轼与王弗也笑了笑。

一家人吃完早饭，忽见家人福安从门外急急奔来，脸上露出悲痛的神情。福安来到苏洵身前，略带哭声地说道："老爷，老爷，不好了。"苏洵一惊，似已知不详之事，忙问道："怎么了？"福安号啕大哭，断断续续地说道："刚才程家来人……说，说……"苏洵一把抓住福安，焦急地问道："说什么？"福安回道："说大小姐前天寻了短见了！"众人猛地站起，叫道："什么！"苏洵一个踉跄，倒在了桌子上。

九　绝交碑

听到苏八娘自尽的噩耗，苏洵倒在椅中，一时竟说不出话，转瞬便号啕大哭起来。众人亦站着痛哭拭泪。巢谷愤怒不已，飞身冲到家门外的街道，一把抓住送信人，不由分说，提拳便打。苏轼忙追出，哭着制止道："巢谷兄住手，不关他的事！"送信人拼命挣脱着，颤抖地说："壮士……莫打，这……这是少夫人生前托我送的信！"巢谷甩开送信人，接过信，一看更是伤心不已，连声叫"大姐啊大姐"，亦大哭起来。众人赶上来，听说消息后都大怒，围住送信人就要动手。苏轼制止住众人，和巢谷走进屋中。送信人抱头鼠窜，跌跌撞撞地跑了。

屋内一片哭声。苏洵倒在椅中，捶胸顿足，哭着说："女儿啊，都怪父亲啊，这么快你就随你母亲去了。我后悔啊，当初你不愿走，是我非要将你送走！如今白发人送黑发人，老天爷啊，你不公啊！"采莲站在一旁，边哭边劝道："老夫人多次要把大姐接回来，可程家不让。这怨不得老爷和老夫人。"

巢谷走上前，将信递给苏洵，擦干眼泪，说："老爷，这是程家送来的，是大姐临终前写的信。大姐生不能回来，死了也不做程家的人，要和伯母葬在一起。"苏洵匆匆接过信，看罢又大哭起来。

巢谷收泪道："哭有何用？杀人偿命，欠债还钱，他们程家逼死了人，我这就要他们偿命来！"说完转身就走。苏洵叫住巢谷，冷静下来，说："且慢，不得惹事。你姐姐若说是被逼死，也是礼法所逼。说程家逼死她，哪里有证据？"巢谷抢道："难道就这么算了不成！"苏轼也收住眼泪，对苏洵说："即使不要程家偿命，也要把姐姐迎回来，和母亲安葬在一起。"众人点头称是。

苏洵摇摇头，叹了口气，说："轼儿，这样做于礼不合，程家的人岂会愿意?"苏轼心中不平,说:"父亲不是历来蔑视俗礼吗? 再说,程家失大礼于先,我家不循小礼于后,怎能怪我?"苏洵摆摆手,厉声道:"轼儿、辙儿不可去!"苏轼、苏辙一齐问道:"如何不可去?"苏洵沉吟片刻,低头说:"此事将来传到朝廷,恐怕不利于你兄弟……"苏轼正色道:"父亲,情理之事,礼法不能禁,就是传到朝廷,我也敢冒这天下大不韪!"

巢谷实在压抑不住心中的怒火,抢上前道:"伯父,不烦子瞻和子由出面,由我带人去把大姐抢回来。"说完,转身就走。苏轼、苏辙不由分说,也喊着追上去。苏洵见此状,自知不能勉强,遂大声叫道:"巢谷,不要用强!"

巢谷急匆匆地走出大门,门外围了许多家街坊邻居。巢谷愤怒地对众人说:"天杀的程家,逼死了苏大小姐,我们今天去迎苏大小姐回家,有愿意去的,跟我来!"众人听此,纷纷附和道:"我们都去。那程家是恶霸,十里八乡,谁不知道。要程家偿命! 为苏大小姐报仇!"大家拿上棍棒、镐铲,气势汹汹地朝城外程家村奔去。

苏轼和苏辙跑出大门,看着远去的人流,着急地大喊:"巢谷兄不要莽撞!"说完也追着人群跑去。

巢谷领众人来到程家村,只见庄园内并未挂孝,巢谷更加生气,想到程家连死去的人都不能给一点同情,真是太过霸道了。程家家丁见来人气色不对,慌忙关上大门。巢谷以拳砸门,大声叫"开门",听不到应答,便纵身一跃,跳过院墙,从里面将门打开,随行众人便一拥而进。

此刻,众家丁拥着程之才来到院中。这程之才即是苏轼的姐夫,也是苏轼母亲的侄儿,但仰仗着程家财大势大,异常顽劣,连苏家也不放在眼里,在眉州名声极坏。当年苏八娘因母亲的缘故,嫁入程家后,一直受到公婆和丈夫的虐待,以至今日含恨自尽。

程之才素来骄横成性,看到巢谷竟越墙进得院中,不禁大怒道:"青天白日,谁敢越墙抢劫!"巢谷亦怒道:"今天就是要抢回苏家小姐,还要你偿命!"程之才不屑地"哼"了一声,转即正色命令家丁:"谁敢进屋,乱棒打出!"说完,看都不看巢谷一眼,转身欲走。众家丁得了命令,气势大增,轰然答道:"是,少爷。"便举起棍棒,围成一圈。

巢谷更加愤怒，还怕这小小眉州的一个乡绅纨绔吗？想到此，也顾不得苏洵的嘱咐，不由分说，一阵拳脚，便将众家丁打得东倒西歪，很快来到程之才面前，提拳要打。忽听得门外传来苏轼的声音："巢谷兄，不要伤人，赶走即可！"巢谷这才松手，程之才踉跄着退了几步，看到苏轼兄弟来了，亦无言以对。

苏轼、苏辙来到院中，看也不看程之才一眼，冲到棺材前，跪着哭道："姐姐啊，弟弟今日迎你回家，再也不必到程家来了。姐姐！"听到此，随行众人皆忍不住落泪。苏轼很快收住泪水，一声吩咐，众人便将苏八娘的棺材抬出程家，留下程之才和被打伤的众家丁在院中不知所措。院门外一帮村民也恨恨地指点着程家，议论中夹杂着骂语。

苏轼兄弟把姐姐的灵柩运回家，家中又是一阵哭声。苏洵虽知这样做于礼法不合，但天生耿介的性格与丧女之痛压倒了理智，最终同意将八娘的灵柩停放家中，等大殓后葬于苏家墓地。

当然，程家很快就把苏轼抢回苏八娘灵柩之事告到知州衙门。知州吴同升也听说过程家仗势欺人的种种传闻，何况他和苏家关系不错，又素闻当朝皇上说苏轼兄弟皆有宰辅之才，因此，这件事虽然是苏家做得不对，但他在堂上也仅仅对程家人搪塞一下，然后亲自来到苏家商量处理办法。

苏洵把吴同升让到正堂，分宾主落座。吴同升把程家告苏家打人抢尸之事说与苏洵。苏洵早知程家会恶人先告状，但又不好为难好意的吴同升，就说："那知州大人就按律治罪好了。"吴同升忙笑道："那哪成，你家两位公子都是未来的宰辅，谁人不知！"苏洵忙说："听吴大人的意思是我苏家以势欺人喽？要论势，我们父子三个，一对半书生，我们可没有程家的势大啊！"吴同升笑道："哪里，哪里，听我说完。我的意思是此事不能张扬，若是将来传到朝廷，对两位公子都多少有些不便。"苏洵听完，起身作揖道："多谢知州照顾周全。"吴同升起身回礼道："应该的，应该的。"两人坐下，吴同升接着说："嗯，我对程家说，两边闹起来都没有好处。程家老先生官居知府，背上个虐杀儿媳的罪名，也不好听。我做个和事佬，你这边不告程家逼死人命，程家不告你打人抢尸，就此息事宁人，您女儿还是安葬在苏家祖坟。您看如何？"苏洵深知此是万全之策，只是想到女儿，沉吟一会儿，低头说："唉，只是委屈了女儿。"

苏洵既已答应，吴同升便说："那好，明允公既已答应，写好判词，两边画押告结。只是……"苏洵说："只是什么？"吴同升面露难色，说："巢谷将程家的几个家丁打成伤残，恐怕不免要追究！但与两位公子无关。"苏洵愤怒地站起，说："程家家丁作恶多端，人人恨不得食肉寝皮，没有打死就算他们运气了。"吴同升点头叹道："明允公，要不这样，你先让巢谷出去避避风头，我胡乱发个告示，虚张声势一番就算了。巢谷只要出了眉州，就一切无碍了。"苏洵缓缓坐下，支吾半晌。吴同升见状，说："明允公，不要太为难下官。"苏洵略为沉吟，说："也好，巢谷本来就该找他师父去了。"

夜晚，苏洵把巢谷找来，把吴知州的想法告诉了他，不忍地说："巢谷贤侄，只能委屈你暂避风头。"巢谷正气凛然地说："伯父哪里话，这有什么委屈，就是赴汤蹈火，又有何惧。要不是子瞻哥哥在后面喊得紧，说不定连那程之才也打死了，打死了他，再寻他老子一并打死，也好为大姐解气！"

苏洵摇头道："贤侄，你错了。"巢谷忙问为什么。苏洵说："你就是把程家的人都打死，你大姐也解不了气。"巢谷一惊，脸上露出不解的神情。苏洵接着说："程家是不对，但你却没有想过，你大姐为何不能离开那个家？错在礼法，这是你、我乃至天下人都不能违抗的啊！你大姐最后是想一死解脱啊。"巢谷似懂非懂地点了点头。

苏洵转头对采莲说："给巢谷多准备些盘缠，将我那匹马送给巢谷。"采莲答应着出门，巢谷行礼告别道："伯父，多保重，侄儿走了。"

转眼间，大殓已过，苏八娘的灵柩下葬了。苏家在新坟前化纸、哭泣。苏洵召集本族数十位长者立于苏家祖坟一端，哀戚的神色中夹杂着愤怒。在祖坟这端，众多家丁无声地立下一块碑，碑上刻着五个遒劲的大字：苏程绝交碑。

碑立好，苏洵悲愤地宣读道："程家三代朱门，累世膏纨。然老不树德，少行不检；孝道不昌，家规不显；外欺乡里，内纵凶顽；驱稚逐幼，霸田攘产；欺凌吾女，使赴黄泉。洵也不才，但知耻廉。苍天做证，长辈为眼；苏程绝交，永世塞缘。吾女未嫁，苏坟是返。此碑为记，以示乡贤！"苏洵言罢，转向本族长辈深施一礼。

施礼毕，苏洵走向东侧程夫人的坟边，悲声说道："夫人啊，女儿终于能和你在一起了，夫人泉下有知，你们好相扶将吧！轼儿、辙儿守制期满，不日我们就要赴京了，不知何时再来看你。请夫人记着，无论我到哪里，你坟头的萋萋荒草，就是我苏洵的安身之处。"

苏洵又转向女儿的新坟前，哭道："女儿啊，是爹爹不好，是爹爹对不起你！爹爹不该同意你嫁到程家！爹爹终于遂了你的心愿，你永远都是苏家的人，你和母亲永远在一起了，谁也夺不走你，谁也不能把你们分开了。"说完众人大哭，坟地一片凄恻惨淡之景，只见燃烧着的纸灰在空中飞舞不绝，飘向天空……

在这漫天飘舞的纸灰中，苏轼依稀想起小时候的一件事……

有一年夏天，姐姐带着他们兄弟俩在家中的莲花池塘边赏花。苏辙说："姐姐，我给你出个诗谜，你来猜猜好吗？"姐姐笑道："好啊！"苏辙便一本正经地说："我有一间房，半间租与轮转王；平时看不见，用时闪金光。"

苏轼猜到了，姐姐当然也知道是木工用来画线的墨斗。她略一沉吟，笑道："弟弟的谜语果然是好。我也用你的谜底出一诗谜。好吗？"苏辙拍手称好。苏八娘吟道："我有一只船，摇橹又拉纤；去时拉纤去，回时摇橹还。"

苏轼当然不甘示弱，也跳着说："我也有，我也有，这个谜底我也有一诗。我有一张琴，琴弦藏腹中；为君马上弹，弹尽天下曲。"

苏八娘拍手说："好诗谜，好气魄！"

…………

苏轼默念起当年的三首诗谜，心想："我姐弟三人的谜底虽都是墨斗，但言为心声，诗言其志。弟弟的诗谜极合他的性格：沉静寡言，却胸有成竹，'平时看不见，用时闪金光'，将来定成大器！我要'弹尽天下曲'，岂不与我今日之志向相关。可姐姐呢，这首诗从今日看来，仿佛已成诗谶！"想到这里，苏轼不觉更感悲痛。

三年守制期满，苏洵不日就要带苏轼兄弟进京。这三年里，由于朝内守旧势力过于强大，与苏轼同科的进士纷纷外放，每日上朝也还都是原来那些老面孔。这让欧阳修、范镇等人有些怏怏不乐，但也无计可施。而王珪、胡宿、吕诲这些人倒很舒畅。

这日，欧阳修和范镇来到汴河码头，送别他们深为器重的一位学生——章惇。欧阳修叹道："唉，子厚，一年不到，你已是老夫送走的第十个新进了。文风改革好不容易初有成效，正需深根固本之时，你等却一一外放，如今靠谁来改？难道靠王珪来改吗？哼！"范镇也说："此去陕西，任重道远，子厚好自为之。"章惇行礼道："二位恩师，学生今虽外放，却将时时不忘文风改革之大业，随时听候恩师调遣，待命回京。学生就此别过，恩师多多保重！"欧阳修、范镇点头叹道："子厚，且行且珍重，相信你我师生不日就会再见。"章惇立于帆舟上向二老作揖拜别。

看着章惇帆船远去，范镇和欧阳修来到汴京会仙楼，听得楼下张山人在说书，他的徒弟在一旁击鼓和之："今日在下给诸位来一段'李谪仙醉草吓蛮书'（咚咚）。话说唐玄宗皇帝朝，有个才子，姓李，名白，字太白（咚咚）。乃西梁武昭兴圣皇帝九世孙，西川锦州人也。其母梦长庚入怀而生，那长庚星又名太白星，所以名字俱用之（咚咚）。那李白生得姿容美秀，骨格清奇，有飘然出世之表。十岁时，便精通书史，出口成章，人都夸他锦心绣口，又说他是神仙降生，以此又呼为李谪仙（咚咚）。有杜工部赠诗为证：昔年有狂客，号尔谪仙人。笔落惊风雨，诗成泣鬼神！（咚咚）"

两人点上酒菜，范镇叹道："两年多了，朝政一天不如一天。"欧阳修点头道："是啊！圣上龙体欠安，精力不济，这千头万绪，真是不知从何理起啊！"范镇说："这正需苏子瞻这样的青年才俊啊！唉，永叔，三年已过，苏轼两兄弟为何还回不来？无论如何，必须保住苏子瞻这翰林院学士之职！"欧阳修点点头，又一脸不平地说："范公，可如今台、谏两院，势力较从前更大，清议渐渐变成了议而不决，甚至成了棍子、鞭子，动辄以言官无罪要挟皇上，也不好惹啊！"范镇愤然道："惹得起要惹，惹不起也要惹。这大宋的朝廷难道成了御史谏官的一言堂不成！好在苏轼两兄弟就快回来了。不过为文风改革大计，也还须尽快就地提携人才。"欧阳修忙问："有合适的人吗？"范镇捻须说："有，就在开封府。"

此时，从下面传来张山人的说话声："李白又奏道：'臣有一言，乞陛下赦臣狂妄，臣方敢奏。（咚咚）'天子道：'任卿失言，朕亦不罪。（咚咚）'李白奏道：'臣前入试春闱，被太师杨国忠批落，太尉高力士赶逐，今日见二人押班，臣之神气不旺（咚咚）。乞皇上分付杨国忠与臣捧砚磨墨，高力士与臣脱靴结袜，臣意气始得自豪，举笔草诏，口代天言，方可不辱君命。（咚咚）'天子用人之际，恐拂其意，只得传旨，教'杨国忠捧砚，高力士脱靴'（咚咚）。"说完，传来听众的轰然叫好声。

欧阳修、范镇听到这里，对望了一眼，也哈哈大笑起来。范镇笑道："苏轼之才，可比李白。"欧阳修略显犹疑，说："但愿不要像李白一样遭人谗毁。"

嘉祐四年（公元1059年）十月，苏轼丁忧期满，举家乘船经岷江入长江，沿长江至荆州，然后取道陆路至汴京。

这日，船行至嘉州，即今之乐山。古语有言："天下山水之观在蜀，蜀之胜曰嘉州。"此地最有名的莫过于开凿于唐代的凌云大佛，今名乐山大佛。乐山大佛头与山齐，足踏大江，双手抚膝，大佛体态匀称，神势肃穆，依山凿成，临江危坐。大佛通高七十一米，被人誉为"山是一尊佛，佛是一座山"。

苏洵父子立于船上，无声地仰头凝视着如此庄严的大佛。还是苏轼打破了沉默，向苏洵说："父亲，佛像为何要雕刻得如此之大？"

苏洵仰望着佛像，说："人心不大，佛像才大！"

苏辙接着问道："是人在佛心里，还是佛在人心里？"

苏洵答道："人心太小，人就在佛心里；若是人心甚大，那佛就在人心里。"

苏轼接着问："佛有心吗？"

苏洵答："佛无心。"

"既是佛无心，那又如何装得下人心？"

"那是因为人有心。"

苏辙问："父亲，人若无心，还是人吗？"

苏洵笑笑，看看苏轼，苏轼领会父意，说："人若无心，便是佛心。"

苏洵赞许地点点头，苏辙也低下头沉思。

船已过佛像，在江面缓缓行驶，三人依然立于船头，欣赏着江面及两岸的风景。史云扶着王弗也走出船舱透透气，此时王弗已怀孕几月，可看出小腹微微隆起。两岸回荡着老艄公的歌声："我住长江头，江水向东流，我摇那船来我行舟。妹妹那个问我何所有，只有那腰间一壶酒，一壶酒。"

苏轼看着江岸，说："父亲，我们不知何年才能回来！"苏洵说："等我死的时候，你们要把我送回故乡！"苏轼忙说："父亲身体康健，百年可期，何出此言！"苏洵深情地说："我想念你们的母亲啊！"苏轼、苏辙皆低头不语。是啊！他们兄弟此次出蜀，虽壮志凌云，各有着远大的志向，但毕竟还是对生于斯、长于斯的故乡依依不舍，何况这里还有他们的母亲呢？

苏洵见他两兄弟也沉入对故乡的依恋，遂打起精神说："看这景色多美，你们兄弟两人就以《初发嘉州》为题各留诗一首吧！"王弗和史云听说，便道："好，我们去磨墨！"两人忙着铺纸、研磨。一切就绪，苏轼提笔，思索片刻，便不作停顿地写完，而另一边苏辙边构思，边下笔。

不一会儿，船靠岸休息，苏轼与苏辙在岸边等候。苏辙看着江面，悠悠诵着苏轼刚写的诗："'朝发鼓阗阗，西风猎画游。故乡飘已远，往意浩无边……'"

苏轼看到身后一队乞讨的流民正好路过，他们衣衫褴褛，蹒跚不已。苏轼听到刚走过去的一个流民说："这些做官的人，还有心在这里吟诵酸词，他们是从不知道我们小民的死活。"另一位流民说道："他们有皇粮可吃，哪会理会我们腹中饥饿，连说话的劲儿都没有。"苏轼听见这话，脸色一红，低下头去。

苏辙见此状，安慰道："哥哥不要介意，这些饥民心有怨言，把哥哥当作无能庸辈了。"苏轼说："子由，我并非介意。我等一路行舟过来，大旱所及之地，饿莩遍野。你我身为朝廷官员，无力相助，我好生惭愧。"苏辙叹道："唉，哥哥，所谓'在其位，谋其政'，你我还未入仕，不必如此挂怀。"苏轼摇摇头，想说什么又没说出口，一脸忧思地看着江面。

历时三月，苏轼一家终于在年底来到汴京。此时的大宋朝历经百年承平，朝内也是人才济济，诸如欧阳修、王安石、司马光、范镇等历史上赫赫有名的人物都在朝廷供职。这日，苏轼一家回京的消息很快传到各大臣家中。欧阳修、范镇自不必说，两人作为苏轼兄弟的恩师，早就接到书信，算到苏家今日可到汴京。同时，司马光、王安石、王珪等也同日收到信息。

司马光学问渊博，人品高尚，秉性刚直，乃当时史学大家，但政治思想比较保守，认为祖宗之法不可变。司马光有一女儿，正值二八年华，爱玩正是她的天性，只是司马光性情偏于古板，家教甚严，平时不准她随意外出。

一年元宵佳节，夜晚的御街灯市如昼，游人如织，红男绿女，无限繁华。司马光的家人匆匆看过，往家中走去。家人进得屋中，对司马光的夫人说："夫人，今年灯市格外热闹，您要不要带小姐一起出去看看！"听到家人的提议，司马光的女儿便连声撒娇道："母亲，我要去，我要去。我成天在家里，闷死了。"司马光夫人张氏叹道："是应该出去看看，可是每年你父亲总是不让出去。"女儿拉着张氏的衣服嚷道："女儿长大了嘛，父亲还能不让我出去！"张氏看着女儿，无奈地说："嗯，咱们去跟你父亲说说，娘带你出去。"女儿高兴地连声叫好。

母女俩来到司马光书房，房内书籍满屋，但十分整齐，司马光正埋头著书。张氏进来说道："老爷，今天欧阳大人命人送来帖子，说是眉州'三苏'已回到京城，约您和范镇大人、王安石大人明日下午到怀远驿去看望！"司马光兴冲冲地站起，搓着手高兴地笑道："哈哈，'三苏'回来了，好，明日早朝，我一定奏请皇上让苏轼快入翰林院，这样我修史也多个帮手。"随即坐下，接着著书。

张氏看看女儿焦急的神色，吞吞吐吐地说："老爷，你看……"司马光头也不抬，问道："什么事？"张氏说："今天是元宵节了……"司马光抬头，恍然悟道："哎呀，这不才刚过年吗，怎么就到元宵节了！著书得抓紧啊！"张氏说："老爷只忙着著书了，帖子上午就送到了，怕打扰你，也没敢告诉你。"司马光边写边说："哦，我已吃过饭了，你带着女儿吃去吧！"张氏说："我们也已经吃过了。"司马光抬起头，疑惑地问道："哦，那……夫人莫非有什么事？"张氏忙说道："老爷，你知道，汴京的元宵节花灯，天下闻名，热闹非凡……"不等张氏说完，司马光就忧虑道："是啊，是太靡费了，可朝廷为了装点太平景象，年年都是如此。等有机会我要上奏皇上，削减灯市之费！"说完又低下头著书。张氏不耐烦地说："老爷……"司马光也不耐烦地问："还有什么事？"张氏嗫嚅道："女儿，女儿……想出去看看花灯！"司马光沉吟片刻，说："也是，孩子的天真之性，还是不可泯的。好吧，那就让家人出去买一盏回来，挂在屋门前看好了。"张氏万万想不到听到这样的答复，面带怒色，一时语塞。女儿再也忍不住，冲上前，生气地叫道："父亲！你怎么能……"张氏也壮胆说道："家里就算有一盏灯看，哪有御街上那么多人看！"司马光抬起头，惊异地说："什么？看人？不行不行！"忽然又仿佛回过味儿来，说："难道我不是人吗，看看我不就行了！"张氏一跺脚，气道："女儿，走，不看了。"边说边拉女儿出去。女儿还是扯着张氏的衣袖，回头看着司马光，略带哭腔地离开了。司马光似乎浑然未觉，接着低头著书。

王安石不仅是诗文大家，也是锐意改革的政治家，后来他在神宗朝发起熙宁变法，但改革的思想在仁宗朝就已经形成了。就在苏轼回京之时，王安石正在写一封彪炳史册的奏章——《上仁宗皇帝言事书》，这篇文章和此后苏轼的《上神宗皇帝书》皆洋洋万言，是宋朝历史上齐名的两篇万言书。尤其是王安石的这篇万言书，更是指导此后神宗朝改革的总的政治纲领。只是上书之时，仁宗帝力不从心，虽欣赏而无法施行罢了。

王安石学问、人品与司马光差可比拟，但是生性不拘小节，因此他的书房十分凌乱，书籍满屋，随手乱扔，与司马光的严谨和整洁大相径庭。

这夜，王安石埋头书写万言书，揉眼时忽看到一张帖子，于是大喊道："这是谁送来的帖子？"王安石博闻强识，写书时很少要书童找书核对，因此书童在一旁瞌睡，听到喊声，猛然惊醒，起身答道："是欧阳修大人送来的，说是苏家父子快要到京了，要大人明天下午到怀远驿与他们接风洗尘。"

王安石应了一声，忽然看见一个盛装的女子站在旁边，惊奇地问："你是谁？在这里干什么，怎么还不去睡觉？"这位女子紧张地嗫嚅道："我，我……"王安石又问道："我怎么没有见过你？奇怪，夫人，夫人……"身材肥胖的夫人吴氏急忙穿衣赶来，看见情形，不禁失笑："老爷叫我干什么？"王安石说："带这姑娘去睡觉！"吴氏笑道："我是让她来服侍你的。"王安石低头书写，边说："我有书童就行了，不要人服侍了。"吴氏嗔道："榆木脑袋，我是让她伺候你休息的！"王安石抬起头，愣了一会儿，回过神来，说："嗨，我半夜作书，怕扰你睡觉，总是轻手轻脚，甚不方便，这才搬到这书房来睡的。若这女子也在书房里睡，我岂不是半夜作书又要轻手轻脚！去吧！"

王安石虽有一个儿子，但吴氏已多年没有生育，就一直有意让王安石纳妾，王安石总是以公务繁忙拒绝了。这次吴氏干脆找了个漂亮女孩送到丈夫眼前，没想到还是这般被拒。吴氏气不打一处来，想发作又似乎没有道理，便支吾着："你……一段木头！"

王安石低下头继续书写，说："去吧，夫人，莫搅扰我了，我给皇上的奏章即日就要完稿了。"那女子含着眼泪，委屈地看着吴氏，也不知说什么好。

十　家事国事

宋朝经百年承平，朝中的保守势力异常强大，他们总是以祖宗家法为由，肆意打击朝廷中的新进，以维护自己的利益，其中又以王珪为领袖。王珪虽也是苏轼的恩师，但他作为太学体的维护者，一直对这位才华横溢的门生心存不满。在他心中，苏轼是一个恃才傲物、根本不把他放在眼里的年轻人。他认定，一旦仁宗重用苏轼，必然会对自己十分不利。因此，苏轼守制三年，他经常留意苏轼的一举一动，企图趁苏轼还未为官，便将他打压下去。苏轼即将入京，他当然知道仁宗会很快把苏轼招入翰林院，只是找不到好的证据来弹劾苏轼。

这日，王珪正在家中，洋洋得意地欣赏自己的《王禹玉文集》。管家拿着一封信，从门外跑来，说："老爷，这是从四川眉州来的信。"王珪接过信一看，大叫一声："好！快请吕大人和胡大人。"

吕诲与胡宿身为朝中台谏两院的首领，一直就是王珪一党。现在得到苏轼在家乡不轨行为的举报信，王珪自然非常高兴。他首先想到的，就是利用台谏两院弹劾苏轼。

吕诲与胡宿很快来到王家，两人行礼落座后，王珪将信交给他们。

吕诲看完信，不断说道："好，好！这回定叫那西蜀小子尝尝我等的厉害！"王珪也放下平时沉稳的架子，喜形于色地说："你们台谏两院正好可以借清议身份对此大做文章。苏轼狂悖之极，竟连这点最根本的人伦礼仪都不守，岂能让他回来入我翰林院！"胡宿附和道："王大人放心，我等誓死捍卫朝纲，维护祖制，不能让苏轼狂生为所欲为。"王珪拍案而起，笑道："好！二位大人，欧阳修提拔的新进都已外放，使那文风改革已成无米之炊。呵呵，如今就剩下最后一个，也是最厉害的一个，我等且不可等闲视之，绝不能让他任职翰林院。"

吕诲问道："王大人所言极是！那该怎么办？"王珪坐下，说："故技重施！吕大人、胡大人，暗中以老夫名义号召百官上联名书，就说苏轼在眉州败坏伦理正是文风改革所致弊害的明证。"吕诲点头称道："禹玉公深谋远虑，此可谓一石二鸟。"胡宿也附和道："禹玉公，下官这就去办。"王珪捻须沉吟道："要快。要赶在苏轼复职之前。"

第二日上午，朝堂崇正殿，仁宗临朝。

司马光出班奏道："陛下，微臣才学浅陋，而史料浩如烟海，需年轻才俊助臣一臂之力。臣闻苏轼已守制期满回京。两年前陛下就欲授他翰林学士，苏轼守制两年，潜心读书，学问必定大有长进，陛下何不令其入翰林院，助微臣修史！"

仁宗惊喜道："苏轼回京了，好！"

吕诲急忙出班，手捧百官联名的奏折，语气阴森地说："陛下，苏轼两年守制，并非潜心读书，学问也未必长进。苏轼在眉州守制期间不守孝道，竟夫妻同房败坏礼义，大害人伦，其无耻荒淫令人发指。这是百官联名上书要惩戒苏轼的奏章。"

仁宗看罢奏章，大惊道："竟有此事？！"

吕诲接着奏道："陛下，还不止这一件。苏轼还于守制期间，指使家奴，打伤姐夫及家人，抢回姐姐的尸体，将已出嫁的姐姐安葬在苏家的坟里。此事既违我大宋律例，也有伤风化。苏轼未仕而犯律，应从重处罚，怎可再入翰林院！"众官齐声附和道："陛下，苏轼大逆不道，败坏伦常，理合废黜功名，予以重罚！"王珪在朝班前列纹丝不动，脸上流过一丝不易察觉的喜悦。

欧阳修、范镇吃惊地对视了一下，眼中的神色仿佛在说："早知如此，只是没想到这么快！"仁宗毕竟爱才心切，一时也不知如何是好。朝堂中空气凝固到令人窒息。

这时，侍官忽然来报："陛下，交趾国派使臣送来一头怪兽，使臣正在殿外候旨。"仁宗为之一惊，随即喜道："噢？好！宣！"

侍臣大声宣道："圣上有旨，宣交趾国使臣上殿！"

交趾国二使臣身着短衣，来至大殿跪下施礼道："交趾国使臣阮尚文、武止戎受我大王差遣，前来拜见大宋国圣上，祝大宋皇帝万寿无疆！"仁宗道："使臣平身。二位使臣，前来我朝，不知有何使命？"阮尚文道："陛下，鄙邦幸得麒麟一头，特来献给上邦以示友好。"仁宗大悦道："哦，多谢你邦国主。"接着又对内侍说："好好款待二位使臣，二位使臣一路劳顿，暂请歇息。"二使臣谢过，在内侍的带领下，昂首离去。

众臣哗然，面面相觑，有惊有喜有怀疑，表情不一。欧阳修、范镇等人连连摇头，他们从两使臣傲慢的神情中看出些不对。

这时，王珪出班奏道："恭喜陛下，贺喜陛下，天降此瑞兽，说明陛下仁德感天地。"胡宿也附和道："陛下，此乃吉祥之兆啊。"

司马光出班奏道："陛下，麒麟一事，古史虽多有记载，但系传说，并无确证。陛下不可尽信。"王安石声如洪钟地奏道："陛下，小邦机诈，不循正道，以它物冒充麒麟亦未可知。陛下宜乎慎重。"欧阳修道："陛下德化广被，天人共襄，外物不足惑我圣主。"范镇也出班奏道："陛下，臣以为是不是麒麟，还是看看再下结论不迟。"仁宗道："言之有理。众卿，随朕观看。"

仁宗率众臣来到崇正殿外，只见一大木笼中关着一头通体金黄、似马身而鹿角的大兽。大臣们好奇地前后观瞻，皆摇头表示不认识。仁宗问诸朝臣："众卿可有识此怪兽者？"大臣们皆低头，默不作声。

仁宗不得不点名道："欧阳修，你见多识广，可识此物否？"欧阳修奏道："陛下，微臣有负圣恩，臣不识此物，但这绝非麒麟。"仁宗道："司马光，你可认识？"司马光回答："陛下，微臣不识，但此兽与古书所记不合。"

王珪上前奏道："陛下，为两国交好，就当麒麟收下也是无妨。"

范镇奏道："陛下，不可。若不是麒麟，我大宋以麒麟之礼收下，那人可就丢大了。"仁宗一皱眉："那当如何？"

又是一片沉默。

王安石打破沉默，坚定地说："陛下，此乃交趾的鬼蜮伎俩。送此物来，若不识，则笑我大宋无人；若当麒麟收下，则会贻笑天下，交趾以后则不再尊重我大宋。臣以为，应张榜求奇人异士辨认，待确认以后再行接收之礼不迟。"仁宗笑道："如若张榜后也无人识得，那时该如何？"王安石道："那时再选数种无人识得的奇物，送往交趾让其辨识。这样虽不合大国之体，但也算有来有往，使交趾无功而返，不至为交趾所取笑。"仁宗沉吟："也只好这样，张榜辨认。"

胡宿和王珪在人群中诡秘地耳语着。突然胡宿上前奏道："陛下，榜文若被交趾使者看到，还是要笑我朝中无人。既然苏轼回京，何不宣苏轼前来辨认！"王珪会意地低头一笑。

司马光忙奏道："陛下，不可。人非全能，如此奇异之物，苏轼也未必认识。"仁宗道："若不识得，岂不还要张榜！"王珪沉稳地奏道："陛下，苏轼既是我大宋奇才，必能识得！"

欧阳修、范镇等当然知道王珪的用心，但也无言以对。

仁宗倒是想以此见证一下苏轼的才学，说："众卿不要争了。明日宣苏轼回朝进殿辨识，即便不识，朕也不会怪罪。"

下午，范镇、欧阳修、司马光、王安石来到苏家临时居住的怀远驿，一为探望苏洵父子，一为商量上午仁宗宣苏轼辨认怪兽之事。众人与苏洵行礼寒暄毕，分宾主落座，苏洵说："轼儿、辙儿出去了，一会儿就回来。"众人听到，便都不说话，大家均脸色凝重。苏洵疑惑地看着诸位，捻须观察。

欧阳修打破沉默，客气地问："明允公，千里之行，费时几何？"苏洵也客气地答道："水旱两路，历时三月有余。"范镇心直口快，说："明允公如何住在这驿站里，是不是囊中羞涩？我有一处宅院，如不嫌弃，可以搬去居住！"苏洵拱手道："范公厚爱。这怀远驿十分宽敞，又兼来往十分便利，就卜居在此处了。不怕诸公笑话，去年眉州大旱，轼儿将拙荆多年积存起来的近千石粮食都放给乡亲了，这粮原是为了我们父子来京时置办房屋用的，因此现在无钱置房。"众人听见这话，一番赞叹后，又皆不语。

苏洵见此状，忍不住问道："诸公，莫非朝中出了什么事吗？"正说着，苏轼与苏辙从外走进来，苏轼、苏辙见到在座各位，急忙深深作揖道："拜见恩师，介甫公，君实公。"欧阳修等皆面色凝重地看着苏轼。

苏洵一见不妙，忙问："诸公，莫非此事与轼儿有关？"范镇急躁地起身说道："是啊，明允公，今日朝中百官联名上书皇上，奏他不守孝道，败坏伦常，还强抢姊尸，打人致残，纷纷要皇上废黜子瞻功名，还要判罪于他。"父子三人皆大惊失色。

欧阳修宽慰道："明允公，是否他们以讹传讹，诬陷子瞻？"苏洵爽利地答道："不，确有其事！"这回轮到众人大惊失色了。

苏洵坚定地说："既然是在座诸位，苏某就不隐瞒了。我女儿嫁给她程家的舅表兄弟，谁知程家小子太不成才，品行恶劣，将我女儿虐待致死。女儿死前留下遗言，要葬在苏家祖坟。乡亲们气愤不过，才将我女儿的尸首迎回苏家，安葬在苏家祖坟。且眉州知州已结了此案，苏家不告程家逼死人命之罪，程家不告苏家强抢尸体；至于打人至残，眉州已发公文缉捕人犯，与轼儿无涉！"众人松了一口气："这就好，这就好。"

司马光比别人严肃得多，问道："那不守孝道，夫妻同房之事呢？"苏洵说："也确有其事，不过我以为这不仅不违孝道，反而是深合孝道。"范镇听罢，笑道："哈哈，原来是你这个老子教导的，我看你怎么跟联名上书的百官辩白。"苏洵略感不快，说："这本是我家中之事，为何要跟他们辩白？"欧阳修摇头苦笑道："真是有其父必有其子。"司马光不太高兴地瞪了苏洵一眼。

王安石挥一挥手，对苏轼说："此事再议。子瞻，如今你倒要想着应付一桩火烧眉毛之事。今日朝中有人向皇上推荐，宣你入殿辨认怪兽，你要胸中有数。"苏轼忙问道："介甫公，什么怪兽？"王安石说："交趾进贡来的东西，说是麒麟，但非鹿非马，无人识得，但绝非麒麟。"欧阳修关切地问道："子瞻，你识不识得？"苏轼沉吟片刻，说："没有亲眼看见，难以断言。"范镇心中不平，大声说："若是不识，可以称病不去！"司马光大声说："称病可不妥。"

王安石指着苏轼说："不过，子瞻，交趾想让大宋丢丑，朝廷上有些人想让你丢丑，你要当心。"苏轼爽快地答道："皇命在身，赴汤蹈火，亦应不辞。至于脸面，只要我正道直行，即使不识，谁又能污我！"众人皆点头称好，司马光也赞道："子瞻这番话，颇有古时君子之风啊！"

次日上朝前，苏轼奉旨来到崇政殿外，辨认怪兽。殿外院子里，诸多大臣也遥望着怪兽叽叽喳喳，不时看苏轼一眼。苏轼观察凝思片刻，一丝笑容拂过嘴角。

仁宗坐朝后，即刻宣苏轼上殿。大臣们立即议论起来，朝堂内一阵骚动。苏轼着玄色官衣，戴官帽进殿，潇洒之气冠绝朝堂。

进得殿内，苏轼倒身拜道："新科进士苏轼奉旨觐见吾皇。吾皇万岁，万岁，万万岁！"

平身后，仁宗亲切地问道："苏轼，丁忧守制三年了吧？"苏轼感动地回道："是，微臣多谢陛下垂念之恩。"仁宗点头道："哦……家中可安排停当？"苏轼答道："回禀陛下，微臣已举家迁到京城。每年祭扫之事也已安排妥当。"仁宗继续问道："嗯，苏轼，昨日朕收到百官联名上书，要朕废黜你的功名，还要治你的罪。不过，也另有人举荐你来辨认交趾国所送怪兽。朕先问你，你识得怪兽吗？"苏轼施礼道："陛下，微臣遵旨，已看过怪兽，已然识得了。"

仁宗惊喜不已，大臣们也伸长了脖子，好奇的目光集中在苏轼身上。王珪等人面露不悦之色。仁宗忙问："快说，此怪兽应呼何名？"苏轼答道："此乃麋鹿，又名四不像。""啊……？！"大臣们失声惊呼，朝堂内顿时骚动起来，胡宿、王珪也吃了一惊。

仁宗又问："你如何得知？"苏轼从容答道："五年前，一天竺僧人落拓西蜀，与微臣相遇，与臣论佛，交契颇深。僧人赠微臣千兽图，上有此物，故而识得。"仁宗豁然，众臣亦如释重负。

仁宗说："宣交趾国使臣。苏轼，你可与其对质。"苏轼领命。

不多时，阮尚文、武止戎二使臣傲慢进殿，一副目中无人之态。施礼毕，仁宗正色道："使臣平身。尔等所献怪兽，并非麒麟。两国邦交，礼仪为先，为何戏弄我大宋！"阮尚文还不依不饶，说："陛下，我主献麒麟以示友好，怎能说是戏弄。既说不是麒麟，那是什么？"仁宗转向苏轼道："苏轼！告诉使者！"苏轼答道："臣遵旨。"转向两使臣说道："此乃麋鹿，又名四不像。它的犄角像鹿，面部像马，蹄子像牛，尾巴像驴。但整体看上去却似鹿非鹿，似马非马，似牛非牛，似驴非驴，故得'四不像'之名。相传姜子牙随武王伐纣，乘坐的就是这'四不像'，据说可以辟邪，故有'姜太公在此，百无禁忌'之说。"

听着苏轼娓娓道来，两使者慢慢开始发抖，最终大惊失色。阮尚文颤抖着说："你……你何以知之？"苏轼不卑不亢，答道："知之为知之，不知为不知，是知也！"武止戎压抑着内心的恐慌，打量着苏轼，挤出一丝冷笑，说："口气甚大！"接着从袖中掏出一只似猴似鼠的东西，示于苏轼，问道："请问，此为何物啊？"仁宗与满朝文武引颈相觑，苏轼则微笑不语。

阮尚文一惊，问道："学士为何发笑？"苏轼收住笑容，从容答道："此乃鼠猴，是猴之小者。我蜀中小儿常以此玩耍逗趣，是以发笑。"阮尚文、武止戎大惊。

王珪见此状，趁机奏道："陛下，交趾拿不出经史卷帙以显文治，而尽弄些怪兽走鼠以逞其能！"转而对使臣喝道："你们可知罪吗？"交趾使臣惊慌失措，一时无语。朝堂内气氛很有些紧张。

苏轼适时奏道："陛下，微臣有话要说。"仁宗点头应允。苏轼奏道："此物虽不是麒麟，但自古以来也被视为瑞兽。此兽古时甚多，近世十分稀少。且麋鹿一般为褐色，而交趾国所进的这头麋鹿，通体金黄，是麋鹿的变种，如白虎、白象一般，世间怕是寻不出第二头来。"众朝臣及仁宗皆点头称是。交趾使臣也趁机附和道："正是，正是。敝邦进贡的乃是珍稀祥瑞之物，哪里敢存心戏弄！"紧张的样子惹得众人都笑起来，气氛顿时变得轻松。

仁宗和颜悦色地说道："嗯。不错，苏轼，有来无往非礼也，我朝应送交趾何物啊？"苏轼奏道："陛下，微臣以为，南方视金丝鸟为吉祥之物，其意无价，送此甚好。"仁宗道："就依卿所奏办理吧。二位使臣，问候你邦人主，祝他安康，祝你邦百姓安居乐业，请回吧。"

"谢陛下！"二使臣颤巍巍地退出。众大臣一齐施礼高呼："恭喜陛下，贺喜陛下！"仁宗亦龙颜大喜，笑道："众卿言之有理，此事圆满收场，大出朕望，确实可喜可贺。苏轼，此事你当记首功，赐你与朕共进御膳。胡宿、王珪举荐有功，各赏御茶二两。"苏轼、胡宿、王珪谢过，但胡宿、王珪脸上的喜色有些勉强。

退朝后，苏轼奉旨与仁宗共进御膳，范镇作为苏轼的恩师，也陪同用膳。进得内殿，两人行礼毕，仁宗赐坐。

正待用膳，仁宗忽然脸色大变，喝道："苏轼，你可知罪？"两人一愣，随即站起，范镇手中筷子夹的肉也掉落地上。苏轼忙跪下回道："陛下，微臣不知。"仁宗佯怒道："你口诵孔孟之道，居然不守孝道，在守制期间与妻子同房。"苏轼冷静下来，从容回道："陛下，皇上隆恩，将微臣母亲定封为成国太夫人。微臣母亲过世之前，就一直想抱孙子。如今微臣母亲已故，微臣却无后代，实在愧对吾母，不合孝道。晋人刘毅在守制期间曾穿孝服作战，不断荤腥，也不曾夫妻分居。都是后世腐儒，曲解圣人之意，戕害人之本性。微臣一为报皇恩心切，二为了却母亲心愿，尽孝心切，故而才与妻子同房，此乃孝之大也。明察莫过于圣上。"范镇听完，吓得瞠目结舌，紧张地盯着仁宗。

仁宗瞬间转怒为喜，笑道："呵呵，朕就是再明察，也管不了你的闺房之事啊！国家大事朕还焦头烂额呢！起来吧！"范镇暗暗松了一口气，忙递上奏章，说道："陛下，这是眉州知州吴同升的奏章，言明百官所奏苏轼在眉州强抢姊尸，打人致残一事与苏轼无涉，伏乞陛下圣鉴。"仁宗笑道："不必看了。苏轼，朕不怪你。今日你为朕解了难题，也算扬我大宋国威。这三年来，朕只盼你早日归来，希望你早日任职翰林院。"

苏轼面露难色，欲言又止。仁宗见此状，激动地说道："如今百官联名上奏，要废黜你的功名。你该体谅朕，朕虽是一国之君，但说话做事也常常看人脸色。不过这次朕决定一意孤行，凭他们如何反对阻挠，朕也要重用你，你明白朕的苦心吗？"范镇激动异常，奏道："陛下，知人善用，胸怀锦绣，真乃明君也！"说完轻声对苏轼说："还不快谢皇恩！"

苏轼奏道："微臣正要就此事奏明陛下。陛下，微臣不愿在朝为翰林，微臣请求陛下外放！"仁宗与范镇皆大惊。范镇不快地说："苏轼，你，你疯了，你知道你在说什么吗？"

苏轼从容奏道："陛下，微臣自眉州进京路上，早已下此决心，只是今日才有面圣之机，故对陛下道出。陛下，朝中大臣所言不假，微臣还年轻，确实需要外放历练。"仁宗也面露不快，说："奇怪，你在朝中难道就不是历练，非外放才行吗？"

苏轼接着说道："陛下，微臣自眉州老家一路返京，正逢天下大旱，而地方官员庸懦无能，任百姓流离失所，饿殍满野。微臣舟过长江，曾被饥民嘲讽为酸腐书生，微臣心有所愧。微臣欲向陛下，也向百姓证明苏轼绝非纸上谈兵之徒，就必须去地方做出实实在在的政绩，以挽救民生，扶危济困。"听完此话，仁宗微微地点头。

范镇又道："苏轼，文风改革才是关乎国运的大事，一个地方的区区政绩岂能与之相比？切不要一叶障目，要以朝廷大局为重。你若外放，文风改革怎么办？"苏轼回道："范公，文风改革大局已定，如今比文风改革更重要的是法度吏治的改革，而只有去地方上身体力行，才能实地了解大宋积贫积弱之现状，建立革新大业，推行新政主张。范公等大臣年事已高，我等年轻人责无旁贷。"

仁宗听完此语，心想自己当初没有看错，苏轼果然是忠君爱民，日后定堪为大宋宰辅，但又想到自己来日无多，实在舍不得这样的人才离开自己，遂为难地说道："可朕的身边也需要人哪——用膳吧！"

用完御膳，仁宗感觉意犹未尽，令苏轼、范镇再陪自己散散步。

仁宗道："苏轼，外放的事就暂缓吧！朕以为，你更适合在朝廷为官。"苏轼自知强谏不行，于是说道："陛下，微臣有一祈求，不知可否？"仁宗点头。苏轼用手一指，说："伏乞陛下极目远望。能看到何处？"仁宗疑惑地向远处望去，说："仅皇城而已呀。"苏轼回道："陛下极目远望，仅皇城而已。而微臣若能外放地方，陛下的双目就能看到百姓的家中。陛下，就准了微臣所奏，外放微臣，让微臣去为陛下办理实事吧。"

仁宗一愣，明白了苏轼的话，感动地看着苏轼，点点头，泪水盈眶。

不多久，王安石的《上仁宗皇帝言事书》完稿，呈上朝廷，仁宗竟一气读完，看过后深为赞赏。但又想到自己年轻时就想改革，庆历革新却无功而返，十项新政后来一一废除；王安石所说虽然在理，且比当年庆历新政更为可行，只怕现在自己身体不济，力不从心啊。感叹之余，命人将此万言书誊抄数份分送各大臣，以资讨论。仁宗想，自己虽然有生之年不能完成此改革大计，但也好为自己的子孙先行试探一番。

这几天正值初春天气，汴京城内莺啼新柳，燕唱轻烟。城中的大臣都在讨论王安石的万言书。赞赏的虽不乏其人，但大多数都不以为然，以为王安石变革祖制过多，简直是视祖制为无物。王安石所指望的百官来议的景象并没出现，但他不以为意，还是我行我素。

这日，王安石衣衫不整，坐在家中庭院的树下，如饥似渴地读书。苏轼笑呵呵地走了进来，见王安石如此读书状，笑道："树上有虫，书中亦有虫，不知王公是何虫啊？"王安石闻声抬头，见是苏轼，大悦起身，连左脚踏着的鞋也未及穿上，便迎了上来，笑道："子瞻来也，上好茶！子瞻，坐。是哪阵风把你给吹来了？"苏轼在院中的凳子上坐下，笑道："是万言风。"王安石呵呵一笑，为有志同道合者而甚慰，说道："消息真快，我写万言书的事已经到了你的耳朵里。有何高见，说！"

苏轼摆了摆手说："偏居西蜀，孤陋寡闻，能有何高见。不过，在下对王公在浙东废止官府专卖的新茶法，倍加赞赏。"王安石大悦，将凳子朝前挪了挪，说："你也这么看？"苏轼快人快语："那是当然。"王安石来了兴趣，又向前挪几步，说："你想啊，自祖宗以来，我大宋之茶、盐、酒皆由官府一手控制专卖，官商有恃无恐，天下民怨鼎沸。"苏轼接过话茬，说："这件事我也想了很多。首先，可以废止官府包买包卖，由茶农、茶商直接经营。其次，可以减少官员数量。官府的担子轻了，老百姓活了，天下才有生气呀！"王安石拍案而起，叫道："好！真希望子瞻你能快点进翰林院，助我变法！"

这时庸雅大方的吴夫人走了过来，后面跟着一个托着茶杯的使女。苏轼忙起身施礼道："夫人可好？"吴夫人还礼道："好。子瞻，我亲手给你和介甫烹了一杯龙井茶，尝尝味道如何？"苏轼拱手拜谢。王安石指着吴夫人道："夫人可不是轻易给客人烹茶的，你是少有的一个。"苏轼笑道："那是自然，别人的脸大，我的脸长嘛！"

王安石大笑起来，二人接杯品尝。苏轼品咂再三，突然道："夫人，你这水是从哪里弄的？"吴夫人抿嘴而笑："看来，什么都瞒不过你，这是无根水。"王安石抬头疑惑地问道："老夫怎么没品出来呢？"吴夫人笑道："你呀，就知道品书、品诗、品文章，就不知品茶、品酒、品三餐。子瞻，你不知道，桌上放几个菜，不给他放在脸前面，都不知道吃。"王安石摆摆手，不以为然道："吃饱了就行。夫人哪，你还少说了一项。"吴夫人忙问："哪一项？"王安石狡黠地一笑："不会品女人。"苏轼笑道："没想到王公还这样风趣！"三人放声而笑。

不日，仁宗坐朝崇政殿，要百官议议王安石的万言书，众人不知仁宗态度，皆不敢先言，朝堂内气氛极为严肃。

司马光素来遵奉祖制，对王安石的万言书意见最大，此刻见无人敢议，遂出班奏道："陛下，微臣看过王安石的奏章，其中虽不乏新见，但多是更改祖宗之法，只怕一改便乱。"王安石随即出班驳道："陛下，祖宗之法为何就不能改？若永世相因，祖宗之法又从何而来？"司马光接着道："陛下，微臣并非说祖宗之法不可改，而是说大宋立国百年，其平安阜盛，自古鲜有，祖宗之法必是大有道理在，不可轻改。"

王安石性情刚烈，虽与司马光亦为好友，但为变法计，毫不犹豫地驳道："陛下，司马光这是不分青红，一概而言。我大宋正因百年承平，故而积弊甚多，若不适时变法，只怕要成积薪厝火之势。若火势一起，即想扑救，也必不及。司马光终日端坐书斋，闭目塞听，不察民情，不审时事，一味厚古薄今，引经据典，虚张声势，欺蒙圣上，实非为臣之正道！"司马光气得说不出话来，只得支吾着："王安石，你……你……岂有此理！"

仁宗劝道："哎，司马光忠正纯厚，一片为国之心，并无他意。"司马光感动地说："谢……谢……陛下，陛下要为臣做主。"仁宗又说："王安石所论也合实情，个人好恶，不可伤及朝廷和气。"

王珪给吕诲使了个眼色，吕诲出班奏道："陛下，庆历年间也曾改革，但当时不过实行了十项新政，且皆是易行之事。即便如此，后来这些新政也逐渐一一废除，可见，实行新政应当慎之又慎。如今王安石所论，都是关涉极大，不仅是除旧布新，甚至是翻天覆地。如此看来，微臣以为，王安石新政之说极不可行，可谓异端邪说！"此说点着仁宗痛处，众人议论纷纷。

范镇出班奏道："陛下，臣以为吕诲所说不妥。庆历新政，弊在轻财而重政，如今王安石所论，在为国理财，为国强兵，欲使国富兵强，力避庆历新政之短而切中时弊，故微臣以为可行。吕诲出身太学，不通世事，只知死啃书本，不知与世推移，实是书生之见！"

吕诲愤怒地驳道："出身太学怎么了？这朝堂上的大臣，有几个不是出身太学的？"部分朝臣纷纷称是。

欧阳修出班奏道："陛下，微臣以为范镇所言极是。庆历新政只着眼于朝政，是舍本逐末，故推行艰难，以至于半途而废；此次王安石之论，在于从理财入手，带动朝政变革，乃是务本之道。故微臣以为大有可行之处。"此论得到了许多大臣的点头赞许。

胡宿见此状，略一思索，奏道："陛下，尚未变法，已有党争之势，一旦变法，朝廷岂能安生，晚唐牛李党争，前车可鉴啊！"

王安石深知胡宿此举在借党争之非来攻变法之是，遂忙奏道："陛下，君子无党，唯一颗忠君爱国之心！"胡宿回头驳道："安见得别人不忠君爱国？"王安石大怒，指着胡宿道："你！"

这个场面，仁宗早就料到，因此也早有了主意，遂叫道："王安石！朕欲让你以翰林学士出知鄞县，将奏章中的革新条款选出适合者，写成条陈，奏请朝廷，将其精华在鄞县实施，试其效用，你看如何？"

王安石稍愕，转瞬明白了仁宗的良苦用心，也知道这是坚持变法必须经过的阶段，遂答道："臣遵旨。但臣想举荐一人，顶替臣的翰林学士之职！"仁宗问："谁呀，不妨直言。"王安石道："苏轼！"仁宗心中大喜，点头道："嗯，好。"

吕诲急忙出班，跪下奏道："陛下，不可！陛下，百官联名上书奏苏轼在守制期间不守孝道，强抢姊尸，打人致残一事还悬而未决。苏轼所犯大罪，按律当黜落功名，怎可授以三品之位？"仁宗道："这两件事朕已查明，苏轼无罪。"胡宿见状，亦出班奏道："陛下，即便苏轼无罪，但他将其出嫁的姐姐葬在自家祖坟，也与大宋礼制不合，按律也不得授官。"

王安石早就深知台谏两院对新法、新人的重重阻力，今日实在忍不住心中的怒火，叫道："按律、按律！难道眼看着好人被逼死，坏人逍遥不成！你们这些御史台、谏院的人，就是专抓无聊之事，就是要把好人说成坏人，把坏人说得有理，就是要以礼法杀人！"欧阳修、范镇等人纷纷称是。

王珪知道这时自己必须出来说话了，便出班奏道："陛下，王安石不论实事，攻击礼法，实属搅闹朝堂！"王安石早就看王珪不顺眼，怒道："陛下，王珪无所事事，只知阿谀皇上，实是奸佞小人。"王珪气得哆嗦无语。

仁宗转向韩琦，说："好了，韩琦，你是宰相，你说说看。"韩琦思索着上前一步，出班奏道："陛下，苏轼虽有才学，但仍须历练，骤然授予翰林学士之职，恐天下不服。"王安石驳道："陛下，不可陈陈相因，裹足不前，若等事事都天下服了，天下也就大厦已倾，不可力挽了。"韩琦愤怒地大喝："王安石不得妄言！"范镇为了能留住苏轼，也出班奏道："陛下，宰相也不能阻人言路。"朝堂上一片混乱。

仁宗见此状，烦躁地挠挠头，站起来道："好了好了，你们不要闹了。朕早有打算。王珪！草旨，苏轼签判凤翔府，苏辙为昌福县主簿，苏洵文章大家，人品贵重，学识渊博，无须考试，命其入礼部编纂太常因革礼。退朝！"说完，拂袖而去。

汴河上船只川流不息，汴京码头上熙熙攘攘，王安石的家眷正在搬运行李装船。王安石独自孤傲地站在江边眺望，心想自己为官，不管在朝、在野，从无私心，一心为国；虽出语狂傲，亦是为人耿介，并未因私情而刻意得罪他人；今日离京外放，竟无一人相送，不禁感叹朝中无如自己般的直臣啊！

忽然，苏轼从远处跑来，来到王安石身侧，深深一揖道："王公，晚辈特来送别王公。"王安石听声便知是苏轼，转身一看，大喜，向苏轼拱手，感慨道："子瞻，你来了。今日王某还以为无人相送呢。不过就是无一人相送，我也会我行我素！"苏轼点头道："王公有经天纬地之才，非是俗人可知，有没有人送别，又何必放在心上！"王安石喜形于色，大笑道："哦……呵呵，有子瞻一人为我送行，已胜过千万人矣！子瞻，你虽小我十六七岁，但与我真如知心兄弟一般！"苏轼拱手道："晚辈不敢。王公与我忘年相交，实是晚辈的荣幸。王公此去鄞县试行变革之事，千头万绪，时有不测之忧，王公万事珍重！"王安石抚着苏轼的背，叹道："你初次为官，到凤翔也要多加小心，不可事事较真，不可触人太多。"

苏轼随即掏出一包茶叶递给王安石，说道："王公，晚辈囊中羞涩，也送不起什么贵礼。这包从眉州带来的家乡茶叶，权当赠予王公的送别之礼。"王安石接过茶叶，大为感动，叹道："举天之下，也只有子瞻你送的茶叶，不仅有茶香，还有墨韵，我一定倍加珍视，每饮此茶，就像子瞻仍在身旁共论经国大业。"

苏轼见吴夫人率家人已在甲板上等候，便道："王公，该启程了。"王安石点头登船，转身抱拳道："多谢子瞻，多保重。"苏轼拱手道："王公，多保重。"

两人久久拱手对视，浩淼水波载着船悠悠远去。

苏轼、苏辙皆已外放，自是要应期上任。只是仁宗对苏洵留京任命，两兄弟必要有一人留京照顾父亲。朝廷曾屡次征召苏洵，都被他以各种理由推辞了，这次苏洵又想推辞。

这日，苏轼、王弗来到苏洵房中。施礼坐下后，苏轼说：“父亲，如今皇上让您到礼部编纂太常因革礼，无须考试，是格外的恩遇，您就不要拒绝了。再说，您的年事已高，不能再到处漂泊，风餐露宿，朝廷供职，也算有个安定之所。”苏洵点头道：“皇上算是给足老夫面子啦，这两天我也想是不是该受此职。”苏轼接着说：“父亲，礼部皆清要之职，而掌管历代礼制变动，非德高望重者不可，您若再辞，天下人不免会说您矫情。”苏洵应允道：“是啊，凡事不可太过，那就接受吧。”

王弗抚着隆起的肚子说：“那谁来照顾父亲？”苏洵摆摆手道：“我身体硬朗，无须人照顾！”

这时，苏辙和史云从门外走进，应声说道：“我和云儿商量好了，如果父亲任职礼部，我们就留下来。”王弗道：“这如何使得！”

苏辙道：“哥哥、嫂嫂听我说。我留下来，一是照顾父亲；更重要的是，我年龄尚小，不急于出仕，应该随父亲多读几年。等哥哥凤翔任满，回到汴京，哥哥照顾父亲，我和云儿再离京。”苏轼、王弗一时不知如何是好。

史云拉着王弗的衣襟，说：“哥哥、嫂子，我们俩商量好了。就这样吧！”王弗笑道：“妹妹头一回当家，就这么先人后己，让嫂嫂汗颜了。”史云撒着娇，低头道：“嫂嫂不许取笑我。”众人皆笑起来。

苏洵点头道：“嗯，要我一时离开辙儿，还真有些舍不得。我看就这样吧，辙儿留下，轼儿赴任，明儿奏明朝廷吧。”

苏轼兄弟感情极深，两人从未分离过。此次苏辙送苏轼上任，已偕同走了两天，这日抵达渑池县的一座古寺。这里是当年他们兄弟俩进京赶考曾寓居过的地方，两人曾与寺中的老僧纵论佛理。而如今老僧已死，新塔已成，寺中墙壁上还依稀可见当年他们留下的墨迹。兄弟俩不由得更加感慨，于是又是一夜的长谈。

第二天一早，采莲收拾好行装，扶着王弗坐上马车。苏轼、苏辙骑马走在前面。王弗从车里探出头来，说道："子由，回去吧，不要再送了！"苏辙回头说道："嫂嫂，让我再送一程。"说完对身旁的苏轼道："哥哥，从小到大，从故乡到京城，你我兄弟二人始终形影不离。可从今往后却要关山阻隔，天各一方。"苏轼也不禁激动地含着泪道："子由，你已送了两日了，当年我们进京赶考时也住在这里，这不知不觉已经四年。唉！人生如此奔波，也不知为了什么！"

苏辙道："还记得小时候父亲常不在家中，是哥哥教导我读书习字，即使我偷懒不学，哥哥也只是好言劝勉，从不打骂子由。父亲怪罪下来，哥哥却要挨打。"苏辙终于忍不住流泪道："有兄如此，子由此生足矣。"苏轼强忍住眼泪，微笑道："有子由为弟，哥哥又夫复何求。子由你不仅是我的弟弟，更是我最好的朋友。"

苏辙收泪劝道："哥哥宅心仁厚，满眼里都是好人。此去凤翔，防人之心不可无啊。"苏轼眼泪几欲掉下，但强行忍住，叹道："子由，你也要好好照顾自己，父亲也是。回去吧，不必再送了。"

苏辙点头，向车内众人拜道："表姑，嫂嫂，你们多保重。哥哥，保重！"说罢迅速翻身上马，飞驰离去，不敢回头。苏轼冲着子由的背影大喊道："子由，哥哥会给你写信的！"子由停下，抹泪回头看着苏轼，随即掉转马头飞驰远去。

苏轼望着苏辙的背影，吟出一首七律来："人生到处知何似，应似飞鸿踏雪泥。泥上偶然留指爪，鸿飞那复计东西。老僧已死成新塔，坏壁无由见旧题。往日崎岖还记否，路长人困蹇驴嘶。"

十一　初放凤翔

　　苏轼在仁宗面前自请外放，要去地方做出实实在在的政绩，以济民生。这一番肺腑之言深深打动了仁宗。但仁宗也颇费了一番苦心。他当然相信，以苏轼的大才，是能够胜任一方知州的，但他也深为苏轼耿介的品性担忧，因此决定将他外放到西北边陲的凤翔，且只做一个签判。这样既可以让苏轼尽早认识大宋积贫积弱的国势，也能让他在与知州的协同共事中熟悉官场规则。对于这一点，苏轼倒是没想太多，他只有一腔报国的热情，恨不得立刻上任。

　　此时，正值西夏进犯大宋西北边境，烧杀抢掠，无所不为，很多村庄一夜之间化灰烬，难民背井离乡，毫无目的地随着人流奔走。苏轼走的是向西北的官道，而流民多是往东南逃散，因此他并未看到大队的难民，但沿途的饿殍让他忧心忡忡。

　　十多天后，苏轼及家人来到了凤翔境内。时值初冬，天气寒冷，凤翔城外，一片萧瑟。夜晚，苏轼一家寄宿在一间村野茅店中，一家人正围着一堆篝火烤火取暖。采莲说："没想到吧？这大西北可是够冷的。"此时王弗身孕日重，行动不便，感激地说："表姑，怪不得你在马车上装了那么些劈柴呢！"苏轼环顾一下四周，叹道："连年战争，树也跟着遭殃啊！"

　　这时，四个持枪带刀的蒙面人在院墙外观察动静，看到苏轼一行并无随行人员护卫，就冲进了院子。苏轼立刻站起，护住王弗和采莲，迅速扫视了一下这些蒙面人，见他们都穿着残破的军服，所持的刀枪皆是大宋禁军之物。苏轼顿时心中有底了，问道："你们是什么人？"其中一个领头的说："莫管我们是什么人，留下财物！"苏轼听出他的语气似乎有些颤抖，断定并不是惯于打劫的绿林中人。

又一蒙面人对领头的耳语道："看样子是个当官的！"领头的就着篝火仔细看看苏轼，顿时一惊，又审视片刻，小声对同伙说："要是当官的，以后怕有麻烦，还是走吧！"又一蒙面人说："走？走到哪里？还不是饿死！当官的，哼，一起杀了不就没事了！弟兄们，上！"说完四个人一拥而上，其中一蒙面人将苏轼按于地上，用刀架在脖子上。苏轼尽量冷静下来，拼命回头道："你们不是强盗，是大宋的禁军！"一蒙面人说："禁军没有饭吃也就是强盗！"说完就要动手。

王弗开始吓得说不出话，但见到蒙面人就要杀苏轼，不知哪儿来的力气，哭着拼命扑上去，大喊"住手"。采莲也哭着不知所措，但见王弗欲上前，便拼命拉住王弗："夫人，小心孩子！"王弗迟疑一下，看看苏轼，摸摸肚子，又挣开采莲，拼命扑上去。苏轼见此状，挣扎着喊道："不要过来！快走！"一蒙面人说："哼，要走，休想！"说完奔向王弗。这时，领头的蒙面人大叫道："不可！只拿东西，不要伤人。"拦住奔向王弗的蒙面人，二人动起手来。其他几位蒙面人见此情形，只顾按住苏轼，不知所措。

就在此时，巢谷忽然现身，用棍棒将四个蒙面军士打倒在地，扯掉他们脸上的面纱，然后捡起一把刀来，要杀掉这四个不法的军士。苏轼看到巢谷，兴奋地起身，揉揉自己的双臂，前去护住王弗，但看到巢谷要杀蒙面军士，便大声急叫道："巢谷兄，不要杀了他们，他们是大宋禁军！"巢谷头也不回，冷声说："到此时，你还如此好心肠？"说完，举刀欲杀。四个军士拼命向苏轼磕头求饶。苏轼把王弗交给采莲，快步走到巢谷面前，止住他说："巢谷兄，听我说。庆州一役，将帅带兵无方，致使兵败，逃兵沿路抢劫，原是怨不得他们。"四个军士听此，皆跪下叩头道："多谢大人不杀之恩，小人也是实属无奈，实在是饿极了，这才万不得已……"巢谷向一军士踢了两脚，怒道："万不得已？抢劫倒也罢了，为何却要杀人！"说完朝另外几个军士踢了几脚，又举起了刀。苏轼拉着巢谷，说："饶了他吧，巢谷！"王弗也从后面走来，说道："巢谷兄弟，饶了他吧！"巢谷回头看看王弗的大肚子，迟疑了一下，对军士吼道："滚！"几个军士踉踉跄跄地逃走了。

等军士不见了人影，巢谷才上前和苏轼、王弗、采莲见礼。苏轼笑道："巢谷兄，我过去不赞成你学武，今天看来，还是学武好哇。要不是你，这里就成了我们的葬身之地了！"王弗、采莲还是惊魂未定，都问道："你怎么知道我们在这里的？"巢谷这时也恢复了天真的表情，学着吴复古的样子，摇头晃脑道："天机不可泄漏。我欲寻你无躲处，你觅我时无处寻。"王弗听到"你觅我时无处寻"，低头叹道："你再晚来一刻，我们就……"看看肚子，不禁又流下泪来。巢谷连声安慰王弗。苏轼也说道："好了。好了。孔子说：'天之未丧斯文也，匡人其如予何？'我们怎么就那么容易死！到了凤翔，我就向巢谷学武，行了吧！"

苏轼问起吴复古道长，原来道长在武当山闭关，特命巢谷前来助苏轼一臂之力。苏轼拍手叫道："太好了。你的缉捕公文已过两年，已然无效。你和我们一起到凤翔，有了你呀，我不就文武双全了嘛！"众人皆宽慰地笑起来。

第二天，苏轼一行接着赶路，巢谷持棒步行跟随，很快，他们就远远地看到了凤翔城墙。苏轼看到城郊大路两边都是大片大片荒废的田地，杂草丛生，对巢谷说："巢谷兄，看这土地荒得多可惜啊！"巢谷解释道："这里的男人大多都当兵去了，无人耕种。"苏轼问道："那为什么官府不找人种？"巢谷笑道："哈，你问我，我问谁？子瞻，你还是去问朝廷吧！"

一路上，三三两两的难民结队而行，面黄肌瘦、衣衫褴褛，而又以青壮年居多。苏轼惊愕地看着难民们，感慨地对王弗说："这一路上虽也看到些流民，但都零零散散，为何这凤翔城外的流民这么多？"王弗掀开轿帘，推测道："是啊，可能是专门向凤翔逃荒而来的。"苏轼点点头。

路边，一个衣衫破烂的老汉双腿抖着，不一会儿就瘫软着倒了下去。巢谷急忙走上前，搀扶起老汉，问道："老伯，你这是怎么了？"老汉有气无力地答道："唉，没事。"苏轼翻身下马，走上前，关切地问道："老人家，这是要往何处？"老汉无精打采地看看苏轼，叹道："哎，大人，我们是从边境上逃过来的。西夏人烧杀抢掠，没法住了，想在这凤翔寻个安生的地方。"说着老人又支撑不住，瘫坐在地上。苏轼急忙上前扶住，说："老人家，你怎么了？"老汉垂着双眼，无力地说："不怕你笑话，三天没吃东西了。"苏轼立刻让采莲表姑从车上取下干粮和水，送到老汉面前。老汉顿时眼中发出光，拿起干粮啃了起来。见有食物，路上几十个流民立即像饿鬼般地扑了上来。采莲阻挡不及，一袋干粮转眼被抢光，人们狼吞虎咽地吞食着。老汉接过巢谷递过来的水喝了一口，羞愧地对苏轼道："大人，不要怪我们这个样子，实在是饿了好几天了。"

苏轼点点头，看看老汉，转身站起，又看看古道上的流民，问道："老人家，这流民中怎么有如此多的年轻人？"老汉答道："老弱病残不是被西夏兵杀死，就是在路上饥渴而死。我等从庆州一路走来，我也没想到能撑到现在，多亏大人搭救啊！"这时一个精壮的年轻人忽然从后面赶了上来，他一把就将老汉搀扶起来，有些埋怨地说："爹，你本来就没力气了，只管好好走路，却与闲人讲什么话！"老汉把刚才的事讲给年轻人听，并对苏轼说这是他的儿子王二。王二看着苏轼穿的官服，眼中露出不屑的神情，谢也不谢一声，搀起王老汉就走。巢谷生气，欲向前拉住王二。苏轼拦住他，说道："这些难民不相信官府，怨不得他们。"

这时，王弗挺着大肚子，在采莲的搀扶下从马车上下来，来到苏轼面前，两人对望一眼，又同时看向古道上的流民，眼中含着忧虑的神情。苏轼知道，还没上任，这些流民就给他出了一道难题。想到这里，苏轼双眉紧锁，若有所思。王弗看着苏轼，问道："夫君是否在想方才那些难民？"苏轼点点头。王弗叹道："离凤翔已不过半日路程了，希望这些流民都能坚持下来。但到了凤翔，也只能暂避战乱，这些流民将以何为生呢？"苏轼惊讶地看着王弗，说："这正是我心中所虑。这一路苦苦思索，但不知如何是好。"王弗看着大片的荒野，叹道："这一路走来，土地荒芜，可见凤翔百姓日子也不好过。这流民一去……"苏轼看着妻子，坚定地说："会有办法的！"

随着众多流民行至傍晚，苏轼一家来到凤翔城楼下，只见一大群流民涌动在城下，齐呼："大人救命！请开城门吧！"城上一位官员率领军士向下观望。苏轼远远一看，认得城上的官员正是自己的同年张璪。张璪朝城下军士喊道："众军士都听着，严把城门，没有我的命令不得擅开！"说完，身旁的一位军官对张璪道："张法曹，眼看这天色将晚，城外会冻死人的。"张璪不耐烦道："这与我何干！只要我凤翔的百姓都在城内！"军官道："这不妥吧！"张璪更加不耐烦，说："王监军，如今太守和签判都未到任，你我也做不了主。"城下流民仍不停齐呼"救命"。

巢谷持棒站在难民中，对苏轼道："官府不开城门，难民越聚越多。"苏轼道："走，去看看。"巢谷护着苏轼拨开人群，来到城门前。难民中，苏轼上午救助的王老汉看见了苏轼，仿佛找到了救星，跪下求道："大人，原来是您！您就给我们劝劝，就让上面的大人放我们进去吧！"众难民见状，都跪下哀求。

张璪在城楼上看见苏轼，问道："说话者何人？是苏子瞻吗？"苏轼向上喊道："正是在下。是邃明兄吧！"张璪喜道："哎呀，子瞻兄，你可来了！我们正说要迎接你哪！你怎么也在难民里？"苏轼笑着嚷道："这不被你关在外面了吗？"张璪忙道："岂敢岂敢！"说完转身对王彭说："传几名军士护送苏签判一家进城！"

苏轼喊道："何不大开城门，大家一同进城？"张璪摆手嚷道："子瞻兄有所不知，这城门一开，流民涌入，饥渴如狼，且无约束。必扰凤翔百姓。"苏轼道："寒风凛冽，这些难民又饥寒交迫，难道眼睁睁地看着他们冻死、饿死？"张璪道："现任太守还未到任，小弟实不敢自作主张，还是等太守上任后再作决断吧。"苏轼急道："他们已经奔波数日，恐怕等不到太守上任之时。还是先开城门放他们进来吧。"张璪仍是拒开城门，苏轼心中不快，正色道："邃明兄，我也算是到任了，若是太守怪罪下来，由我一人承担！你看如何？"张璪素知苏轼性格，且自己毕竟是人家的下属，遂无奈地说："你等都听见了，是苏签判坚决要开城门，与本官无关。那就开城门吧！"随即，众军士打开城门。

苏轼进入凤翔城门内，张璪等官员赶忙下楼迎接，难民从旁汹涌而入。

张璪拱手笑道："子瞻兄，四年不见今日重逢，别来无恙啊！小弟已恭候多时，没想到你今日到任，你看……这……小弟今晚在凤翔酒楼为你接风洗尘！这位是本府监军王彭，小弟则是本府法曹。"王彭拱手行礼道："见过苏签判。"苏轼回礼罢，对张璪说："接风洗尘事小，当务之急是安置难民。"张璪面露难色，说："是啊，如此多的难民，如何安置是好？"苏轼思忖片刻，忽道："室外寒冷，我看不如让他们暂到衙门避寒，待明日天亮再作安排。"

众官员及军士脸上显出惊疑之色，张璪对一心腹衙役使了个眼色，衙役会意道："大人，衙门是官府重地，这如何使得，恐怕不妥吧！"苏轼怒对衙役道："怎么使不得？不到衙门里安顿，难道眼睁睁地看着他们冻死？"张璪尴尬地说："子瞻兄，不是这意思，只是衙门里安置难民，历来无此例。"苏轼不屑道："那就从此开了此例！"张璪见苏轼如此坚决，不好反驳，一时语塞。王彭在一旁暗暗点头。

这王彭也是宋朝开国名将之后，只因宋朝重文轻武，且自己为人耿直，不善逢迎，故而多年沉沦下僚，虽有一腔报国才能，奈何总为软弱无能的上司压制，无处施展。今日初次见到苏轼，看到他行事果断，为救难民竟不惜以身试法，心中暗暗赞叹。

苏轼让巢谷带着家人去安排居处，自己来到凤翔府衙，安置难民。这时大堂、签判堂等处都挤满了人，早已密密匝匝，而且仍有难民不断地涌进来，衙内一团混乱。苏轼、张璪、王彭被挤在中间，几乎动弹不得。

苏轼高声叫道："大家不必拥挤！"王彭也大声喊道："不要挤，听从大人安排！"张璪皱着眉，手足无措，怨道："这成何体统，我早说过，岂可在衙门安置难民？子瞻兄，你不听呀。"苏轼装作没听到。

难民们仍旧往里硬挤，一些老弱者被挤得东倒西歪，张璪的官帽都被挤掉了。张璪拾起官帽，大怒，喊道："你们再不听本官劝告，就将你们全部赶出城门！"难民们仍是不听，继续往里挤。王老汉被挤到苏轼跟前，"哎哟"一声倒下，苏轼忙扶起王老汉，把他安置在身旁。

这时，一位形容精干的青年人忽然由人群中站出来，喊道："乡亲们，衙门里已经没地方了，再挤也没用，我们反会被赶出城去！我有一个办法，各家将老人妇孺留在衙内，其余青壮男子都住在衙外，大家一视同仁，才是保全之计！"难民们听见这话，终于停止了拥挤，止住喧哗，纷纷说道："他说得对，衙内已经没地方了，挤也是白挤！再挤下去我们就真要被赶出城外了，到时候谁也活不了！让老人妇孺留下，我们都出去！对，就这样办！"一群青壮难民们在那位青年人的带领之下纷纷走了出去。

不一会儿，这位青年人走上前来，跪在苏轼面前，说："大人，还认识小人吗？"苏轼低头细看，恍然道："你是……是那个……军士？"青年人道："正是。小人死有余辜，任凭大人处罚！”苏轼笑道："是你呀，你能觉悟，再好不过。你叫什么名字？"青年人道："小人曹勇，自从那次被您放了以后……小人就和他们几个分了手，无处可去，就随这些难民一路走来，没想到……"苏轼笑道："没想到又遇见了我？呵呵！"随即扶起曹勇。

曹勇感激道："大人是菩萨转世，就是您惩罚我，我也罪有应得。"苏轼点头道："知错能改，善莫大焉。罚什么！"苏轼忽想到曹勇刚才组织难民的行为，一转念，问道："哦，对了，你在禁军里当过什么军官？"曹勇回道："禀大人，甲头。"苏轼喜道："啊，好。甲头也管十几个士兵了。这些难民互不相识，怕出什么乱子。我看，你就和这位王老汉暂且当个头儿，凡事计议而行，不要鲁莽。"那王老汉在庆州时曾任保长，苏轼得知后更是放心地将统管难民的责任交给了二人。

难民安置妥当，苏轼找到张瑑、王彭，说："二位，当务之急是让难民们有口饭吃，我初来此地，此事还要烦劳二位大人了。"王彭不待张瑑答话，便道："是，苏签判。下官这就回去办，让邻居们做些饭来。"苏轼道："那就多谢王监军了。"张瑑在一旁，有些不耐烦，但也嘟嘟囔囔地同意了。

这时，巢谷安置完家人，也来到签判堂。苏轼看见巢谷，说："巢谷兄，你也赶快回去，让家里人多做些饭菜。"巢谷为难道："可是我们刚来……"苏轼略一沉吟："你回去让夫人她们想办法吧。"

张瑑、王彭、巢谷各自离去，苏轼转身走到府衙外。外面燃起了火堆，地上铺满了稻草，不断有衙役和百姓搬来破旧棉被分发给他们，青壮难民们围着篝火渐渐入睡。

苏轼巡视四周，终于松了一口气。他转身对一直跟着自己忙碌的王老汉说："老人家，你已跟我忙了这许久，快进去歇歇吧。"说完，突然想到什么似的："你那儿子王二呢，怎么不见他？"王老汉无奈道："他生性倔强，不愿进城，我也拿他没办法。"苏轼点头深思。

回到家中，已是深夜，苏轼又与家人讨论如何救助难民。苏轼来回踱步，说："今晚算是过去了，可明日如何度过？明日这些难民又该如何吃饭！我初来乍到，就是借贷，也无相识啊！"众人面有忧色，但又想不出办法。

巢谷说："要不，就给朝廷上书吧！"苏轼摇头道："我何曾没有想到，可这书信来往，就要一月有余，就是朝廷立即拨款，没有三个月，款项也到不了。"众人无奈地点头称是。

王弗挺着大肚子，坐在椅子上，叹道："夫君，若是在眉州，你可以开自家的粮仓，但此地却想放都无粮可放！唉，都说新官上任三把火，你这第一把火就没柴烧了，后两把火又拿什么烧？"苏轼听此，若有所悟，一边捻须，一边道："既没柴烧，就须找柴来烧。"说完，拍案说道："如今恐怕也只有这一个办法了。"

第二日，张璪、王彭来到凤翔府衙。见礼毕，张璪拱手道："子瞻兄，年关将到，知府尚未到任，依律由你签字从府库调拨库银，作为官俸。"苏轼和悦地向张璪说："邃明兄，我等官俸来自朝廷，可难民们的口粮又来自何处呢？今日找二位大人来，就是想商量一下难民吃饭的问题。"张璪无奈地说："巧妇难为无米之炊，我们又有什么办法？"王彭上前说道："苏签判别急，我想让州府官员捐款捐粮，以解燃眉之急。"苏轼赞赏地看着王彭，点头道："难得王监军这么想，但也只是杯水车薪。"二人沉默不语。

苏轼忽然站起，坚定地说："我以为，要想救人，只有开官仓借粮。"张璪大惊失色，连连摆手，抢上前道："啊？这可是杀头之罪啊，无朝廷敕文，官仓不能开。"苏轼接着说："邃明兄，官仓不开，必是饿殍遍地！难民越聚越多，即使不开官仓，也会被抢！"张璪面有愠色，转头道："要是昨天不救助这些难民，难民也不会聚集而来！"

苏轼虽素知张璪秉性，但总还以同年之谊善待，此时听得此言，也不禁怒道："邃明，这话别再提了！见死不救，岂是我等所为？"张璪也不依不饶，说："子瞻哪，只怕难民未救得，就泥菩萨过河，自身难保了。"苏轼拂袖道："自身能否保得住，以后再说，难民却不能不救！"

张璪不屑地说："子瞻兄，休要书生意气，这不是写文章，我劝你还是守规矩些为好。"苏轼初次入仕，最恨被人指为纸上谈兵，怒道："邃明，你小看我了！我具状自认，开仓一事由我一人承担，别人与此事无涉。"说完，苏轼提笔写就，将状子交给张璪。张璪佯装羞愧道："这……这是干什么，我不过

109

是好意提醒。"但还是将状子塞入袖中。

苏轼不甚理会，昂首走出府衙。张璪拿出状子细看，王彭见状也随苏轼而去。

看着苏轼和王彭的背影，张璪转念想到：即使签了具认状，朝廷若真怪罪下来，我又怎能脱得了干系？朝廷一定以为我与苏轼是同流合污，到时自己岂不冤枉？又想：那苏轼生性狂悖，目无纲法，在朝廷上尚且如此，更何况是这天高皇帝远的凤翔；唉，也是我倒霉，竟跟他在一处做官，我苦读十年圣贤书好不容易进入仕途，却要被他毁于一旦！

张璪收起状子，心想：我岂能坐以待毙，受制于苏轼？但他毕竟官高我一等，我压不了他啊！看着衙外大街上成群的难民，张璪心生一计，把他的心腹衙役叫来，暗暗嘱托了一番。衙役应声离去，留下张璪得意地笑。

难民住在衙内毕竟不是长远之策，于是苏轼命曹勇带领难民从城外取来木材，在城中空旷处暂搭草棚安身。

这日，曹勇、王老汉率众难民搬运木料，兴冲冲走入城门。这时，一伙泼皮捧着一坛酒故作醉态地路过，带头的一个泼皮故意撞到曹勇身上，酒坛应声落地。泼皮佯怒着，猛推了一把曹勇，嚷道："你这无耻流民，为何撞翻我的酒？"曹勇急忙放下木料，赔礼道："这位兄弟，对不住，我已经躲闪了，却还是躲不及。"泼皮一边推搡着曹勇，一边嚷嚷道："那你是说俺撞的你喽，你这不是摆明了欺负俺吗？你们这些流民饿鬼，谁让你们来住俺们的地方，吃俺们的饭食，还要撞翻俺的酒！你赔给俺！"曹勇也有些不平，强忍怒气说："这位兄弟，撞翻你的酒是我不对，但你也不可骂人。"王老汉也上前劝架，泼皮更来劲了，把他推倒在地，骂道："老东西，要是多嘴，俺骂的就是你！"说着又向着围观的百姓喊道："喂，大伙快来看呀，流民不讲理啦，流民欺负人啦！"

其他几个泼皮也冲上前，揪着曹勇的衣服，齐声嚷道："赔我酒来！大伙，这流民撞翻我们的酒，非但不赔，还要骂我。这些流民如此不讲道理，总有一天会来霸占我等的房屋，抢夺我等的钱财！"众百姓也纷纷不满地七嘴八舌："快赔人家的酒！撞翻了人家的酒，为何不赔！好心收留你们，却原来是白眼狼！"

此时，曹勇心里已经明白了，但还忍不住推开众泼皮，怒道："你放手，你分明是要陷害于我！"带头的泼皮抬手抽了曹勇一巴掌，骂道："你还敢还嘴!"曹勇怒不可遏,一拳击去,但并未用力,泼皮故意倒地。众泼皮见状,齐上前围殴曹勇,曹勇虽颇有身手,但也尽量压住怒火,只是推挡,将众人击退。

带头的泼皮倒在地上,流着血,佯装委屈道:"流民打人啦!流民抢俺们的东西啦!流民无法无天啦!"众百姓不明真相,以为曹勇等真要欺负人,一时间情绪激动,愤怒地将曹勇等难民团团围住,推搡着骂道:"好心收留你们,却为何打人?抓住打人者!把流民赶出城去!滚回你们老家!这儿是俺们家,滚回去!"

这时,张璪骑着马,领着众衙役奔来,远远地叫道:"你等流民,好心收留你等,却为何寻衅滋事,扰乱地方!既是如此,本官就将你等逐出城外,保我地方平安!"百姓们听此皆大声欢呼。众衙役赶上前,持棍棒驱赶众难民。曹勇上前,跪倒在地,哀求道:"大人,您听我说,这纯属误会!"但张璪毫不理会,仍命众衙役强行将众难民推向城门之外。

城门大开,众衙役已将难民们推到城门口,眼看就要赶出城去。难民们苦苦央求,却无济于事。张璪坐在马上远远看着,脸上显出一丝不易察觉的微笑。

正在城门就要关闭之际,苏轼与巢谷策马而至,苏轼远远地大喊:"住手!"众衙役停住听命。张璪听出是苏轼,脸色一沉。

苏轼来到城门处,下马上前质问众衙役:"为何要赶他们出城?"众衙役无奈,都看着张璪。张璪无法,下马拱手,故作正直地说:"子瞻兄,这些流民动手打人,滋事生乱,犯了众怒,凤翔百姓们请求将其逐出城外,我这样做也是为了顺应民意啊!"苏轼正色道:"谁动手打人了?"曹勇上前跪倒,愤怒而又不好意思地说:"苏大人,是我。我打人,是因为……"苏轼未等他说完,佯怒道:"曹勇,你身为领头者,却带头滋事。来人,将他锁了,押入牢中。既然捕了肇事人,其余难民都属良民,就即刻回到住处吧。"衙役将曹勇拘捕,并上了枷锁。

张璪一惊,上前劝道:"子瞻兄,不可啊……"众百姓也群起劝道:"大人,将这些流民逐出城去吧!他们住俺们的地方,吃俺们的粮食,还要打俺们的人,俺们如何能过安生日子呀!大人,你要为俺们做主呀!"众难民有口难言,只是惊恐地看着苏轼。

苏轼看看难民，又看看百姓，温和地说道："百姓们，听本官说两句。这些人其实与你们一样，他们也有家，只是家已被西夏人所毁，田地被西夏人所占，亲人也被西夏人所杀。于是他们不得已，走了千里路，逃到我们凤翔来。"听到此，难民中有人叹气，有人垂泪。众百姓也终于停止了鼓噪，安心听苏轼讲话。

苏轼接着义正辞严道："百姓们，西夏人就在数百里之外，随时都有可能杀过来。若有一日，他们也攻破凤翔，毁坏你们的家园，杀了你们的亲人，你们也因此逃离出走，而城里的百姓却要驱赶你们。你们又会如何想？"众百姓被他一番话说得羞愧低头，难民们纷纷啜泣。

苏轼拉着一旁衣衫褴褛的王老汉，对百姓说："百姓们，看看这位老人家，他难道愿意背井离乡，一路漂泊吗？他也想在家中颐养天年呀！可是西夏人不许。他，他们，还有你们，都是一样的人，都是我大宋的子民。他们没有了家，凤翔就该是他们的家。因为凤翔只会驱赶西夏的鹞子军，而不会驱赶我大宋的同胞骨肉！"这番话真真说到了百姓们的心里，众人啧啧感叹，衙役们都纷纷放下手中棍棒。张璪见情形突转，不禁目瞪口呆。

十二 为 民

　　苏轼带领众衙役疏散了百姓和难民，又和巢谷耳语几句，让他去调查这起骚乱的真相，随即和张璪一起骑马回到凤翔府衙。

　　到得府衙，张璪紧随苏轼身后，辩解道："子瞻兄，不是我不爱民，我也是读书人。我这么做也是为了你好，你若真私放官粮，朝廷怎会不怪罪于你？前两次你撰典、制策，皇上是饶恕了你，但在地方为政不可同日而语，你若开了这先例，就是与大宋百年律例对抗，皇上决不饶你啊！"苏轼坐上签判堂，愠怒道："邃明兄，我不放粮，流民们饿死，皇上就会饶我不成！"张璪理直气壮道："流民又不在你我治下，我等无责，皇上怎会怪罪你！"说着，做了个无奈的手势。苏轼不屑地看着张璪道："邃明兄，原来你当官只问有责无责，而不问仁爱与否，不问道义与否，你读的是什么圣贤书？！"张璪叹道："子瞻你糊涂，为政和读书岂能一概而论！"苏轼起身，来到张璪面前，怒道："邃明，在我这儿，它们从来都是一样的，读书就是为政，为政就是读书。人各有志，我不强求于你。我明日就开仓借粮，此事与你无干，即使日后问罪于我，我也会这么说。你放心吧。"说完，拂袖而去，留给张璪一个背影。

　　受了苏轼这番抢白，张璪恼怒异常。在他心中，觉得真是为二人的仕途着想，想不到苏轼如此不领情，还屡次以虚礼压人，气得他额头直冒汗水，心里虽委屈愤恨，却又无计可施。想把此事上报朝廷，却又不能越过苏轼这位上司。突然，他想到朝中的元老王珪。王珪亦为他二人的恩师，但自苏轼在汴京带头反太学体以来，与王珪等朝中保守派已成不两立之势，他们处处阻碍着苏轼的仕进。本来，张璪也是反太学体的一员，但他从未当面和这班朝廷元老撕破脸，既然他们处处搜集苏轼的罪状，自己在苏轼手下又处处受气，何不给王珪写信呢？想到此，张璪得意地笑了，心中恨恨地说："苏轼，不要怨我，这一切都是你自找的！"

苏轼回到家中，巢谷快步迎上来，怒道："子瞻，今日之事，果然是张璪派手下衙役挑拨城中泼皮，蓄意引起骚乱，意在激起城中百姓对难民的不满，把他们赶出城去。我已经教训了那帮泼皮！"苏轼点头道："果然不出我所料，一会儿我就去监牢中把曹勇放了，难民们还等着他安排呢。"说完坐在椅上，沉思凝想。

这时，王弗腆着肚子迎上来，温柔地问道："夫君，你已决意要开官仓？"苏轼答道："是啊，夫人，再不开明日就有难民饿死。"采莲忙道："子瞻，我听人说，这可是杀头之罪啊！你可不要鲁莽啊！"王弗下意识地捂住自己的肚子，苏轼看着王弗，眼中充满歉意，但也不知说什么好。

巢谷见状怒道："你们莫怕，子瞻如此爱民，他们还要问罪？若真来问罪，我把他们杀得一个不留！"采莲忙道："罪过，巢谷，夫人肚中有婴孩，说什么杀不杀的。"巢谷低头不语。

王弗沉吟片刻，微笑着说道："夫君，早点休息吧。明日还要早起开仓呢。"苏轼眼中含着泪花，感动地看着王弗，说道："夫人如此体谅为夫，真是我苏轼之幸，也是我大宋之幸！"说着，苏轼抚着王弗的肚子，笑道："夫人先休息吧，我还有点事，一会儿就回来。"王弗点点头。

苏轼和巢谷去监牢释放曹勇。二人出门后，王弗叫住采莲，道："表姑，把我的首饰匣子拿来。"采莲忙问为何。王弗缓缓说道："我们刚刚安家，也没有多余的粮食。我还有些首饰，就先捐了吧。"采莲急道："夫人，这如何使得？这些都伴随你多年了……"王弗笑道："表姑，如何使不得！作为妻子不能为国赴难，难道还不能为夫分忧吗？当年眉州大旱，子瞻能捐粮，如今虽开官仓放粮，只怕也是粮少人多，我就不能捐首饰？"

采莲叹了一声，取来首饰匣子。王弗检视着首饰，觉得太少，想一想就捋起袖子，要脱下自己手上的玉镯，采莲急忙制止道："不可，不可，万万不可！那可是老夫人留下的，再说，也是……老夫人为你和子瞻订婚才给你的！"王弗笑道："也只有这翡翠玉镯还值些钱。"王弗边说边脱下，接着道："母亲在时，常常教诲我要相父教子，如今夫君有需，为妻岂能坐视。我留下一只，这一只，就算我替母亲捐了吧！表姑，你拿到店铺里卖了，千万不要让子瞻知道。"采莲眼中含着泪水，沉重地点点头，答应了。

第二天，苏轼带着一行车马来到粮仓门口，仓门已经打开，没有兵丁把守。苏轼看着粮仓，坚定地对曹勇说道："计数，装车。"曹勇、王老汉等人将粮食往车上装运。苏轼自写字据，放在粮仓里。王彭带着军士，远远地看着，苏轼在大门外，回身对王彭等抱拳感谢。

装完车后，苏轼又领着众人将粮车推到凤翔城外大街，向难民定额分发粮食。众难民疯狂奔跑而来，推搡着，秩序大乱。曹勇和王老汉尽量维持着秩序。不一会儿，一行粮车便空空如也，难民们争抢着剩余的粮食，仍有新的难民不断涌进来。有人已动手厮打起来，一些老人妇孺被撞倒在地，哭声震耳。

苏轼见状，站在粮车上，大声喊道："乡亲们，已经没粮了！都回去吧！"众难民跪着哭道："大人，我们还没领到粮食呢，我们就要饿死了！"那些没有领到粮食的难民开始争抢其他人手中的粮食。

苏轼一边无奈劝解，一边问曹勇为何涌来这么多难民。曹勇回道："大人，听说是新逃进城来的。乡亲们，都停手，听苏大人的话！"王老汉也劝道："停手，乡亲们，确实没粮了，都回去吧！"众难民毫不理会，争抢得更凶了，有的粮袋被扯破，洒落一地，众人纷纷在地上捡拾，又乱作一团。

苏轼无奈地看着眼前的一切，无计可施。这时，张璪率领一众衙役赶来，手持棍棒驱赶众难民，有难民反抗，便被衙役棍击倒地，头破血流。苏轼见状，大声制止道："邃明，叫衙役住手，莫伤及无辜！"张璪不屑地看着苏轼，怒道："都这个时候了，你还为这等暴民求情，白领官粮，还如此不知足，岂是无辜？"说着命令衙役："给我打！"衙役继续棒打。苏轼忙冲上前，制止住衙役，众难民一哄而散。

苏轼抢上前，向张璪怒道："邃明，你为何对难民动武呀？"张璪道："子瞻，再不动武，他们就敢把官府粮仓给拆了！"苏轼无奈地叹道："唉，休怪他们，僧多粥少，粮食仍是不够啊！"看着苏轼这般无奈，张璪得意地挥了挥手中的马鞭。

在曹勇的带领下，第一批涌进的难民虽有了一些遮风挡雨的草棚，但随着涌进城的难民越来越多，还是有不少人冻死、饿死在街头。

这天夜晚，苏轼与王彭、曹勇、王老汉等提着马灯，来到各处街道巡查。不时看到一群群难民无处藏身，躲在街角，个个冻得瑟瑟发抖，有的渐渐失去知觉，直至冻死，但旁边的人却无力理会。苏轼俯身查看地上一个僵硬的难民，摇一摇，没有动静，试试鼻息，才知已经死去。苏轼不禁摇摇头，痛心疾首地说："苏轼无能呀！"众人一脸凝重，宽慰道："大人，您已经尽力了。"

回到家，苏轼久久不能入睡。王弗听到动静，问道："夫君，还没睡吗？"苏轼心情沉重地对王弗说："夫人，今日我才知道，我原来也是个志大才疏、高谈阔论之徒！连凤翔难民我都无计可施，更别说治理天下了。"王弗宽慰道："夫君，你人微权轻，流民安顿之事，于你确实非常棘手，这与才能无关，你千万不可妄自菲薄。"苏轼叹道："曾经，人人都夸我是什么太平宰相、王佐之才，什么大宋第一才子！这些谬夸之词，现在已成了天下人耻笑的谈资！"王弗疼惜地看着苏轼，无言以对。

第二天，苏轼独自骑马来到城西郊区，只见城外一片荒凉，寒山瘦水。苏轼苦苦沉思，试图找到一个解决难民生计的办法。这时，他又想起了在仁宗面前许下的诺言：微臣要向陛下向百姓证明苏轼绝非纸上谈兵之徒，就必须去地方做出结结实实的政绩。想到此，他顿时觉得羞愧难当。

苏轼骑马越过田野，心情异常沉重。忽见前面田野中人影一闪，苏轼轻轻地下马，好奇地跟了上去。苏轼穿过枯草丛，看见原来是王老汉的儿子王二，他没有进城，在干什么呢？走上前，发现王二警惕地东张西望，在田里抓来抓去，用衣服兜住，揣在怀中，急速跑走。苏轼一惊，明白了这是在偷当地人种的薯芋，便牵着马，悄悄地紧跟王二而去。

苏轼知道当地的青壮年多被征去打仗，留下的老弱病残无力耕种，于是只能耕种最容易生长的薯芋之类。这王二不愿随父亲进城，而独自在城外，竟是干的这般勾当。

苏轼紧随着王二来到往西，眼前竟是一座废弃的军营，里面有上百间破旧得不成样子的房屋。

王二跑进屋中，向外张望一下，看四下无人，身形一闪，窜入一房屋内。苏轼紧跟而至，藏在门外，向里窥看。

屋里生着柴火，几个青年难民围坐着烤火。王二进来叫道："我回来了！有薯芋吃喽！"众人都站起，接过王二衣襟里的薯芋，笑道："太好了，饿死我们了！"大家迫不及待地烤着，惬意地说笑着。

王二感叹道："我几次进城去找我爹爹过来，他都不肯。咱这儿多好呀，这儿以前可是座军营，补一补，睡觉一点风都不漏。我爹他非要进城，他以为当官的有好心，你们想，那些当官的真会管我们这些难民吗？他们才不管呢，当官的哪有一个好东西。"几个青年连连点头，眼睛却注视着火中的薯芋。

苏轼听着屋内的谈话，豁然开朗：何不把城中的难民都接到这儿来，再把这个军营扩建一番，如此一来，就再也不会有人冻死街头了。想到这里，苏轼微微一笑，悄无声息地走出了军营。

回到凤翔府衙，苏轼立刻找到张璪、王彭，问道："王监军，城西二十里那座军营多少年不用了？"王彭答道："约有十年了。西夏鹞子军常来侵袭，后来朝廷就让军队驻到城里了。"苏轼若有所思地点点头。

张璪忧虑地问道："子瞻，你又想干什么？"苏轼答道："邃明兄，不瞒你说，我想让难民们住进军营里，如此一来，难民便有了一个长久安身之所。此乃天助我也。"张璪大惊道："子瞻，你不可一错再错。昨日你私放官粮，若报到朝廷，追查肯定十分严厉；你若以军营安置难民，等于私建村落，这又是杀头之罪啊！"苏轼豪情满怀地笑道："邃明兄，你又不是不知道，早在京城之中，我已两度犯下死罪，再来一次也是驾轻就熟。呵呵！"

张璪恳切地说："子瞻，你不可以为皇上每次都能宽恕于你。你如此不顾纲常纪法，迟早会不见容于世，即使皇上恩宠你，百官也不答应。"苏轼点点头，轻蔑地笑道："邃明兄，谢谢你的好意。可是你却不知道，昨夜凤翔城内已有难民活活冻死！所以苏某现在心中只有一事为大，就是如何不让这些难民再挨饿受冻，其余的且听天命，日后再说！王监军，走，随我去修理军营，尽快让难民入住！"

苏轼与王彭昂首走了出去。看着两人的背影，张璪气得坐也不是，站也不是。

苏轼和王彭来到城内的难民中，把这一消息通报了，大家顿时欢呼起来，不一会儿就各自收拾起不多的一点破烂物什，众人扶老携幼，随着苏轼朝凤翔城西的军营奔去。

来到城西军营，苏轼把修理军营的任务下达给曹勇和王老汉后，便随同王彭和巢谷指挥着上百军士和难民们热火朝天地干了起来。往日萧瑟冷清的破旧军营内一派喜气洋洋。不久，修理好的房屋已够现有的难民们入住了，附近的百姓闻讯，也络绎不绝地送来粮和衣物。苏轼见此情形，总算松了一口气。

这时，王老汉推搡着王二来到苏轼面前。王二老大不高兴，低着头不看苏轼，不知是不愿还是不敢。苏轼微微一笑，叫了他一声，王二不答。王彭在一旁，吼道："大胆，大人叫你，为何不答？"王老汉也催促儿子，王二这才不情愿地低声应了。

苏轼微笑道："王二，不管当官的有没有好东西，你做人也不能太过小气，光顾着自己有地方睡觉，就不想城里的人在挨饿受冻。所以本官虽不是好东西，但你也不甚高明，咱俩彼此彼此。"王二听此，抬起头惊诧地看了苏轼一眼，随即脸一红，又低下头去。苏轼佯怒道："还愣着干什么，还不快帮忙！"王二这才高兴起来，急忙抢过苏轼手中的铁锤，开始钉合门窗。众人见此，都大笑起来，军营中一团和睦。

苏轼拍拍王二的肩膀，高兴地说："王二，本官要的就是你这身力气！记着，吃了人家多少薯芋，日后可要如数奉还。"王二停下手中的活，稍一愣，涨红了脸，又赶忙使劲敲起锤来。

忙了一天，苏轼疲倦地回到家中，但脸上泛出喜悦和满足的神采。采莲抱着一个箱子来到苏轼面前，王弗指着箱子道："子瞻，这些钱你拿去给难民买粮食吧。"苏轼打开箱子，见是一大箱的铜钱，惊讶地问道："钱，你哪里来的钱？"王弗温柔地说："你就不要问了，只管拿去。"苏轼着急地说："不，你不说我就不拿。"采莲在背后忍不住说道："夫人卖了首饰，换了这点钱。"苏轼惊得站起来道："什么？哎呀，怎么不告诉我？你本来就没有什么首饰。"采莲看看王弗，又看看苏轼，嗔怪地说："告诉了你，你能让卖吗？"

苏轼随即抓起王弗的一只手，见手腕上空荡荡的，惊道："你……"王弗举起另一只手，羞愧地向苏轼说："子瞻，对不起。不过，我还留了一只……"苏轼眼中含着眼泪，捧起王弗的手，爱怜地说："就是一只不留，我又能怪你吗？夫人，能娶你为妻，苏子瞻此生足矣。"

第二天，苏轼来到军营，监督难民的修建工作，又把王二叫过来，把当天尾随他来到军营的事说明了，并拿着一串铜钱，要带他去还给薯芋的主人。王二一开始惶恐不已，以为苏轼要惩罚他，没想到苏轼竟会如此处理，愧疚地答应了。

苏轼带着王二找到了薯芋田的主人。王二走上前，将手中的一串铜钱交给那位老伯，并解释了原因。看到苏轼在旁，老伯自然满心欢喜，连连称谢。这时，旁边几个老农也凑过来看热闹。

王二接着问道："老人家，我偷吃你的薯芋，是我不对，现在苏大人叫我赔钱给你。不过我一直纳闷，你这地好好的，却为何让它荒着？这么大一片地却只长出薯芋，吃多了实在寡淡。"苏轼顿时也想到这个问题，也赶着问这地为何荒了。老伯叹道："我的儿子打仗死了，这地没人种。我们这村子里，年轻人多出去打仗了，有的死了，有的不知是死是活。我们这帮老头子哪有力气种地，只能种点容易活又不费力的东西，将就着度日罢了。"王二听此，叹息着说："唉，这块地不赖，偏偏没人种。我有一身力气，偏偏又没地种！你说这事，唉……"

苏轼突然为之触动，茅塞顿开，喜道："对啊，老伯，你为什么不把地租给他呢？他有力气你有地，你可收租钱，还有粮食吃。"老伯忙摇头道："租给他？不行不行，要是他霸占了我的地怎么办？"苏轼说："不会，官府给你们担保。"

老农们纷纷摇头，七嘴八舌道："官府？官府我们可信不过。我们就是以土地为生的，没有地可怎么活？我们宁愿让它荒着！我们现在种不了，将来有我们儿孙种。我们自己的地，绝不给外人种……"说罢纷纷转身离去。在他们看来，苏轼仿佛是官府派来侵占他们土地的。

王二挥手叹道："这些老人家，好糊涂！"苏轼心下失望，却也明白农民祖祖辈辈以土地为生，又对官府极不信任，想不通情有可原。然而此事不能因此放弃，若能施行，将是万民之福。

回到府衙，苏轼把租地的想法告诉了张璪。苏轼并不指望他出多少主意，但若不通知他，也有失礼貌。苏轼虽与张璪性情迥异，但毕竟是同年，在苏轼心中，他们还没有到"道不同不相与谋"的程度。但令他不快的是，张璪又一次对他的计划嗤之以鼻："子瞻兄，你说什么？你要农民将田地租给难民耕种？子瞻哪，你这是得寸进尺，你简直将朝廷法度视若无物！我劝你即刻悬崖勒马，回心转意。"

苏轼已经料想到张璪会是这样的答复，冷冷地说："邃明兄，我意已决。总之，还是那句话，一切由我承担。"张璪不屑地说道："那你就等着朝廷降罪吧。"说完拂袖而去。

苏轼拍案而起，终于明白，自己上任以来诸多违纪之事，张璪应该都已通过朝中关系上报朝廷，才会有此等决绝之语。经此一事，苏轼心知两人再难有政见相合之时。

当晚，苏轼就写出租田告示，让衙役们第二天在各村土墙上张贴出去。苏轼一早便和王彭、巢谷、曹勇来到各村中探查村民们对租田告示的反应，想不到村民们纷纷关门躲藏，如临大敌一般。曹勇上前敲门，却无人应门。

村民拒绝租田的消息报到张璪家中，张璪精神为之一振，喜形于色道："呵呵，看来苏轼此举不得人心啊！"说完，张璪又转入沉思："苏轼才华过人，仍需加紧防范。我不能总是被动应对，也该转守为攻一回。"随即便对自己的心腹衙役嘱咐一番，衙役点头出门。

这位衙役来到村中，站在村头的巨石上，向众村民们说道："我说的话，大伙都该听明白了。那些流民仗着有人撑腰，马上就要来抢占你们的田地，现在说得好听是租，过些日子就会明着霸占。"

一老农愤怒道："他们看俺儿子在外面当兵，俺老弱病残就好欺负吗？不行，俺老汉绝不答应！"

这位衙役又接着说："老人家，这是明摆着的事，他们已在凤翔居住下来，这么多人要吃饭，不抢占你们的地又能抢占谁的？难道他们愿意饿死？"

众村民皆嚷道："俺们不答应，俺们找他们理论去！走，抄家伙，让他们瞧瞧俺们的厉害！他们休想抢占俺们的田地！"说完，众村民皆抄家伙，蜂拥而去。

村民们持着棍棒锄锹，气势汹汹地来到城西军营外。有难民告知曹勇，曹勇立刻派一人速去告知苏轼，随即带领众难民来到军营外，拦住村民。很快两方便对峙吵嚷起来。

　　曹勇听清村民的来意，平和地解释道："老人家，众位兄弟，我等经历战乱，流落到此，只想有口饭吃，怎么会想着抢占你们的田地呢？"一老农大声嚷道："谅你们也不敢明抢，俺老汉告诉你们，这田地可是俺们的命根子。你们要打这田地的主意，俺们就来跟你们拼命！你们也休想租田，不要以为官府有大人给你们撑腰，俺们就怕了你们，别以为俺老汉不知道，你们租田正是为了日后霸占田地！"众村民纷纷附和。

　　曹勇大声辩道："老人家，看来你是误会了。我们租田种地，只想种得粮食，不至于挨饿，怎会霸占你们的田地呢？"王老汉也说道："你们将地租给我们，地不荒了，还能收到田租，对大家都是好事。"王二也上前说道："你们放心吧，我等都是良民百姓。"

　　一老农认出王二，叫道："你是什么良民百姓，你偷人家地里的薯芋，你是贼人！"几个老农也纷纷指责王二。王二忍住怒火，说道："这位老人家，我偷你薯芋不对，但已赔过你钱，你怎么骂人呀？"老农接着嚷道："你们不安好心，怎么不是贼人，怎么不该骂？"

　　王二抢上前去，怒道："你们这不是欺负人吗？"一老农也怒道："好啊，小子，你竟要动手打人！你当俺们是老弱病残，就可以胡作非为，骑在俺们头上拉屎。乡亲们，俺们不能让他们这般欺负，打！"

　　曹勇忙上前拦阻。众村民挥棒打来，王二躲闪不及，被一棒打至头破血流，晕倒在地。王老汉大叫一声，哭着抱住王二。众难民见状大怒，也纷纷拿起家伙还击，双方展开激烈械斗。曹勇在中间奋力阻挠双方，却无济于事，自己还被打伤。不一会儿，双方互有伤者。

　　这时，苏轼与王彭、巢谷骑马赶来，身后跟着一干衙役。苏轼边下马，边大声制止道："住手，都住手！"但双方仍是打斗不止。王彭率众衙役上前，亮出兵器，吼道："听大人的话，都住手！"双方这才渐渐停手，但仍怒目而视，互相指责谩骂。

　　曹勇脸上血流不止，不及擦拭，便上前向苏轼说道："大人，我已尽力劝止，却无能为力。"苏轼无奈道："我知道，不怪你。"随着转向双方说道："大家听着，今日之事，官府不做追究。你等各自散去，类似情形，再不可发生！"难民们在曹勇的规劝下纷纷散回军营。

一老农冲着苏轼道："大人在此，小民等正好要告诉大人，这田地俺们绝对不租！"苏轼刚要劝说，村民们便拿着农具纷纷散去。

回到家中，苏轼无可奈何地闭眼沉思。

巢谷拿起一大杯水，一饮而尽，气呼呼地说："这些百姓真是不识好歹，怎么劝都没用。地荒着也是荒着，租出去却能换粮食。换了我，高兴都来不及。"

王弗上前安慰道："夫君，为妻看来，劝农之事遇到阻碍，全在百姓不信任官府。"苏轼点头应道："知我者，弗儿也。"王弗接着说道："百姓不信任官府那是自然之事。如今边关战乱，土地就是他们的命根，你要他们把地租给难民，他们又怎么不担心惧怕呢？"苏轼点头道："我何尝不知，但我原以为百姓忠厚纯良，只要晓之以理，他们能想通的。夫人，你以为我如何能说服他们呢？"王弗沉吟片刻，笑道："为妻以为，就是一个字——诚。"苏轼点头称是。

第二天，苏轼又偕同王彭、巢谷等来到村中，村里空荡荡的，不见人影。苏轼等在村里逐户敲门，村民从门缝里见到是官府的人，有的开门又慌忙关上，有的装作没听见。村子里很静，只有狗叫声。

第三天，苏轼一行人再次来到村中。王二、曹勇头上都包着破布，身上血迹也未干。众人来到村头，村里仍无人影。王二跪在地上，真切地说道："乡亲们，我王二骂人在先，引起打斗，我向乡亲们请罪了！"曹勇、王老汉也跪下道："我们给乡亲们谢罪了！"几位老农从门缝里窥看，又迅速将门掩上。王二等跪地不起，苏轼捻须沉思，心中判断：众村民虽仍不出来，但已明显有所动摇。

第四天，众人又来到村中，只见依然关门闭户。苏轼等沿街巡视，只看见一老人坐在村口老树下。他看见苏轼等，干咳了一声。王彭带苏轼等走近老人，解释道："这是该村的地保。"并对老人说道："老人家，苏签判来看你了。"

地保假装耳背，问道："你说什么？"王彭大声说道："苏——签——判，新上任的凤翔签判，就是他建起了难民村。"地保点头道："哦，听说了。"苏轼上前，恭敬地问道："老人家，高寿了？"地保回道："不敢，八十。"苏轼笑道："耄耋老人啊，您老一定长命百岁！"地保道："托您的福，还能再活八十！"众人大笑起来。

苏轼紧接着问道："老人家，村里人为何就不肯租地呢？"地保叹道："那是因为俺们不敢！这地可是俺们的命根子，要让给别人，不行。"苏轼接着劝道："老人家，不是给别人，这地还是你们的，是别人代你耕种，还给你粮食。"地保问道："那大人说说，如何种法？"苏轼回道："主户三分，官一分，租者六分，可以吗？"地保忙问："那俺们还要向官府交粮吗？"苏轼说："不用。"

地保点点头，突然又叹一口气，连连摇头。苏轼见状，问道："你是担心种你们地的人赖账不交，或者霸占你们的地吧？"地保点点头。苏轼笑着劝道："这不要紧，有官府呢。"地保摆摆手，忙说："官府？俺们可信不过官府。官府今日一变明日一变，俺们这些庄稼人可就苦喽。"苏轼便说："有我哪。"地保看了看苏轼，还是摇头道："有大人当然好了，可大人在这凤翔任期顶多两三年，大人一走，就没人做主了。官府的习惯历来就是一个和尚一本经，一个将军一个令。"

苏轼为之一怔，叹道："说得有理呀，哦……不妨这样，你们和难民们先签两年半的契约。行得通，你们以后再续签，行不通，到期就终止。这样我如果走了，你们如果不放心，还可以再收回到自己手中，这样行吗？"地保显然已被苏轼说动，问了一句："苏签判，这契约作得了准吗？"

苏轼自知就要成功，兴奋地取下官帽，放在老人手中："老伯，以我这官帽为抵押，作得了准！"地保感动地推着官帽，连连说道："不敢不敢！大人，小民岂敢，大人快戴回去！俺看行！只要有大人作保，俺们就租。俺看大人跟他们不一样，大人有爱民之心，若真有闪失，俺也心甘情愿。"苏轼高兴地说道："那好，等过了节我们就签字画押。"

地保干咳一声，冲着屋里大喊道："都听见了吗？苏签判是个好官，俺们听他的。这田地，租！"还未喊完，村民们都打开大门涌了出来，纷纷感动地说："苏签判，您这几天，天天来村里来劝俺们，这样的官俺们从未见过，俺们听你的！俺们租地！"苏轼面露喜色，激动地拱手说："乡亲们，苏某知道你们的忧虑，苏某在此谢过了。"众人皆大欢喜。

正在苏轼在凤翔开官仓、建难民村、签约租地，忙得热火朝天之时，张璪的告状信也送到了汴京王珪府上。王珪将手中的信纸慢慢放下，捻须思索，不无得意之色，随即向管家吩咐道："给老夫备官服，我要上朝。"管家问为何突然上朝。王珪笑道："呵呵，果不出我所料，张璪的信里讲了苏轼在凤翔是如何一鸣惊人的，我也要在皇上那里参他个一鸣惊人。"

管家拿来官服，边帮王珪穿上边道："老爷说得对，苏轼年少气盛，好出风头，一定会惹是生非的。还有，听说朝廷已派陈希亮去做凤翔知府了。"王珪转身问道："就是在长沙做官的那个武人——陈希亮？"管家称是。王珪点头微笑道："好，好，此人再合适不过了。"

陈希亮带着家人来凤翔府上任，由于时值北方寒冬，故而走得颇慢。这日已是大年三十，陈家一行来到凤翔郊外大道，看到了凤翔灰蒙蒙的城墙。

一少年跃马在前，潇洒飘逸，左顾右盼，风采俊朗，这是陈希亮前妻所生的长子——陈憴。陈希亮的马车队伍跟在后面，继室杜氏坐在轿内。陈希亮骑着高头大马走在旁边，一副典型的武人形象，长身黑面，两眼有神。

轿中，杜氏摸摸鬓边的珠花，掀开马车窗的帘子，埋怨陈希亮说："这里可真冷，瞧你来的这鬼地方！"陈希亮虽十分喜欢甚至娇惯杜氏，但话语间还是脱不了武人的口气："你以为我愿意来，派我去边境才好呢，同那西夏鹞子杀个痛快！"杜氏忸怩作态地说："哟，老爷，我是这意思吗？你已是儿女成群之人，成天还不忘打呀杀呀的。你真上了战场，若有个三长两短，留下我一人，我可怎么活！"陈希亮挥挥手，不耐烦地说："好了好了，女人家不要啰唆！"

杜氏刚安静一会儿，突然又掀开帘子，"老爷，我听说你那个同乡，就是皇上器重的大才子苏轼也到凤翔做了签判。他是签判，你是知府，你可得给他个下马威！"说着，故意朝着陈憴的方向，鼓着眼睛说："这种年轻人，最易狂妄！"陈希亮没有领会到杜氏话中对陈憴的不满，只是不屑道："一个乳臭未干的臭书生，不在我眼里。"说着，抡起鞭子，一鞭就将路旁的小树抽得乱颤。

自打听说苏轼在凤翔的所作所为，远近的难民每日都三三两两地朝凤翔方向逃去。陈希亮这一路上自然也看见不少，只是他沙场征战惯了，对尸体都已见怪不怪，何况这些奄奄一息的难民，他更是不放在眼里。反倒是他的儿子陈憴，虽然也是习武出身，但是心怀一颗仁慈侠义的心肠，每次看见难民要昏死过去，总要上前将粮食分给难民。陈希亮对此虽不反对，心中却也有些不悦，总向杜氏说道："你看，我这个儿子一点也不像我，倒像个文人。"杜氏本来就对这个陈家公子心存不满，看到陈恺这种义举，自然更没好气，嘟囔着说："他倒大方，却不知道我们养家辛苦。"

很快，陈希亮来到凤翔城门外，知府衙门的众多官员都已在城门前列队迎候。

张璪与众官员迎上前去，鞠躬施礼道："恭迎知府大人！"陈希亮并未下马，挺胸举目扫视众官，对毕恭毕敬的张璪问："这位是……"张璪忙笑着回道："回禀知府大人，下官乃是凤翔府的法曹张璪。"陈希亮问道："哦……苏签判何在呀？"张璪答道："回禀知府，今日是大年三十，苏签判按例到监狱点名去了，他说点完名亲自到陈大人府上登门赔礼。大人有事尽管吩咐下官就是。"陈希亮脸上露出不悦之色，并不下马，昂首而去。

按例，签判确实应该在大年三十到监狱点名，不得有误。但知府上任，一般官员宁肯违例，也不会弃知府不顾的。但苏轼不管这些，就如张璪所说，确实在凤翔监狱召见犯人点到。他旁边站着巢谷，另一侧站着常狱曹，堂下两侧站有两排持刀的狱卒。

见过十几个犯人，苏轼已经发现其中有不少疑案，甚至肯定是冤案。比如一个叫刘二楞的村民，因见事不公，出手打一地痞致残而入狱。苏轼查明，那地痞有钱有势，经常欺男霸女，遭到刘二楞一顿痛打后，买通了官府，掩盖自己罪行不说，还判了刘二楞十年，自此以后更是为非作歹，祸害一方。苏轼让巢谷记下这个案子，准备重审。

苏轼在花名册上点着名，道："下一个，杨伍氏。"杨伍氏的女儿杨小莲扶着颤颤巍巍的杨伍氏走出囚牢。一狱卒猛地推了一把杨伍氏，骂道："老不死的，快些走！"杨伍氏一个趔趄，被推倒在地。小莲哭着大喊："你为何推我母亲？"狱卒正要发作，被常狱曹制止住。常狱曹忽然想起什么，若有所思地对小莲道："今日由新任的苏签判点名，记着，不许乱说话。"杨伍氏看着常狱曹，仿佛意识到什么。

杨伍氏在杨小莲的搀扶下上了大堂，常狱曹斜瞪着小莲，眼中露出威胁的凶光。杨小莲蓬头垢面，掩盖了其本来的姿色。

杨伍氏看到堂上一脸正气的苏轼，觉得自己伸冤的时候到了，便下意识地拉拉小莲，两人忽然大哭着跪于当堂，大喊冤枉，众人大惊。常狱曹慌道："两个女囚，是何用意！给我拖走！"狱卒上前拉拽杨伍氏与小莲。苏轼见状，大喝一声："住手！这位老人家，请起来说话。"常狱曹无奈，只好示意狱卒退下。

苏轼待母女二人起身后问道："老人家贵姓？"杨伍氏清了清嗓子，回道："回禀大人，罪身名叫杨伍氏，钱塘人士，是环州原知府杨云青的发妻。有人诬告我家官人暗通西夏，被朝廷责问，忍辱自杀，留下老身与女儿杨小莲二人，被关大牢。而今已有两年整了，转到凤翔羁押，也已有三月了。"

苏轼当然知道这位杨云青，当年他"叛国"的案子曾轰动一时，但后来朝廷为之平反，证实他其实是一个为国为民的大忠臣。想不到他的家眷如今还关在牢中，苏轼心中不禁愤怒而悲痛，不禁站起道："原来您就是杨知府的夫人？"杨伍氏点头。苏轼立刻吩咐道："立即放人！"

常狱曹慌忙上前道："放人？大人，使不得，这母女二人是朝廷重犯，可是张璪大人亲自审理转押过来的。案子尚未查清，上面还没来批文，岂能轻易放人呀！"苏轼怒不可遏，一拍惊堂木："大胆！长安大帅张方平大人告诉过本官，西夏对庆州久攻不下，才施了造谣离间之计，迫使杨知府自杀身亡，此事早已大白于天下，毋庸多言。先放人，再请朝廷的批文！万事由我担着。"

常狱曹吞吞吐吐地说："可是……"巢谷上前叫道："你这狱曹，还不快放人！"常狱曹忙点头放人。杨伍氏与杨小莲泪如雨倾，跪倒在地，杨伍氏哭喊道："多谢大人，多谢大人。云青啊，你在天之灵可以安息了！"

苏轼起身来到杨夫人跟前，挽扶着她，安慰道："老夫人哪，让你们母女俩受苦啦，快起来，快起来。杨知府乃精忠报国的有功之臣，受此不白之冤，且牵涉家眷受此牢狱之灾，本官理当替你做主。"杨夫人哭道："大人，有您这一席话，我母女二人就感激不尽了，他爹九泉之下也可以瞑目了。"

苏轼接着说道："这样吧，您母女先到我家住下，等我请下刑部的回文，再送您回家！巢谷，先领老夫人和小姐到咱家住下，过个消灾之年吧。"巢谷兴奋地答应着。杨夫人母女俩感激涕零又要下跪，被苏轼、巢谷拦住。

十三 太 守

凤翔虽为边关小城，除夕之夜也还是张灯结彩，一片欢乐喜庆的气氛。常狱曹却无福消受这欢乐的气氛，他不敢阻拦苏轼释放杨氏母女，但心中又十分忐忑，因为她们是需严加管制的钦犯。若朝廷怪罪下来，他如何能脱得了干系。无奈之中，常狱曹想到了张璪。

张璪听到这个消息，心中暗喜，立即动身前往陈希亮家中。

不出张璪所料，陈希亮果然勃然大怒。他立刻让人去苏轼家中捉拿那杨氏母女。张璪嘴上虽还为苏轼辩护，心中却不禁得意。

张璪匆匆走出陈府，与前来拜访陈希亮的苏轼撞了个满怀。苏轼问张璪何以如此匆忙，张璪尴尬地搪塞一番，迅速离开了。苏轼望着张璪的背影，似有所悟。

来到院中，只见松竹苍翠，环境清幽。陈府的管家陈奇迎上前，苏轼报上名字和官职，说要拜见陈希亮大人。陈奇和陈希亮一样，心中对苏轼已有成见，遂冷笑道："原来是苏签判，请稍等，我去跟老爷禀报一声。"苏轼施礼谢过。过了一会儿，陈奇回到院中，略显倨傲地笑道："对不起，苏签判，老爷说了，他没空，请你先回吧。"苏轼沉下脸来，忙问为何，其实心中早已猜到几分。陈奇挤出一丝笑容说："哎呀，没空，大年三十，都忙年哪。再说，老爷今日才来凤翔，不得安排一下吗？"苏轼稍一思忖，施礼拂袖而去……

在满街的爆竹声中，苏轼匆忙赶回家，还未到家门口，便远远望见十几个衙役持刀冲到苏家门外，"咚咚"地大声打门。这时王彭忽然赶到，呵斥打门的衙役道："退下！"众衙役遂闪避到一边。听到门外的嘈杂声，巢谷开门出来，见状也猜到几分，于是回身把门关上。

看到苏轼赶到，王彭忙上前施礼，并把陈希亮的命令告知苏轼。苏轼怒道："这是本签判分内之事，一切由本签判负责。就是捉拿犯人，也必须由本签判同意。"王彭稍一犹豫，看了巢谷一眼，低声向苏轼说："苏签判，依在下看来，此事并不简单。今日陈太守上任，苏签判因在牢中点名，没有迎接他。陈太守动了怒，要借此事给你一个下马威！"

苏轼点点头，理直气壮地说："除夕清点犯人，乃是惯例，这本是怨不得我的。可他怎么知道我放了杨老夫人母女呢？"王彭虽也猜到几分，但还是跟苏轼说："苏签判，此事片刻之间已轰动凤翔，难免有人告知陈太守。"苏轼愤然道："这些人不仅不同情杨老夫人母女，还借此谄媚生事！"

巢谷听此，直率地向苏轼说："会不会是张璪告诉陈太守的呢？"苏轼还是不愿如此揣测自己的这位同年，将信将疑地说："不会吧？不过我方才去见太守，他正从府中出来。"说完看看王彭，王彭低头不语。

苏轼见状，果断地说："不管这些了。巢谷，你去告诉夫人，就说我去找太守了，年夜饭不必等我了。"又对众衙役说："你们先回去，待我同陈太守商议后再作定夺。"

苏轼正要离开，巢谷迎上前说："子瞻，你刚才不是去过了吗？如果陈大人想同你商议，不是早就商议了吗？"苏轼停住，怒道："刚才他推脱没见我，不过这次我必须见他。巢谷兄，不要让外人进入家门，此事也须瞒着杨老夫人母女。"巢谷点头答应。

苏轼疾行而去，王彭率众衙役回府衙。

来到陈希亮家门外，已是吃年夜饭之时了。管家陈奇开门，见是苏轼，惊道："苏签判，怎么又是你？我家老爷不是说没空吗，正在吃年夜饭呢！"苏轼并不理会陈奇，推开他，径直跨了进去。陈奇急忙追了上去，叫道："苏签判，你站住，你站住……"

陈府正堂装饰得喜气洋洋，桌上陈列鱼肉杂陈。陈希亮坐在首座，年轻而妖艳的杜氏和儿子陈憷分坐左右。陈希亮精神焕发，陈憷则闷闷不乐。杜氏扭捏着给陈希亮倒酒，嗲声嗲气地说："老爷，您多喝点。我们既已安顿下来，就赶紧把铺子开起来吧。"陈希亮一饮而尽，不快地说："妇道人家，成天就知道开铺子，开铺子，掉进钱眼里了吧。"陈慥也厌恶地乜斜了杜氏一眼。杜氏娇嗔着说："老爷，我不也是为了这个家吗——"杜氏还要说话，却见苏轼忽然闯了进来，陈奇快速上前，无奈地说："老爷，他自己闯了进来，小的拦不住……"

陈希亮一脸怒容地问道："你是何人？"苏轼躬身一揖，恭敬地回道："禀告知府，下官乃凤翔签判苏轼。"陈希亮拿起酒壶，缓缓斟酒，有些轻蔑地说："原来是苏签判呀，此时来到本府家中，好像不妥吧？"苏轼微笑着施礼道："陈大人！夫人！想必这位是陈公子了，苏轼有礼了！刚才下官来拜访大人，大人说没空。现在看来大人有空了，我就来陪大人吃顿年夜饭，难道大人不欢迎吗？"

陈慥早就听说苏轼的文名，自己虽是习武的，但对苏轼还是充满了兴趣；苏轼宁可例行公务而放弃迎见太守的行为，更使他对苏轼有了好感。杜氏便没有这样的好气量了，翻着白眼哼了一声，看也不看苏轼，大声说："哪有在别人家吃年夜饭的道理？做官的连这个规矩都不懂！"

陈希亮向来我行我素，因此对苏轼的不拘礼节倒产生了一丝好感，笑道："哈哈，所谓年夜饭不能在别人家吃，这都是你们文人书生订的繁文缛节。老夫又不是酸臭文人，偏要答应你。陈奇，添一副碗筷！"苏轼坐定后，陈希亮问道，"听说苏签判与老夫是同乡，你是眉州人？"苏轼点头称是。陈希亮笑道："那好，苏签判，请用。"

苏轼起身拱手道："陈大人，不急。苏轼有一事相问，不知可否？"杜氏没好气地说："好心留你吃饭，却要说事，还让不让人吃这年夜饭啦？"陈希亮白了一眼杜氏，愠怒道："男人说事，跟你这妇人家没干系，你吃你的，不许再出声。苏签判，你问吧。"杜氏不语，瞪了陈希亮一眼。

苏轼坐下说："陈大人，方才有几个衙役奉大人之命到我府上拿人，可有此事？"陈希亮听此，正色道："有这事，杨伍氏母女是朝廷钦犯，当然要拿。听说正是苏签判先前私自放了这二人。"苏轼不卑不亢地回道："大人，下官以为，杨云青之冤情早已经大白天下，杨家母女的事情也已成公论，朝廷早就要为其洗清罪名，只是尚未降旨罢了。故下官才放了杨氏母女，若大人仍存疑虑，苏轼甘愿做个担保。"

陈希亮突然站起身，心中怒气一齐发泄出来，瞪眼说："苏轼，人都说你狂妄，老夫倒还不信，今日一见，果真如此。你不提也罢，今日老夫上任，你何以目无长官，躲到州府监牢去，不仅私自放走朝廷钦犯，还在这里做担保人情！哼！"苏轼也站了起来，慷慨陈词："陈大人，按大宋律例，腊月三十，州府签判照例要到监狱给犯人点名，这事别人不能替代，所以苏轼不能来迎接您。而我点完名后曾来府上拜见您，您却不见我，这又能怪得了谁？杨家母女一案纯属冤狱，更是天下人皆知的事实。大人身为武将，也曾浴血沙场，为国征战，岂能这样对待杨大人的忠魂！"

杜氏这时也不禁站起来，指着苏轼道："苏轼，别忘了这是在谁家，你竟敢这样说话！"陈慥不语，紧张地看着陈希亮。屋内的气氛登时紧张起来。

陈希亮瞪着苏轼，忽然狂笑道："哈哈哈！你们这些少年书生，真会说漂亮话，可惜只长了这一张嘴。苏轼，你口口声声说战场，我问你到过战场吗，你听过军鼓齐鸣吗，你见过刀光剑影吗，你见过敌人的血和我们军士的血混流在一起，那血的颜色吗？你若没见过，就休要在本府面前提战场二字。好，放人的事本府先不与你计较。陈奇，拿酒来！"陈奇抱着两个酒坛进来，放在桌上。

陈希亮横眉立目道："苏轼，我是武人，不会说话，只会喝酒。会喝酒的人才会打仗。来，老夫先饮！"说罢抱起酒坛，大口痛饮，饮完大喊一声："痛快！快饮呀，苏签判！"杜氏在一旁拉着陈希亮的袖子，低声劝陈希亮慢些喝。陈希亮酒兴已起，怒目喝道："你再啰唆，就赶你出去！"杜氏遂噤声不语。

苏轼为难地说："陈大人，苏轼不胜酒力，恐难胜任。"陈希亮鄙夷地一笑，不屑道："你们这些书生呀，啰哩啰唆，就像妇人家一样。若不能喝，休与老夫论战场之事！"

苏轼一听这话，豪性大发，也抱起酒坛灌酒，却被酒呛着，衣衫湿了一片。陈希亮一阵狂笑，苏轼颇有些恼火，但仍倔强地灌着酒。杜氏见此幸灾乐祸，陈慥从旁递给苏轼一条汗巾，苏轼谢绝。

陈希亮看不上苏轼尴尬的样子，却又不得不佩服苏轼倔强的性格，笑道："看来苏签判的酒量可要多加历练啊，哈哈。"说完，又吩咐陈奇上羊腿。陈奇领会其意，不一会儿就端上两只硕大的羊腿，只有几分熟，尚淌有血迹。

陈希亮豪迈地让道："来，苏签判，来到大西北，怎能不尝这带血的羊腿肉！吃了这肉，浑身就有力气，有力气才能杀那西夏鹞子军！"说完抓起羊腿撕咬，发出响亮的声音。苏轼酒意已上来，又被陈希亮这样一激，也拿起羊腿啃咬，却不得要领，十分狼狈。

陈希亮边咬着羊腿边说："哈哈，苏签判，你知道你为何吃不动这羊腿吗？"看着苏轼惺忪茫然的眼神，陈希亮激动地怒睁双目道："因为你没在战场上挨过饿！你虽少年得意，会作几篇文章，深得皇上的器重，但又算得了什么！本府曾下命让兵士站立不动，敌人的箭从天上像下雨一般飞来，把他们射成了一个又一个筛子，可本府的兵士一动都没动！"说着，豪迈地狂笑不止，眼中闪动着光芒，仿佛看到了当年沙场征战的情景。苏轼见状，也只能无语地低头喝酒。

此时，苏轼家中也已拾掇一新，贴红挂彩，一片温馨之意。

杨氏母女洗浴后，分别穿上王弗和采莲的衣服，走进正堂。焕然一新的杨小莲如出水芙蓉，亭亭玉立，貌若仙子。王弗抬头见她，不由得眼前一亮，惊叹道："妹妹有倾城倾国之貌，神女天仙之光，我还从来没见过这么美的女子呢！"杨小莲低头羞道："夫人拿我开心了，小莲哪有夫人美呀？"杨伍氏开心地笑道："还是夫人美！"王弗笑道："老夫人，我可不是自谦，我这可是心里话。"杨小莲更加不好意思，说："小莲也是心里话呀。"

采莲也不禁叹道："哎呀呀，要是皇上知道了，非选到宫里做娘娘不成。"小莲忙打断她的话："表姑，小莲可不愿做娘娘。"王弗问小莲多大岁数了，小莲答道："十七了。"王弗点点头，又问道："在牢里，他们没难为你吧？"小莲强忍住眼泪，悲痛地说："过去，我不知道什么叫人间地狱，如今是知道了。"杨伍氏忍不住地垂泪不已。王弗爱怜地拍着小莲的手，劝道："妹妹，好了，你看，现在不是出来了吗？没事了。"

巢谷收拾好院子，匆匆走了进来，迎面看到妆饰一新的杨小莲，不禁呆呆地看着，一时竟出了神。小莲见状羞怯地低下了头，躲到杨伍氏身后。王弗见巢谷这番神色，微笑着走到他身边，轻轻拍打了他一下，佯嗔道："巢谷，哪有你这么看人家姑娘家的？"巢谷回过神来，不好意思地挠头笑笑，忽然记起什么事来，说："喔，夫人，我是来告诉你，子瞻现在还没回来，据衙役说，他是去太守家吃了。"众人皆愣住了。

不一会儿，采莲和巢谷摆好一桌简朴的菜肴，王弗把杨氏母女让上桌，大家举杯祝酒。王弗举起酒杯说："我们初来凤翔，也没有什么丰盛的饭菜招待杨夫人和小莲妹妹，请别见笑。"杨伍氏忙回道："不敢，夫人能收留我们母女俩，我们就感激不尽了。"

王弗站起来，说："我们就不等子瞻了。来，这一杯我先代子瞻敬杨太守和守边殉国的英烈们！"杨伍氏含泪举杯道："谢谢，苏夫人，老身不知说什么好了。"言毕，大家一起响应，将酒敬洒在地。

王弗又举起杯，祝道："来，我们大家再敬老夫人和杨小姐一杯，明天就是嘉祐七年了，祝你们母女二人安康幸福。"采莲也附和道："是啊，否极泰来，愿来年你们吉星高照，万事如意。"杨伍氏谢过，众人一饮而尽，杨氏母女噙着热泪，不知如何表达心中的感激之情。

小莲袅娜地站起来，举起酒杯祝道："小莲给大家敬酒了，小莲要说几句敬酒词，大家不要笑话小莲。小莲祝大人鹏程万里，祝夫人牡丹满枝，祝表姑老梅苍健，祝巢谷兄骏马奔驰，祝合家欢乐安康。"大家开怀而笑，纷纷赞说小莲的祝酒词。

王弗忍不住赞道："莲妹可真是才艺超人，秀外慧中啊！"小莲羞涩地低下头。杨伍氏看着小莲，叹道："莲儿从小爱读诸子百家，琴棋书画也受过明人指点，就是不爱女红针线。她父亲在世的时候常常叹道，说她生错了身，若是男儿，就能考进士了。"王弗笑道："有此厚学，必然有用。"转眼看到巢谷含情脉脉地看着小莲，心中早已猜到大半，不觉微微一笑。

巢谷的眼神突然和王弗的眼神相遇，不觉低下头，随即抬头说道："不做进士也罢，我们这儿又不缺进士，多了没意思。咱家苏老爷子就不是进士，学问照样很大。"杨伍氏向巢谷问道苏老爷子是谁，采莲接过话说："就是文名满天下的苏明允！"小莲听此，惊喜地问道："莫非大人就是兄弟同登皇榜的大苏先生？"众人点头称是。

杨伍氏激动地站起来说："如此说来，先夫与你们家老爷也有数面之缘。当年苏老爷云游四方，到过庆州，还与拙夫论及教子之道！记得大苏、小苏先生中举之时，拙夫曾大为慨叹，可惜他只有一女！"王弗喜道："原来竟是故交呀！来，那就更要好好地庆贺一番了。其一嘛，庆贺上万庆州难民在凤翔安居乐业！其二嘛，要贺子瞻与我又多了个妹妹，杨老夫人，我想与小莲姐妹相称。"采莲和巢谷都说好。杨伍氏也喜道："这可抬举莲儿了。莲儿，还不快认！"杨小莲忙站起施礼道："姐姐，妹妹这厢有礼了。"王弗扶小莲坐下："妹妹不必客气。"众人开心地笑道："好，我们干一杯！"

苏轼还在陈希亮家喝酒，两人皆有醉意，苏轼更是几近醉倒，但他还是强打精神。此时，陈希亮又要苏轼和他掰手腕，想继续杀杀苏轼的锐气。苏轼不顾陈慥的劝告，爽快地答应了。苏轼这边用尽全身气力，青筋直暴，而陈希亮则游刃有余。

杜氏在一旁拍手笑道："好，好，老爷再加把劲，老爷就要胜了！"陈慥上前向陈希亮说："父亲，苏签判是一文弱书生，你这样胜之不武。"杜氏乜斜了一眼陈慥，哼道："哟，打虎亲兄弟，上阵父子兵，你怎么胳膊肘往外拐呢？"陈慥忍无可忍，叫道："我们父子说话，你不要管！"杜氏委屈地拉着陈希亮的衣襟，娇嗔道："老爷，你听听！"陈慥瞪一眼杜氏，拂袖而去。

陈希亮完全不管这些，一心要赢苏轼。虽然年纪大了，但奈何苏轼一介书生，气力毕竟比不过军人出身的陈希亮。不一会儿，陈希亮终于扳倒了苏轼的手腕，哈哈大笑道："苏签判，本府胜了！"苏轼一脸不服，却又无可奈何，站起身，摇摇晃晃地要走。

陈希亮摆摆手，高兴地说："苏签判回家的时候，顺便替本府通告一声，叫众官于初六到我知府大堂议事，本府有话要说！"苏轼草草回礼，转身踉踉跄跄地走出去。

走出陈府，已是深夜，天寒地冻，街道上还弥漫着一片清冷的爆竹烟火气。苏轼在仆从的陪伴下回到家中，正见巢谷在月下舞剑，他闪转腾挪，剑影纷飞，动作十分潇洒。苏轼拍着手，醉意十足地说："来……来如雷霆收震怒，罢如江海凝紫光，好……好剑法！巢谷兄！"

巢谷回头，看到苏轼摇摇摆摆地从门口走来，帽子歪斜，衣衫不整，醉态可掬，赶快上去扶住，笑道："总算等到你回来了，夫人都急死了！"

正说着，王弗也挺着大肚子走了出来，看见苏轼醉意酩酊的样子，不禁忧道："夫君，你是在太守家喝的酒吧？你酒量甚浅，怎能和太守相比呢。"苏轼斜着眼，摆手笑道："夫人，我正拆解巢谷兄的剑法呢，我现在已看会了！夫人，来，待我舞给你看！"说着就摇晃着上前要舞剑。

巢谷忙把剑收了，怕他醉酒着凉，和王弗一起扶他回房，苏轼却不动，还叫道："我不回去，我要舞剑。"王弗笑着劝道："夫君怎么像个孩子一般，快回房吧。"苏轼指着巢谷道："回房可以，巢谷，你须答应我一件事。教我掰手腕子。"巢谷一愣，一时摸不着头脑，只得边答应着边扶苏轼回房。

杨氏母女也还没睡，听到苏轼等人的喧嚷声，忙向窗外探望。杨伍氏停下手里的针线活，抬头问道："是大苏先生回来了吧？好像是醉得不轻呀！"小莲点点头，转身走到床前，忧道："一定是为安置难民之事不安。"杨伍氏叹道："唉，也难为了他。刚踏上仕途，就碰到这么棘手的事。莲儿，你要多为大苏先生出出主意。"小莲假装没听到，说："娘，睡吧。"

正月初六，苏轼派人把太守要议事的命令传给各官员。很快，苏轼、张璪、王彭等二十几名官员来到凤翔知府大堂，分坐左右。可是堂上空空如也，众人等了很久，也未见陈希亮露面。众官议论纷纷，皆看着苏轼。王彭问道："苏签判，这陈太守让我等来议事，却为何迟迟不来？"苏轼看着王彭不答，似有所悟。

这时，一衙役忽然疾跑入内，向众官施礼道："众位大人，太守让小的来通报，他正在城外候着众位大人，叫众位大人现在就去。"众官皆惊起，摇摇头，议论纷纷地向门口走去。

众人在衙役的带领下来到凤翔城外的原野，原野一片空旷，寒风阵阵。众人远远望见陈希亮身着戎装铠甲，手执长刀，雄赳赳地骑在高头大马上，威严地喊着号令，正指挥着一队军士操练武艺。

苏轼、张璪、王彭等众官骑马赶到。寒风让一些文官瑟瑟发抖，叫苦不迭。张璪一脸纳闷，苏轼则神色严峻。众官纷纷议论道："这大年初六的，不在知府大堂议事，跑到这里来干吗？外面这么冷，这陈太守实在让人蹊跷不懂！""你不知道吗，陈太守是武人出身，最喜欢舞枪弄棒，带兵杀敌。唉，不在知府大堂议事，却让我等来这荒郊野地吹冷风，我等以后可有苦头吃了！"

陈希亮见众官已到面前，威严地将令旗一挥，众军士停止了操练。陈希亮骑着马趾高气扬地走到众官面前，众官自然而然也排成一队，像是接受检阅一般。苏轼站在前排，背着手，一脸正气。陈希亮得意地瞟了苏轼一眼，苏轼并不理会。

陈希亮翻身下马，向众官员扫视一遍，声音洪亮地说："诸位，本府上任以来，这是首次召集大家议事。大家也看见了，老夫是个武人，如今武人是不吃香了。老夫若生在汉唐，至少嘛，也可以做个李广。当今皇上不爱我等武人，对那嘴上无毛的酸腐书生却是视为至宝。唉，老夫是生不逢时呀——"苏轼欲说话反驳，被张璪暗中拉住衣襟制止。

陈希亮继续讲道："本府不说闲话了。本府既是武人，办事就喜欢心直口快，不像你们书生这般喜欢拐来拐去。本府治下，诸位须要各司其职，但不可目无规矩。只有号令统一，军令如山，才能把凤翔的事情办好。本府的话讲完了，诸位有什么话要讲吗？"

张璪第一个出列，曲身恭维道："凤翔乃西北要冲，自古以来乃兵家必争之地。陈公在他州任守，政绩卓著，朝廷命陈公来知凤翔，实在大有深意，我等一定恪尽职守，不负太守之望。"陈希亮得意地笑道："好，好。"

另一官员也恭维道："素闻太守是干练有为之人，我等有缘在太守麾下听令，实在是三生有幸，本人定唯太守马首是瞻！"薛州官也上前抱拳道："太守放心，你让俺上东，俺不上西，你让俺打狗，俺决不撵鸡。"众人立即轰然大笑。

陈希亮笑了一会儿，正色道："有什么好笑的，话虽糙，讲的却是至理。"说着，高傲地问苏轼："苏签判，你有何高见哪？"苏轼冷冷地回道："酸腐书生能有何高见？太守的用意再明白不过。这也好办，适才薛大人说，你要上东他不上西，你要打狗他决不撵鸡。苏某再补上两句：你要上天，我来竖梯；你要当霸王，我不学虞姬。"许多官员忍不住笑出声来。

苏轼虽语带讥讽，但陈希亮还是哈哈一笑，转即正色，缓缓说道："苏签判，本府听说你在凤翔私开官仓，私建村落，还将土地租给难民耕种？可有此事？"苏轼理直气壮地说："确有此事，下官正要向太守禀报！如今难民粮食又将告尽，还望太守开仓放粮。"陈希亮怒道："大胆苏轼！你还敢要本府替你私开官仓，你可知道，上述三件事，皆乃罢官杀头之罪，你不要脑袋了吧！"苏轼不卑不亢，说："太守，且听苏某如实禀报……"陈希亮扬手止住苏轼，傲慢地说："够了。本府方才讲过，要号令统一，不可目无规矩。你违犯律例，还拉着本府与你同流合污，你想连累本府不成？苏轼，我告诉你，自此刻起，你在凤翔颁布的所有政令当即废止，本府早已派人将那难民村封了，现在怕是已经拆上了！"

苏轼大惊失色道："你说什么？陈太守，你若拆除难民村，拒不放粮，则凤翔不日将是饿殍满地，到时候大人你也是杀头之罪！"陈希亮气得暴跳如雷，按剑道："大胆！老夫遵从朝廷律令，何罪之有！你再以下犯上，言语不敬，老夫就把你绑了！"众官哗然，张璪拉拉苏轼的衣襟，假装好意地说："苏签判，你就别说了。"

苏轼挥开张璪，上前道："大人，苏轼并没说错。如今你是太守，若难民成千上万在凤翔境内冻饿致死，当今圣上又是仁厚爱民之君，怎能不治罪于你！"陈希亮大怒，嚷道："好啊，你敢这么同我说话，原来就是仗着圣上在后面为你撑腰！你们这些文人，就会迷惑圣上，老夫却不吃你这一套！"

苏轼冷笑道："陈大人，你实在小看了苏轼。苏轼虽是一介书生，太守肉身比我有力，骨头却不一定硬得过我！苏轼为保凤翔难民平安，不得不开仓放粮，建设村落，租种田地，凤翔因此平安，农民与难民各得其所，而官府也有收益。何乐而不为？难道为了遵守一个无形戒律，就可让难民无以为生，百姓饿死，大人就能无罪，就真对得起圣上吗？"陈希亮面色铁青，大叫道："你！你！来人呀，把苏轼给我绑了！"几个军士欲上前绑苏轼，苏轼突然大喝一声："谁敢！陈太守，你敢和我去面君吗？"众军士被苏轼的气势镇住，犹豫着不知该不该动手。

众官皆上前劝道："太守息怒，苏签判所言，还请太守三思。"张璪不言，冷冷地看着这一切。

陈希亮怒气未消，遂向众官责道："你们！这就是你们的统一号令吗？苏轼要本府私租土地，此乃罢官杀头之罪！你们不知道吗？"众官低头不语。

苏轼缓和了一下语气，从容说道："大人！眼前私租土地是罪，百姓饿死更是大罪。为何不在这凤翔先行试验，渡过危局，而后再上报朝廷，这等两全其美之事朝廷一定会同意。到那时，朝廷考虑到大人租地也是无奈之举，用心仁厚，则大人不但无过，只怕还有功呢！解决了生存大事，难民将视大人为再生父母，也是大人在凤翔的一大政绩。"陈希亮听此，心中虽有所动摇，但面子上下不来台，坚持说："你说得好听，到时候圣上只会治老夫的罪，与你何干？不行，不行！"

苏轼又提高声调说道："大人，苏轼愿以命担保，此事成则大人之功，罪则苏某一人承担！"众官本都在窃窃私语，听见苏轼的话皆感震惊，呆呆看着苏轼，沉默不言。

陈希亮也为这话所惊，走上前来瞪着苏轼，问道："你说什么，你再说一遍。"苏轼毫不犹豫地说："苏轼以命担保，此事成则大人之功，罪则苏某一人承担！"陈希亮终于缓下语气，冷笑道："苏轼，都说你是圣上器重的才子，你也不用张狂如此。难道你就不怕圣上？圣上当真就会放过你？老夫不信，但老夫倒真想试试看。苏轼，你可敢与老夫立下军令状？"苏轼坚定地说："只要大人同意，苏某立即与大人立军令状。"陈希亮一按剑，响亮地说道："好，那我们就以文书为证。走，去府衙！"

众人骑马至凤翔府衙。苏轼快速写成文书，交给陈希亮。陈希亮看罢，收起军令状，笑道："苏签判，你做此事可与老夫无关，有军令状为证！这军令状关乎生死，你好自为之！"说完，转身拂袖离去。众官紧随陈希亮出门。王彭担忧地望着苏轼，想说什么，又不知如何开口。突然，王彭想到另外一件事，上前向苏轼说道："大人，恐怕太守的命令一下，军士们已到难民村拆房子了。"苏轼一拍脑袋，说："对啊，咱们得赶快去阻止拆房！"王彭点头，和苏轼匆忙地骑马赶往城郊。

凤翔城西的难民村中，众军士拿着明晃晃的刀枪，正强行往外驱赶难民，一时间哭声大作，人群大乱。曹勇、王老汉、王二等人率众难民欲冲破军士的阻挡，却无济于事。曹勇上前质问道："为何要赶我们出去？是何人的命令？"军士推开曹勇，冷冷地说："太守之命。"众难民皆上前哀求："为何驱赶我们？这儿是我们的家！我们不走！"众军士毫不理睬，仍强行驱赶，曹勇等也无可奈何。不一会儿，难民们已被众军士驱赶到了村外。

这时，苏轼和王彭驾马而来，后面跟着一队军士。苏轼与王彭翻身下马，对众军士亮出手谕："陈太守有命，暂不拆除难民村，从长计议！你等领命回去吧。"众军士领命撤走，曹勇等人围拢到苏轼身边，忙问为何要拆村子。

苏轼对曹勇说道："你只须好好带领众百姓修补村落，余事由我来办。"曹勇点头。众难民皆跪下，向苏轼表示感谢。苏轼忙上前扶起几位老人，安慰了一番。

十四　小莲妹妹

陈希亮逼苏轼签下军令状，自以为胜苏轼一筹，晚上回家，吩咐下人准备了一桌菜肴，庆贺一番。

陈希亮满脸得意，闭眼啜饮着美酒，细细品味。杜氏在一旁不断给陈希亮添菜，也喜滋滋地问道："老爷，多吃点菜，今日为何这般高兴呀？"陈希亮高声笑道："狂妄如苏轼，在老夫面前也不得不服。今日苏轼已与我签下军令状，他想做的事只管去做，朝廷要治他的罪，与老夫无关。"

杜氏笑着附和道："老爷英明雄武，苏轼如何能比！奴家还要告诉老爷一个好消息，咱家的铺子就要开张了！"陈希亮睁开眼睛，向着杜氏说："好是好，不过我毕竟是朝廷官员，开商铺不合律例，你也不要过于张扬。"杜氏忙给陈希亮斟上酒，笑道："老爷教训的是，我知道了。"

这时，陈恪径直走入，向陈希亮施礼毕，一脸严肃地说："父亲大人，孩儿已听说苏轼之事。孩儿以为，苏轼是至诚君子，高才卓识，一心为民，能得当今圣上器重，果然不虚。父亲应放弃成见，苏轼若得重用，则父亲与凤翔幸甚。"陈希亮虽心中对陈恪所言甚为不满，但也不愿当着杜氏斥责他，于是假装没听见，继续喝酒吃菜。杜氏却忍不住，讥讽道："哟，老爷，奴家不明白，咱陈家人的胳膊肘生来就是往外拐的吗？"

陈恪不理会杜氏，接着对陈希亮说："父亲，孩儿这几日考虑过了，苏轼放官粮，建村落，租田地，虽违世异俗，但实属去陈推新。况且上述三政于安置边境难民、安抚凤翔百姓皆有实效，父亲更不该阻挠，而应鼎力支持。"杜氏腰肢一扭，向陈希亮讥刺道："老爷，你听听，咱家少爷在教你如何做官呢！"陈恺瞪着杜氏，吼道："我爷俩的事你少插嘴！"杜氏马上掉下泪来，委屈地哭道："老爷，这个家连奴家说话的地儿都没有。"说完捂着脸，号哭着退席而去。陈希亮看着杜氏的背影，又心生怜惜，向陈恺叹道："唉，恺儿，她总是你的继母。"

陈恺理解父亲希望家庭安宁的心情，但还是决定把憋在心头的想法说出来："父亲，恕孩儿不孝，自从这个女人进了咱家，这个家就没有一天安生过。她哪里是在维护父亲，她面上处处讨好你，私底下开铺私钱，贪得无厌，这个家最终怕是要毁在她手里。"陈希亮当然知道杜氏的所作所为，但想到杜氏年轻貌美，又能经营，也就纵容杜氏的行为了，但儿子的劝告也无过错，遂叹道："恺儿，你不懂官场，你更不懂得为父为这个家所用的苦心。"

陈恺见父亲不理会自己的看法，急着说道："孩儿的确已看不懂父亲了，父亲变了，今日的父亲不分是非，刚愎自用，贪财恋色。"陈希亮听此大怒，起身吼道："放肆！你在跟谁说话！"陈恺也不愿妥协，施礼道："父亲，既然孩儿总是惹您老生气，还是不见面的好，孩儿告辞了！"说完转身离去。

陈希亮望着儿子的背影，环顾空荡荡的室内，不禁怒从中来，愤然将酒杯摔向地面。

夜晚，苏轼回到家中，巢谷已把当天之事告知了王弗。王弗腆着肚子迎上前，忧虑地说："夫君，你怎么与太守立了军令状，万一有个闪失呢？"苏轼忙扶王弗坐下，笑道："夫人放心，我不会有事的。不是有人说我是文曲星下凡嘛，既然是文曲星，凡人怎能杀得了我呢？"巢谷笑着问道："子瞻，我怎么没看出来你是个神仙呢！"众人皆笑起来。

王弗收住笑容，说："你呀，就算是神仙，立了军令状，太守不给钱粮，田地没收成，新难民又越来越多，你又能怎么办？"苏轼逗乐般地安慰道："夫人，苏某自认有经天纬地之才，几个难民我就安置不下，岂不是枉读了圣贤之书啊！"

接下来的几天，又有不少闻讯赶来的新难民，人们忙碌地整修房屋。苏轼忙着搬运土坯，不一会儿便挥汗如雨。王老汉上前不忍地说："大人，您就不要干了！"苏轼边干活边说道："您老这么大年纪，我年纪轻轻，怎么就不能干！再说，我还要锻炼锻炼筋骨，同巢谷兄掰腕子呢！"说完苏轼放下手中的活计，对一旁的巢谷说："巢谷，我这筋骨也舒展开了，咱们来掰手腕！"众人围上来，齐声为苏轼鼓劲。

两人坐下，摆好姿势，开始掰手腕。苏轼使出全力，脸上青筋暴起，巢谷却是一脸平静，稍微用劲，便扳倒了苏轼。众人遗憾地叹了口气，苏轼则哈哈大笑。

巢谷笑道："子瞻，你已长进了不少，继续练习，终会大功告成。"苏轼笑着作揖道："多谢师父指点。"众人不禁都被他逗乐了。

这时，陈希亮和张璪正骑着马，在山坡上远远看着苏轼和难民们热火朝天地建难民村。陈希亮不解地问道："奇怪，这苏轼签了生死军令状，怎么一点也不惧怕，反而很高兴？"张璪回道："大人不知，苏轼生性如此，恃才放旷。"陈希亮不屑地说："哼，他还是太年轻了——听说你们是同年？"张璪阴阴地说："我们虽说是同年，脾性却不相同。不过下官以为，苏轼这般高兴也不是没有缘由，因为陈大人中了苏轼的计啦！"

陈希亮听了，有些不快。张璪神秘地说："大人，大宋律例里可没有说私建村落、私租田地而签军令状者，与之相干的官员就无罪，到时候朝廷怪罪下来您还是同谋呢！最少也是包庇纵容之罪。"陈希亮恍然道："啊？这，本府却没有想到。可是，本府自有本府的计算，若真不管这些难民，一旦饿死了人，或酿成民变，本府也逃不过罪责。苏轼不怕趟浑水，主动来管这些难民，又肯签下军令状，本府可以既无罪责，又能脱身。加之皇上器重苏轼，或可不作追究……"

张璪忙说："大人，如此欠妥。皇上就是再喜欢苏轼，也不会纵容他无法无天。他在我凤翔所为，是擅改律例，已触动大宋国体，皇上，还有朝堂众臣，又岂能像以前一般听之任之？"陈希亮忙问："那，那你以为本府该如何是好？"张璪等的就是这句话，遂胸有成竹地说："依下官看，太守应该当机立断，向朝廷奏明此事，等待朝廷决断！这才是两全其美之计！"陈希亮一挥马鞭，点头道："对呀，本府怎么没有想到呢。若老夫先行上奏，参苏轼一本，则难民不用本府管，朝廷又知道我反对苏轼的态度。哈哈——还是你们这些书生脑子活泛，张大人，今后遇事你定要多多提醒本府。"张璪谦卑地说："甘愿为大人效劳。"

自从来到苏家，小莲的美貌和才学赢得了大家的好感，在家务上她也能时时帮忙。

这日，小莲正在厨房帮采莲洗碗、收拾。采莲不忍地说："小莲，你别忙了，快回屋休息去吧。"小莲笑道："表姑，还是我来吧，你去歇息吧。"沉吟了一下，轻声问道："表姑，为何先生没回来吃饭？"采莲忧愁地说："你哥哥呀，他哪有空闲呀！他改了朝廷的律例，人家陈太守不许，要你哥哥签什么军令状，你哥哥竟答应了！弄不好是要杀头的呀！眼看夫人就要生了，万一……唉，我真担心啊！"小莲听后，忧愁不语，手上仍在洗碗，采莲又叹了一口气。

小莲沉思凝想，忽然计上心头，笑道："表姑，我有事先走了。"说完夺门而出。采莲不解地看着小莲匆忙的背影。

小莲来到王弗的房中，把自己的想法告知王弗。王弗喜出望外，说等苏轼回来就转告他。正说着，王弗轻轻抚摸着肚子，笑道："妹妹，小家伙在踢我呢。"小莲也摸了摸王弗的肚子，笑道："姐姐，他是不是饿了呀？"王弗佯嗔着，脸上却挂着笑意，说道："小家伙不懂事，家里人都没粮吃了。妹妹，我若生个闺女，一定要像你一样，秀外慧中，既有天仙之美，又有进士之才。"小莲羞涩地低下头。

一阵笑声和脚步声传来，随即听到苏轼的声音："夫人，小莲妹妹。"两人走上前，看到苏轼与巢谷两人尘灰满面，一身汗水。小莲施礼道："先生，巢谷兄。"说完正欲退下，王弗拦住她，笑着向苏轼对小莲道："妹妹，不急着走，你把方才对我说的话告诉你哥哥。"小莲低头摆弄着衣襟，说："不了，姐姐，我那都是胡说。"王弗微笑着让她但说无妨，苏轼也迎上前，笑道："小莲，有什么你尽管说吧。"小莲遂说道："妹妹拙见，先生勿怪。"王弗笑道："小莲，莫叫先生，倒见外了，叫哥哥。"

小莲笑道："是，哥哥。妹妹以为，虽然哥哥现在凤翔所为皆是仁义厚德之事，也与太守签了军令状，但毕竟违逆朝廷律政，授人以柄，恐奸人作祟，日久有变。哥哥还是尽早上报朝廷，取得批文才好。"小莲说完，王弗紧张地看着苏轼。苏轼沉吟了片刻，拍手叫道："哎呀，果然好主意！我怎么就没有想到呢，多谢妹妹提醒，我这就去写。"王弗和巢谷皆舒了一口气，十分高兴。

苏轼是七品官，不能直接向朝廷上奏，因此拜托巢谷将书信送往范镇府上。信中不仅讲明了难民村之事，还特意为杨氏母女请奏昭雪。小莲感激地向二人道谢。巢谷向苏轼抱拳，温柔地瞟了一眼小莲，风一般出门而去。

巢谷刚走，采莲便走了进来，说："子瞻，那陈太守家的公子现在门外，说要求见。"众人皆惊异，不知何事。苏轼思忖片刻，把陈慥请了进来。

陈慥进门施礼道："连日来，有幸看到苏大人为难民殚精竭虑，更增敬慕。陈慥有礼了。"苏轼还礼道："陈公子，多礼了。请坐。"

两人坐下，陈慥爽快地说："在下敬佩大人风骨文采，不满家父作为，现赁屋而居，今日特来拜访大人。"苏轼拱手道："陈公子，苏轼不敢。""听说大人和家父为安置难民之事立了军令状……"陈慥面露惭愧之色，"唉，大人这是仁义之举，为家父担责，家父却糊涂，陈慥万分歉疚，万分感激。"说着就要下拜。苏轼急忙起身扶住："哎哎，陈公子，不可如此。"陈慥为难地说："难道大人因家父作为失当而嫌弃陈慥不成？"苏轼摆手笑道："苏某岂是这等人！"

陈慥又起身道："既然蒙苏大人海涵，那陈慥也不客气了。陈慥有个不情之请，还望苏大人同意。在下平日好武，近来想学文章，久仰苏大人文才盖世，愿拜苏大人为师。"苏轼忙道："不可，我俩年纪相仿，岂可师徒相称！"陈慥摇头道："闻道有先后，岂可以年纪而论！"

苏轼略一思索，笑道："这样吧，我正要习武，我俩文武互授，兄弟相称，岂不美哉！"陈慥大喜，笑道："好，一言为定。受小弟一拜！"二人哈哈大笑。

陈慥接着说："大人认了我这个弟弟，弟弟就要为兄长解眼前难题了。"苏轼不解地问："喔？贤弟以为我的难题是……？"陈慥抢道："安置难民啊！陈慥颇有钱财，可用来买粮，不就得了！"说罢，拍手对外面喊道："来人呀！"两个仆从抬着两口大箱子进来，打开箱子，全是白银铜钱。苏轼站起叹道："啊，贤弟哪里来这许多钱财？"陈慥说："不瞒兄长，我那继母逼着我父亲经营生意，赚了许多钱财，如今我替她花了，也好破财消灾。"

苏轼不假思索道："不可，安置难民哪能动用太守的私囊。"陈慥忙道："先解燃眉之急，我想苏签判这是义举，朝廷哪能坐视不管。到时，朝廷拨款下来，不就一切无忧了吗？"苏轼沉吟片刻道："那好，陈兄这也是义举，这笔钱就算我苏某暂借陈兄的，我给你写字据。"说完就要往书房去，陈慥忙拦住，佯怒道："兄长切莫如此客气，难道兄长以为只有你们读书人才讲报国安民？另外，我还有一事相求，请兄长准我督办修建难民村。"苏轼感激地抱拳道："如果陈兄有此意，应该是我求你了。好，那就有劳陈兄了！"

张璪建议陈希亮向朝廷奏报苏轼在凤翔的所作所为，如此一来，便与苏轼违犯朝廷律令划清了界限，即便朝廷追究下来，也能推得一干二净。

很快，奏章便送到了台谏两院。胡宿、吕诲收到陈希亮的奏章后，心中大喜，立刻便赶往翰林院，告知王珪。王珪看罢，亦大喜，笑道："好，事关重大，我等这就去上奏皇上。"吕诲忙上前劝道："禹玉公，我们不能上奏皇上。皇上现在有病在身，一心为自己的子孙寻找太平宰相，而皇上一向对苏轼偏爱有加，他可是皇上内定的宰辅啊！"王珪一拍脑门，恍然大悟，神秘地笑道："老夫一时糊涂了，胡大人，按律该当何罪！"胡宿作了一个手势，低声说："斩。"王珪沉吟片刻，冷笑道："这个机会咱们可不能再放过了。好，我们三人这就去见宰相韩琦。"

王珪知道，朝中除他一党外，宰相韩琦虽未直接表示出对苏轼的反感，但也曾就仁宗欲任命苏轼为翰林学士一事提出过反对意见，且韩琦秉性刚直，对违犯朝廷律令之行为向来处置决断严苛。王珪心中暗喜，自己此举实在是高明，苏轼这次就是不死也得落个元气大伤。

王珪、胡宿、吕诲三人很快来到政事堂，将陈希亮的奏章，连同早些时候张璪写给王珪的信呈给韩琦。王珪一本正经地说："大人，下官前些时日接到凤翔法曹张璪的书信，称苏轼擅自打开官仓，犹以为是不实之言。未想到昨日胡大人又接到了知府陈希亮给朝廷的奏章，且还加上了私租土地、私建村落两罪。若说张璪的书信还可置疑的话，知府的官文则无虚假，此事关乎国体，故前来告知相爷。"

韩琦听罢大惊，遂匆匆阅毕奏章和信，脸色严肃起来，但瞬间又转为和缓，叹道："年轻人嘛，行事总有些鲁莽。"王珪见状，心中一凉，向胡宿使了个眼色，沉默不语，故作深思之状。

胡宿也感到韩琦有偏袒苏轼之意，遂加强语气说："苏轼一向目无朝廷，私建村落，私租土地，加之私放官仓，都可以谋反论罪，按大宋律例，当斩。"吕诲也从旁论道："是呀，相爷，违背律治，可问死罪。苏轼践踏国法，若不严办，世人皆效仿，天下必乱。"韩琦看了看胡宿和吕诲，叹了口气，沉重地点了点头，说："此事重大，还是奏明皇上为好。"

吕海忙劝道："大人，皇上龙体欠安，不愿理事。处置日常政务，乃宰相职责所在。此事证据确凿，依律而行即是，何须奏明皇上。"韩琦犹豫不决，心中已猜到这是台谏两院欲报私仇而假于他手，但苏轼此事确实违反律令，自己若不严处，将来还怎样统领百官呢？

胡宿见状，忙上前激道："吕大人所言极是，难道韩相想包庇苏轼不成？"韩琦脸色顿变，不悦地看着胡宿。胡宿低下头，后退了几步。其实韩琦还真是有心放过苏轼，虽然自己当年反对仁宗任苏轼为翰林学士，但这是出自一片公心，希望苏轼在就大任前能有一番历练，行事不至于过于恃才傲物，也算是对有着大才的苏轼的一片爱护之心。况且仁宗反复强调苏轼兄弟才堪大用，自己若依法严办，不是有违仁宗的一片爱才之心吗？况且此事也还需调查，怎能凭借陈希亮的一面之词就对苏轼严加打击呢？

王珪见韩琦迟迟不能决断，心中已大致猜到韩琦所想，也知道此番打击苏轼之事算是又告失败，便佯装斥责胡宿、吕海道："你二人休得胡说，韩相怎会包庇苏轼？此事韩相尚未调查清楚，何以就下决断呢？你们呀，也是朝中大臣，言行怎么可以这样莽撞？"胡宿继续唱他的白脸，仍抱怨道："可是，优柔寡断，实非韩相之风啊！"

韩琦挥挥手，不耐烦道："好了，好了，不要说了。告知凤翔知府，难民村速速拆除解散。至于苏轼，待本相调查清楚再说。"胡宿仍然不依不饶，说："那祸乱之人就逍遥法外了？"吕海也道："韩相，你这是包庇。"

韩琦眼光犀利地看了三人一会儿，冷笑道："苏轼作为地方官员，所为虽有违律例，但是为百姓着想，是为皇上施仁。而你等苦苦相逼，欲取他性命，却是为私怨，王大人，我没说错吧？"胡宿和吕海装着受了莫大的冤枉，拂袖而去。王珪则给韩琦赔着笑脸，慢慢退出政事堂。

这日，苏轼家里一派忙碌。王弗躺在里屋的床上临盆待产，正痛苦地呻吟，杨伍氏与采莲焦急地守在王弗床边。苏轼在外屋急得团团转。

采莲揭开门帘，从屋里出来，苏轼急忙迎上去，紧锁眉头，搓着手问道："表姑，弗儿怎么样了，生了吗？"采莲嗔怪地笑道："还有一会儿呢，看你比弗儿还着急。女人生孩子可没有你写文章那么容易！"苏轼被逗笑了，但又忍不住焦急地说："唉，我就是写百篇制策，也顶不上弗儿的这一篇文章。表姑，让我进去，我给弗儿讲两则笑话，她兴许就不疼了！"采莲和小莲皆笑出声来，采莲笑道："天底下竟有这样的丈夫，那还要产婆干什么！"苏轼也勉强笑了笑。

这时，曹勇忽然冲进门来，慌慌张张地说："苏签判，不好了，太守大人要拆难民村了！"苏轼大惊，忙问怎么回事。曹勇喘了口气，定定神道："陈大人上午带着衙役兵丁到了难民村，说是有了朝廷官文，不得擅建村落，要动手拆毁房子，难民们不让，快打起来了。您快去看看吧！"

苏轼听到曹勇的话，顾不上即将临盆的妻子，转身要走。采莲忙上前拦住道："子瞻，弗儿就要生产了，你怎么能走？"曹勇听到，惭愧地说："对不起，苏大人，我不知道——"苏轼忙道："现在顾不上了，表姑、小莲，弗儿就交给你们了！曹勇，快走！"曹勇羞愧地看着苏轼，犹豫着说："是……大人。"采莲还想劝住苏轼，但苏轼已和曹勇夺门而出了。屋内传来王弗痛苦的呻吟……

苏轼骑马来到难民村，只见陈希亮、王彭率领着一帮军士、衙役与难民们正在厮打，里面一片混乱。王老汉领着难民妇孺坐在路口房前，挡住军士衙役的去路。但这也是徒劳，军士、衙役捆绑了许多难民，有些军士已经在拆房子。一些难民灰心丧气地在一旁痛哭，仍有一些难民在与军士、衙役厮打着。陈慥与王二拿着木棍挥舞，不让军士们近身，陈慥已打倒了一群衙役，但又被王彭率领兵丁围在核心。陈希亮坐在马上，大声嚷道："慥儿，你要再打下去，连为父也保你不得了。"陈慥不停，仍挥舞着木棍，但已显疲乏。

苏轼下马来到人群中，大声喊道："住手！大家都住手！季常兄住手！"看到苏轼，难民中有人欢呼起来，众人纷纷停手，齐齐看着苏轼。

陈希亮顿时感到自己的威严还不如苏轼，大声怒斥道："看什么，拆！"苏轼举手叫停，并愤然向陈希亮道："陈大人，我已给大人立了军令状，为何还要拆难民村？"陈希亮瞟了一眼苏轼，朝着天空悠悠地说道："我的榜眼书生，你这么有学识，难道不知依照大宋律，私建村落，形同谋反吗？"苏轼实在不愿再和陈希亮理论，但也压住怒火，尽量平静地说："大人，这哪里是私建村落，这是安置难民。"陈希亮瞪着苏轼道："哼，安置难民？本府已上奏朝廷，朝廷可不这么看。"苏轼抢上一步，道："陈大人，我也已上奏朝廷！"陈希亮惊道："什么，你一个小小签判，也有权上奏朝廷？"

苏轼施礼，抱歉地说："下官怕大人为难，故未告知大人。至于上奏朝廷，下官是托人代转的。"陈希亮怒道："哼！本府知道你朝中有人，但记住这里是凤翔，凤翔由本府来做主。"苏轼理直气壮地说："下官若是做事欠妥，还请大人见谅。只是这难民定要安置，难民村拆了，他们又要变成流民。看，他们老老小小，大人让他们到哪里去？"陈希亮不屑道："到哪里去？本府不知，本府是武夫，只知军令如山，朝廷说凤翔不得有私建的村落，本府就要照办。"苏轼道："大人可再宽限几日，此事朝廷不久就会有官文下来，到时候大人再做定夺。"陈希亮道："那就等官文来了再建也不迟。"苏轼道："朝廷要是追究下来，下官一力承担。"

陈希亮听见这话，翻身下马，揪住苏轼的衣领，俩人鼻尖对着鼻尖。陈希亮愤怒地瞪着苏轼道："苏轼，你以为你是谁，只怕你的纱帽翅子还短一些。你不过是个手无缚鸡之力的书生！一个屁大点的签判，你有什么资格承担？你再讲这些狂话，本府就将你送往边境战场，让西夏人吓唬吓唬你，你也就不会这么狂了！"说完顺势一推。

苏轼退了两步，立住，脸上毫无惧色，大声说："大人，要拆屋，也要等朝廷批复苏轼的文书下来再说。"陈希亮冷笑着问道："你现在有朝廷的文书吗？"苏轼只得摇摇头。陈希亮得意地抖开一卷官文，在苏轼眼前晃道："这就是朝廷下的文书！朝廷说你私建村落，违反律例。所以不是老夫要拆，是朝廷要拆！"说完大声命令道："拆！"官兵上前，又与难民厮打起来。陈希亮翻身上马，便欲回府。

苏轼见状，也顾不了太多了，上前拉住马缰绳，坚定而愤怒地说："不能拆！大人如此做是何居心？"陈希亮大怒道："大胆苏轼，本府居心为国！"苏轼抢道："苏某居心为民！"陈希亮也抢道："国大于民，你要听我的！"苏轼声音慢下来，淡淡地说："大人不为国，也不为民，苏某看你是为了自己的乌纱！"陈希亮气到几乎失去了理智，吼道："本府就是为了乌纱，怎么样？等你乌纱比陈某大了再来教训本府吧。王参军，拆！"苏轼上前拦住，也吼道："谁敢！"

王彭心中何尝想拆，但是身为下属，又是军人，能不服从命令吗？这时他犹豫了，看看苏轼，又看着陈希亮，指望着苏轼能挽回局面。

陈希亮看到了王彭的犹豫，怒道："王参军，你敢抗命吗？"王彭还在犹疑。苏轼突然灵机一动，上前站在王彭和陈希亮之间，说："大人，不干王参军的事，要想拆房，除非先把苏某抓起来。"陈希亮冷笑道："哼，你以为我不敢吗？王参军，把他给我捆起来！"王彭更不知所措了。

苏轼走向王参军，低声说道："王参军，就先把我抓起来，这难民村或可暂保一时。"王彭会意，也低声道："那就先委屈大人了。"苏轼冲着陈希亮一笑。陈慥见状欲冲过来，苏轼向他使了个眼色，陈慥也会意停下。苏轼被军士们五花大绑起来，陈希亮随即令道："拆。"

苏轼大声说道："大人，有我做人质，为何还要拆房？"王彭也上前，故意暗暗对陈希亮说："大人，苏签判已抓了起来，就是朝廷怪罪下来，大人也有说辞了。若是硬拆，激成民变，大人也脱不了干系！"陈希亮思忖片刻，点点头说："嗯，那就等等再说！走！"王彭将绑着的苏轼扶到马上。

众难民见状不解，哭声连天，不停地喊道："苏大人，苏大人……"苏轼转头笑道："乡亲们回去吧，不必担心苏某！"又转身朝陈慥说："季常兄，这些人时下就靠你了。"陈慥用力地点点头，说："放心吧，子瞻兄！"

苏轼被陈希亮押入大牢，而家中已传来婴儿的啼哭声。

王弗满脸汗水，如释重负。杨伍氏抱起一个男婴，笑道："恭喜夫人，是个公子。"采莲双手合十道："阿弥陀佛！"王弗微笑着，气息微弱地问道："表姑，怎么一直不见子瞻啊？"采莲苦笑着，不知如何回答。

最后王弗还是知道了，无奈中只能让采莲和小莲给狱中的苏轼送饭，顺便把孩子的事告知苏轼。

晚上，采莲和小莲拎着饭篮来到监牢，看到苏轼正坐在牢中，闭着眼，吐纳练气。采莲见状，悲声说道："子瞻，我们来了。"小莲也禁不住流下眼泪。苏轼睁眼，迫不及待地问道："表姑、妹妹，弗儿怎样了？"采莲抹泪，说不出话。小莲忙收泪道："恭喜哥哥，姐为你生了个儿子，母子平安。"苏轼开心地大笑道："好，我苏轼有儿子了！表姑、妹妹，我要给他起个名字。"

采莲见苏轼精神这么好，也收住眼泪，勉强笑笑，说："就等着你起名呢，你却身在这里。"苏轼沉浸在得子的喜悦中，没在意采莲的话，沉思片刻，拍手道："哎，对了，就叫迈儿吧！迈到老子的前边去！"小莲沉吟道："苏迈，好名字！"苏轼这才看出两人的忧虑，宽慰道："哈哈，你们不用担心，我在这儿就是做个样子，这些狱卒都是我手下，他们还能对我怎样？多谢妹妹照顾弗儿，叫她不要担心，好好养身子。我很快就会出去的。"听到这宽慰的话，采莲和小莲忍着泪水点点头，依依不舍地走出监牢。

苏轼虽如此说了，王弗在家中还是担心不已。尤其是陈希亮为了一泄心中的怒气，居然禁止苏家人给苏轼送饭，且派心腹狱卒严加看管苏轼，虽不敢用刑，但给苏轼的饭食还是做得极差。苏轼倒也并不在意，达观的天性使他在牢中也随遇而安，连陈希亮的心腹狱卒也被他感化，偷偷给他做些好吃的。

但王弗并不知道这些，苏轼被关押的时间越长，她也越担心，时常做苏轼被狱卒拷打的噩梦。虽然小莲在一旁给了她不少宽慰，但王弗仍是心忧不已，遂决定去找陈希亮。

小莲忙劝道："姐姐，不行，你这才生产几日，还未满月呢。怎么能出去走动呢？"王弗拉住小莲道："不行，妹妹，我成日里担心。只有去见过子瞻，才能安心，你陪我一起去，啊？"小莲无奈地点点头。

小莲陪着王弗来到凤翔府衙外，小莲下车，上前击鼓。随即扶王弗下车，王弗虚弱地喘着气，冷汗直流。众衙役见是苏轼的夫人，不敢阻拦。

两人来到凤翔府堂，陈希亮高坐堂上，问道："何人击鼓？"王弗立于堂中，气喘吁吁地说："民女是本府签判苏轼之妻，我家夫君被抓，不知犯了何罪？"陈希亮虽与苏轼不睦，但看到王弗以如此柔弱之躯来为苏轼求情，也委实不忍，只得吞吞吐吐地说："这……本府执法，苏……苏签判阻碍……这个……本府执法……"王弗问道："大人执的是哪家之法？"陈希亮道："自然是朝廷之法。"王弗又问："朝廷立法为何？"陈希亮道："立法自然是为国为民。"王弗用尽气力说道："既然如此，建难民村岂不正为民？大人的公子陈慥出钱出力，是为民，大人带人拆毁难民村，难道也是为民？"

一衙役见王弗虚弱不已，搬过一张椅子，让王弗坐下。王弗见状，向陈希亮说："大堂之上，民女本该跪下，只是生子尚未满月，多有不便。"陈希亮不忍地叹道："哎，坐下，坐下……你一个女人家，怎么可以抛头露面，来管官府之事？这苏轼妄称才子，连女人都不会教。"

小莲扶王弗坐下，王弗焦急地问："民女只想问大人，为何要抓我家夫君？"陈希亮也有些不耐烦了："本府堂堂太守，哪犯得上跟你这妇人辩论口舌？你还坐着月子，你不要命了！"王弗仍尽力问道："这个与大人无关，大人只说为何要抓我家夫君？"

陈希亮焦躁地踱步，突然道："哎，是我审你，还是你审我呀？你毕竟是个妇人家，本府不能骂你打你，唉，真是麻烦……本府告诉你……苏轼带头私建村落，私租田地，朝廷不许，本府当然要执行。"王弗接着问："大人所说，并非无理，但朝廷公文并未写明让大人抓人吧。"

陈希亮又吞吐起来："这……可不是我要抓的，是苏轼自愿羁押的。本府只是遵从苏大人的意愿……"王弗理直气壮地说："我家夫君为何自愿羁押呢，他是怕难民饿死冻死，怕难民聚集起来，酿成民变，所以自愿羁押坐牢。我家夫君所作所为，皆为大人治下凤翔，大人却要抓他，道理何在，人心何在，民女又怎能心服？"

陈希亮无奈地摆摆手："啊！这……你是女人家，伶牙俐齿，本府说不过你！"王弗接着说："大人不是说不过我，是道理在民女这边。"陈希亮无奈道："好了，好了，这公堂之上，本府跟你一个女人家说来辩去，成何体统！本府就依苏轼的意思，难民村先不拆了，只是让他在衙里住上几天，这里也清静，等朝廷有了旨意，再做定夺。苏夫人，你也放心，本府不会为难他的。"王弗随即要求道："那准许我家送上一日三餐。"陈希亮道："这个可以。"说完对一衙役道："去请苏轼吧！本府先下堂了。这个苏轼，一家子都难缠得紧！"

王弗和小莲坐在堂上焦急地等着。不一会儿，苏轼出来，见到王弗，高兴地说："夫人，小莲妹妹，你们怎么来了？！"王弗见苏轼一切如常，又惊又喜，差点晕倒。苏轼急忙扶住，转而担忧地说："夫人，你还未满月，却出来行动，万一闹下病根，可如何是好？"王弗眼中含着泪，说："子瞻，我挂念你。看见你毫发无损，我就放心了。"小莲在一旁也感动地拭泪，说道："姐姐，咱们回家吧。"

十五　敕建官户村

在王珪一党的逼迫下，宰相韩琦无奈地下达了拆除难民村的官文，并对苏轼在凤翔所做的诸多违律之事进行调查。在台谏两院的争相弹劾中，韩琦虽欲宽容苏轼，却心有余而力不足。他只能拖着，看看是否有新的转机。

另一方面，苏轼给范镇的书信送到后，范镇和欧阳修心中着实为苏轼敢于破除成见、一心为民的行为感到高兴。但他们也知道，一旦这些事被台谏两院的王珪一党利用，将会给苏轼带来极为不利的影响。仁宗因身体不适，已数日未朝，想直接上奏仁宗也有诸多不便。两人正商量如何让苏轼这些违犯律法却有益民生的作为顺利实施，却听说了韩琦已下了拆除难民村的文书，两人不约而同地来到政事堂，要韩琦撤回命令。

政事堂中，韩琦正与王珪议事，范镇、欧阳修匆匆闯了进来。范镇边进门边喊道："宰相大人，听说你已下令解散难民村？"韩琦见两人严肃愤然之状，心中虽有不悦，但也自知苏轼之事的转机到了，遂不动声色地点头称是。欧阳修停下来，施礼问道："听说宰相还要追究苏轼之罪？"韩琦面无表情，淡淡地说："凤翔知府陈希亮启奏朝廷，苏轼擅开官仓，私建村落，私租田地……"欧阳修忙止住道："不开官仓，难道让难民饿死？不建村落，难民何以安居？不租土地，难民何以为生？魏武帝曹操首开民屯之法，遂使民安国富；苏轼之法，有何不好？"

王珪虽心中极为不悦，但仍微笑着维护韩琦道："欧阳公，苏轼其心可嘉，可首相也是依律行事呀！"范镇向来对王珪的阳奉阴违极为反感，忍不住叫道："要是事事都按你那个律例行事，一狱吏治国足矣，还要宰相干什么！"韩琦素知范镇狂放，但没想到今日狂到自己堂堂宰相头上，自己威严何在？不禁愤怒地指着范镇，但又一时语塞。

欧阳修见状，扯了扯范镇衣襟，将苏轼的书信呈给韩琦，语气和缓地对韩琦说："大人，苏轼已有书信给我们，我们因未想出善策，才耽误了几日，没有上奏朝廷。没想到对此事的处理，大人却如此雷厉风行。"韩琦怒道："什么，你讥讽本相？"欧阳修拱手道："下官岂敢。只是说朝廷办事，大事议一年，小事也要议半载，此事虽连小事也算不上，至少也要议上三月，未曾想一日之间，宰相就有决断了。"韩琦心知欧阳修此语已暗示自己与王珪一党通气，又不好明示不满，怒道："你……你……讥讽本相，该当何罪！"王珪见此状，心中大喜，但却故意面露忧色，劝道："韩相，你不必生气，欧阳公并非这个意思。"

范镇见韩琦气成这样，不禁大笑道："哈哈，人言宰相肚里能撑船，我看啊，韩相的肚里只怕容不得一只草鞋啊！"韩琦怒指范镇道："大胆！"范镇不依不饶，仍上前迎着韩琦的手指，怒道："大胆？莫非你连老夫都要治罪不成？"说着一把抓住韩琦的胳膊就要往外走，叫道："走，跟我面圣去！"韩琦挣脱不开，一时慌道："范公，你不可造次！圣上龙体有恙，你我臣子怎可——"

王珪也上前拦住范镇，劝道："范公，息怒，这就不好了。"范镇甩开王珪的手，不屑道："王珪，你别在这里充好人，怎么回事，你我心中都清楚！"说着拉着韩琦就往外走，欧阳修摇摇头，笑着跟了出去。王珪尴尬地赔着笑脸，望着三人拉拉扯扯的背影，心中略感不安，想着如果闹到仁宗面前，苏轼不但无过，反倒有功了。

三人来到颐安殿，通报进殿中，跪下行礼道："微臣参见圣上。"仁宗虚弱地斜躺在纱帐内，扬手道："起来吧。"

三人起身，韩琦忧虑地问道："陛下贵恙轻减些了吧？"仁宗叹道："但愿能好起来。众卿家何事啊？"韩琦道："今日议政，是关于苏轼私自开官仓、私建村落，私租田地和保奏边将杨云青一事！"仁宗打起精神坐起，道："噢，朕也听说了，宰相以为如何处置啊？"韩琦稍一沉思，说："若论朝廷之法，苏轼私开官仓，擅建村落，罪名不小；若论安置难民，又不失为义举。若处置苏轼，则寒天下义士之心；若不处置，则又使天下狂妄之徒蔑视朝廷法度。微臣着实委决不下!"

范镇直言道:"皇上,古来难民变流民,流民聚而为暴民。西北边境多事,朝廷若无安置难民之法,难民必为暴民!苏轼所为实在是忠心为国之举!"欧阳修也奏道:"陛下,苏轼在凤翔重修废弃的兵营,为安置难民之所,募捐钱粮以解燃眉之急,募捐不足,暂开官仓借粮,并飞报朝廷。凤翔有大量荒芜的田地,苏轼以官府名义出面作保,将荒地租给难民耕种,效古代的民屯之法,此为边境长治久安之策。"仁宗听得此言,顿时精神振作,赞道:"好个苏轼,如此倒解了朕的一个难题。"

范镇看着韩琦道:"可宰相已押字,将难民村解散了,还要追究苏轼之罪。"仁宗点头,对韩琦道:"韩卿家方才所说,似乎句句在理,可是忘了一点。朝廷立法,本是为民,其法若是害民,不如无法。韩相只顾朝廷之威,忘了解万民于倒悬。倒悬之民一旦暴起,朝廷安在哉!至于韩相所言'狂妄之徒蔑视朝廷法度',朕以为以苏轼之才,即便狂一些,又有何妨!若有人如苏轼之狂妄,那或许是大宋之福啊!"

韩琦头冒冷汗,急忙跪下道:"微臣糊涂。圣上一番教导,使臣如醍醐灌顶。微臣这就追回敕文。"仁宗颔首,略一沉吟道:"慢,苏轼所奏,一概照准。另拨三万贯,为难民买粮买种所用。难民村赐名官户村。还有,苏轼保奏的庆州太守杨云青无罪一事,也要照准。"三人一齐叩头道:"陛下圣明!"

仁宗的圣旨很快抵达凤翔,随之而来的还有朝廷拨给的三万贯钱。苏轼带领王彭等把消息传到难民村中,众人兴高采烈,鸣放鞭炮以示庆贺。

苏轼兴奋地说:"诸位乡亲,朝廷批复,可在此建村,并赐名官户村。也可由官府出面,替难民租地,你们终于可以在此安居了。"众人一片欢呼。难民与当地农民签契约,忙得不亦乐乎。苏轼在一旁主持,陈慥、王彭、曹勇协助,众多胥吏从旁维持秩序。

听到这个消息,各地的难民成群结队向凤翔的官户村涌来。苏轼则用朝廷拨款指挥众人扩建官户村。衙役送来官家木石,众老农也送来砖瓦草料,连日来,官户村内支灶、打夯,一派热火朝天。

这日,苏轼又在官户村忙着帮难民们修房。一位相貌英武的年轻官员带着几辆粮车到来，他走到正在打桩的苏轼旁边，拱手道："子瞻兄不仅文才盖世，干起活来也是一把好手呀。"苏轼放下手中的锤子，回头看竟是章惇，不由又惊又喜，拉着章惇的手问道："子厚兄，你怎么来了？"章惇笑道："子瞻兄的官户村谁人不知，章某正为此而来，送上些种子，也算我出一份力。"苏轼作揖笑道："子厚雪中送炭，请受苏某一拜。"章惇忙扶起他："子瞻兄不必客气。子瞻兄在这紧急关头能出此良策，章某实在是佩服。"苏轼笑道："呵呵，子厚兄远道而来，苏某无以相待，就请在这棚下喝杯凉茶。"两人来到凉棚下攀谈起来。

章惇这次撇下公务来到凤翔，一为探望这位当年一起力革太学体的同年好友，他们已有近五年没有见面了，另外也是为了向苏轼取经。章惇也是一个胸怀大志之人，看到苏轼在凤翔如此力革旧弊，且又得到了仁宗皇帝的首肯，为苏轼高兴之余，也希望自己也能同他一样，即便是在地方为政，一样能干出一番事业。

章惇在苏轼家中住了几日，相谈甚欢，然而毕竟还有公务在身，不得不向苏轼辞行。苏轼问他要不要见见张璪，章惇心直口快地说："道不同不相为谋！"苏轼和陈慥送章惇到凤翔郊外的校场，王彭在远处带着士兵在操练。章惇抱拳说道："子瞻兄，季常兄，我要告辞了。"苏轼、陈慥亦抱拳道："子厚兄，一路保重，后会有期！"章惇策马，绝尘而去。苏轼望着他的背影，若有所思。

看着章惇远去的背影，两人转身往回走。苏轼边走边道："季常兄，这次安置难民，可是多亏了你啊！"陈慥笑道："子瞻兄可是过奖了，我不过是顺势而为罢了！"苏轼笑道："季常兄过谦了。凤翔百姓着实良善，为难民出了那么多力。如今形式好转，朝廷的拨款也到了，种子也买好了。"话未说完，苏轼抬头看了看万里无云的天空，叹道："可是若再不下雨，就是有再好的种子，又如何播种！"

眼见官户村已经容纳了越来越多的难民，朝廷的拨款也直接由苏轼开支用度，开仓、建屋、开荒……这可让陈希亮和张璪气恼不已。很快，陈希亮又得知陈慥不仅亲自督建官户村，领导难民开荒，而且还把家里多年做买卖所得的收入都借给苏轼买粮救济难民了。这些钱是陈希亮准备养老用的，没想到陈慥竟不告知自己就移做他用，心中自然极为不快。但更让陈希亮心烦的，是杜氏每天都在自己耳边哭嚷陈慥的不孝。

这日，杜氏又在哭闹："老爷，我们辛辛苦苦这么些年，开铺子，做买卖，好不容易积攒下来些银子。铺子呢，被你那宝贝公子卖了；银子呢，他都给了那些难民了。这可让我们怎么活啊！"陈希亮喝着闷酒，烦躁不堪，不耐烦地说："别哭了。"杜氏仍是号哭。陈希亮不堪其扰，大怒，忽然站起拔出剑，大喊一声："不许哭了！"杜氏吓得收声不语。

陈希亮怒道："铺子算什么，银子又算什么！经此一役，本府一败涂地，片甲不留，说不定连这知府都要败给苏轼了。"杜氏听此，惊讶地软在椅中，说不出话。陈希亮挥剑一劈，怒道："我陈希亮一世英雄，竟折在一个书生手里，本府不服！"

转眼间，官户村已收留三四千人，朝廷的粮款到后，更是使得西北边境一片安定。消息传到汴京，仁宗十分高兴，精神也好了不少，但疾病仍是缠绵不愈。范镇等人多次奏请早立储君，因为仁宗的皇后嫔妃一直都不能生育，自即位以来，是否应该从皇侄中选出优秀者继承大统一直是困扰仁宗和大臣们的一个难题。

这日，仁宗倚在病榻上，向在身边服侍的曹皇后笑道："哎，苏轼真是给朕解决了一个大难题，实乃大才，看来我朝后继有人哪。"曹皇后跪下道："谢陛下。"仁宗扶起曹皇后，不解道："皇后为何谢朕啊？"曹皇后道："臣妾以为陛下如此眷顾苏轼，实在是为子孙选才。臣妾是为大宋的未来之君谢陛下。"仁宗叹道："皇后真是知朕啊！朕在位四十年，虽有尺寸之功，过亦不少；庆历新政不得施行，想起来朕就堵心。这些年来，朝廷更是形成了因循之风，不思进取，动辄清议。别说是普通大臣，就是朕，也被他们编排得满身不是。许多大臣，动不动就卖直取忠，以死相谏，弄得朝野上下人声鼎沸。朕明知他们迂腐荒谬，甚至居心叵测，但也不得不让他们三分哪！可他们当朕是真糊涂！"曹皇后忧道："陛下的难处臣妾知道。不能为陛下分忧，实在是臣妾之过。"

仁宗摆摆手道："唉，与你无关。朕已老矣，不能刷新吏治了。朕无子嗣，但朕要立储，就依范镇他们吧，从众多的皇侄中选取一位未来的有为之君，我大宋有望矣！"听到此处，曹皇后急忙跪下，哭道："陛下无子嗣都是臣妾之罪。"仁宗扬手，叫曹皇后起来，叹道："皇后何罪之有啊，朕后宫三千，宠幸无数，可就是未得一子，是朕哪。"说完忧伤不已。

正如苏轼所忧虑的那样，凤翔几月未雨，大地龟裂。适值播种季节，如果再下雨，则百姓不能种粮，朝廷的拨粮终有吃完的一天。

这日又是骄阳当空，虽春天还未过去，但这西北大地已有了盛夏的气息。官户村外，陈希亮和张璪正在田间散步。陈希亮背着手，因为燠热而烦闷；张璪唇干舌燥，满头大汗，折扇摇个不停。

陈希亮略转头问张璪道："苏轼最近去哪儿了？"张璪奉承地笑道："带人在终南山上伐木。"陈希亮疑惑道："伐木为何呀？"张璪指指官户村，笑道："还不是为了建屋。"陈希亮冷笑道："他倒真是体恤民情呀，本府一直想与他再度交手，他却躲到终南山避暑去了！"张璪忧道："是啊，这天可真热呀。大人，瞧这田地，大旱望雨呀！"说着，眼见得不远处曹勇、王老汉、王二带着众难民打着水桶播种，远远地听见难民们的抱怨声："这样播法，播到秋天，也播不完。""是啊，可又有什么办法啊！"

突然王老汉摆手叫道："哎，都说啊，苏大人是天上的文曲星下凡，他要是写篇文章，到太白山去求雨，保管能成！"曹勇忧虑地说道："能行吗？别再给苏大人添麻烦了。"王二也说："对，爹，别再给苏大人添麻烦了。"王老汉见此也只好作罢："我就是随口说说而已。"

听见他们的谈话，张璪心中一动，笑对陈希亮说："大人，我已有办法，可教苏轼不得不与大人再度交手。"陈希亮好奇地问道："喔，是何办法？"张璪略带神秘地说："让他去求雨。"陈希亮还是一脸的不解。

因官户村的扩建，苏轼带人到终南山伐木，好久没有回家了。这日，小莲在院里的亭中弹琴，王弗、杨伍氏在草亭中一边饮茶一边欣赏。小莲一曲奏罢，王弗抚掌赞道："妹妹的琴艺的确不同凡响！"小莲笑道："姐姐谬奖了，已经两年多不抚琴了，指法实是生疏。"王弗笑道："但妹妹对曲子的体悟，恐常人难以企及。"小莲起身对王弗说："姐姐也弹一曲吧。"王弗也不推辞，坐下调好弦，笑道："好，我可献丑了。"随即弹起了《高山》《流水》，曲调优美，大有如怨如慕之意，杨老夫人和小莲频频点头。小莲笑对母亲说："姐姐在想兄长了。"杨夫人笑着点了点头。王弗笑嗔道："鬼丫头，你这耳朵可真尖。"小莲以手背掩口直笑。

中午做饭时，采莲看着水缸里仅剩下一层浅浅的水，舀了一小碗，愁道："家中眼看就没水了，这老天爷还是不下雨。"身后的王弗抱着苏迈，也陪着叹道："是啊，表姑，对家里人说，都紧着些喝水，别让杨老夫人母女知道就行。"采莲道："唉，这点水怕是熬不过几日了，子瞻却不回来。"王弗笑道："表姑，子瞻又不是龙王，回来也没用呀。"

采莲也笑了笑，回头却看见苏轼正站在门口，一脸风尘。苏轼示意采莲不要惊动王弗。采莲会意一笑，故意对王弗说："弗儿呀，这子瞻去那终南山上已许久日子了，却不思念着归家，回来看看你和迈儿。依我看，子瞻定是被那终南山上的野狐精迷住了。"王弗微笑道："表姑，子瞻这人，天生就不怕鬼，更不会被狐精给迷住。他夜里睡觉时的鼾声，那么响，自然把狐精都吓跑了。"

苏轼轻轻地走到王弗背后，王弗怀中的苏迈回头看见了苏轼，苏轼故意逗弄儿子，惹得苏迈咿咿呀呀高兴地叫唤，王弗哄着苏迈，但仍不知。

采莲忍着笑继续说："弗儿，我看不一定，这男人家去到外面不都是一样？"王弗不解而又有点懊恼地说："表姑，你今天是怎么了，平日里尽夸子瞻，今天却要说他的不是，况且子瞻绝不会如您说的这般。"采莲见王弗有些着急，偷看苏轼，抿嘴一笑。

这时，苏轼抱过苏迈，王弗一惊，回头一看，才发现苏轼在挤眉弄眼地看着自己，才知道是他和采莲在戏弄自己，顿时脸面大红，羞怯地低下头去。

苏轼一边哄着苏迈，一边深情地说："夫人、表姑，我回来了。"采莲笑道："子瞻，你以后打鼾须小声些。弗儿方才说你那鼾声连终南山上的野狐精都怕，原来我家弗儿每日睡觉都是胆战心惊的。"苏轼也笑道："表姑，我这鼾声只吓狐精，对弗儿却很好，弗儿听来就像眉州家乡的童谣一般，如今不听反倒还睡不着觉呢。"王弗羞道："表姑不要消遣我们了。"

苏轼对怀中的苏迈做着各种鬼脸，苏迈咯咯咯地笑个不停。苏轼高兴道："看见儿子，真高兴！"王弗佯怒道："看见我就不高兴了？"苏轼忙道："高兴，高兴！"采莲接过苏迈，走了出去。

王弗望着采莲的背影，转头说："我还以为你被终南山的野狐精迷住了呢！"苏轼一怔，佯装不解道："哟，弗儿也学会说笑了。不过啊，我还真见到了一只野狐精！"王弗忙问："那，那她都说什么了？"苏轼装腔作势地说："她对我说呀：'听说你的弗儿是个大美人，和我比比，我俩谁美？'"王弗问："你怎么说？"苏轼顿了一下，接着说："我看了看，说：'你可比我的弗儿美多了！'"王弗背过身说："就知道你没良心。"苏轼把王弗抱转过来，说："你等我说完嘛。"王弗问："你还说什么？"苏轼笑道："我对那野狐精说呀：'不过你丈夫要是看见我的弗儿，也定会说弗儿比你美！'"王弗被逗乐了，笑道："你学坏了，学坏了。"苏轼问："你猜那野狐精怎么着？"王弗好奇地问："怎么着？"苏轼说："一溜烟地跑了。"王弗问："她跑什么？"苏轼大笑道："你个小傻瓜，她赶紧跑回去看住丈夫，不让他来看你呗！"王弗咯咯娇笑道："你真是学得油嘴滑舌了，都是跟那些难民学的吧！"苏轼搀着王弗往屋里走，边说："你别说，我还真跟他们学了不少东西。"

巢谷虽已拜吴复古道长为师，按理说已是道教中人，不能有尘世之念，但自从见了杨小莲，便对她倾心相爱。大家都看在眼里，但也知道，小莲出身名门，恐怕不会同意嫁给巢谷。

这日，巢谷随苏轼从终南山下来，特意采了一束野花，想着怎样向小莲表白，但又犹豫不前，只能躲在院子的照壁后徘徊。

这时，小莲抱着一捆柴薪从门外走入，巢谷冲上前，把野花夹在腋下，一把接过小莲手中的柴薪。小莲只觉手中一轻，回头看是巢谷，笑道："巢谷兄，你们从终南山回来了。"巢谷憨笑道："是呀，和子瞻一同回来的，刚进家门。"小莲笑道："巢谷兄，你们此行辛苦了，可要好好歇息。姐姐看见子瞻哥哥回来了，一定很高兴。"

巢谷笑着点头道："小莲，以后你不要做这种粗活，有事你只管找我。"小莲低头道："这些小事，怎么好麻烦巢谷兄。"忽然看见巢谷腋下夹着的一束野花，问道："巢谷兄，这是……"

巢谷一看，羞红了脸，顺手将花扔在地上，吞吞吐吐地说："这……是山上的花草，我顺手……顺便……这个……"巢谷将花草踢走，小莲见巢谷这样，心中已明白了几分，也羞红了脸，却不声张。小莲岔开话题，说道："喔，对了，巢谷兄，我方才进门时见到了张璪大人，想是来找子瞻哥哥的。"巢谷警觉地说道："张璪，他来做甚？"

张璪找苏轼，自然是为求雨之事。张璪说："子瞻，你刚从终南山上下来，还没安顿，就被我叫来这里，还请见谅。"苏轼心中虽有疑惑，但也不便表露，只是看张璪会有何动作，遂说道："邃明兄，不必客气，我等就该一心为公，何须计较其它。你找我来何事？"张璪顿了一下，面露忧色，说："子瞻，你且看这田地，连月不雨，大旱望水呀。若不是你苏子瞻，这些流民决不会有田耕，有屋住，不想偏又遭逢如此大旱，你若不管岂不是有始无终？"苏轼听张璪所言为公事，心中为他一喜，但立刻叹道："邃明兄所言极是，我今日回家，家中都快断水了，方知灾情之重。但下雨乃神明所管，我也无能为力呀。"

这时候，曹勇、王老汉、王二等一群人围了上来，众人向两位大人行礼，殷勤问候。王老汉上前说："苏贤良，张大人让我们在这里等着，说您一定会来，来为我们求雨，苏贤良果然来了！"苏轼心中一惊，问道："老人家你叫我什么，苏贤良？还有求雨？邃明兄，这是……"张璪微笑不答。

王二忙道："大人不知，自从您建成了官户村，大家背地里都叫您苏贤良。"苏轼摆手道："哎呀，这哪里敢当啊！方才老人家说求雨？"曹勇上前说："苏贤良，这旱情一日比一日重，眼看着又要饿死人了。张大人知道了，来村里巡察，也说只有求雨这一个法子了。张大人说，放眼整个凤翔，只有苏大人能把雨求来。"苏轼心中已知张璪用心，遂摇头道："不行，不行，邃明兄，我从未求过雨，也万无把握，求雨还须另请能人。"

张璪说："子瞻之言谬也。久旱成灾，除了求雨，已别无他法。眼见民不聊生，为民求雨乃是我等为官者职责所在。"苏轼忙说："邃明兄，我不是推辞职责。若我有呼风唤雨之力，苏某当在所不辞。可是我若求不来呢？"

众村民都说道："苏贤良，你既然是天上的文曲星下凡，您要是写上一篇祭文，亲自祷告，老天爷一定下雨！"苏轼苦笑道："老人家，我要真是文曲星下凡，我又何必让凤翔遭逢旱灾呢？"曹勇慌忙道："苏大人，若不下雨，种子不能下地，秋后饿死的人会越来越多。你就为我等求一回雨吧！我们大伙正商量着要到终南山请您呢，可巧张大人带您来了。我们给您跪下了。"众人哀求着，跪下一片。苏轼慌张地扶起大家："哎，哎，快起来，我答应你们，答应你们。"张璪在一旁暗暗点头，脸上掠过一丝笑意。

苏轼满面愁云地回到家中，进门时差点撞上小莲。小莲笑道："哥哥，你回来了，方才我来看你，姐姐说你又出去了。哥哥真是三过家门而不入！"王弗走了过来，看到苏轼一脸的愁闷，问道："夫君，怎么这么不高兴？"苏轼回答："张璪今日同我到官户村巡察，官户村和凤翔的百姓非要我领着他们去求雨，我只好答应了。"王弗急道："啊，你为何要答应他们呢？要说求雨，也该是陈太守求呀！"

苏轼叹道："他们下跪祈求，而且官户村又有村民受灾致死，我怎能不答应啊！唉，张璪与我虽是同年，当初曾在京城共反太学，但如今已是渐行渐远。分明是他布置陷阱，迫我硬着头皮求雨，最后让我落得骑虎难下，在众人面前丢尽颜面。"王弗也说："夫君，我早看出此人目光游移，非正人君子。"

苏轼叹道："这个且不说。如今求雨之事可谓民意鼎沸，为了百姓生计，我只能明知不可为而为之，答应这求雨之请。但下雨本属自然之理，顺天应时就是，岂可强求呢？这求神拜仙更是虚妄之事，怎么可以当真？此事实在难办啊。"王弗宽慰道："唉，夫君，你也不用着急了，总之你都答应了，现在只得应对。"

小莲微笑道："我觉得，与民为官，尽心而已，尽心而知天；至于成与不成，人言如何，原是人管不得的！"苏轼一惊，笑道："没想到莲妹小小年纪，竟有这般见识。"王弗抚着小莲的背笑道："就你们男人有见识，我们莲妹可是不让须眉。"小莲低头道："哪里啊，只是家父在日，常常这样说起罢了。"

苏轼拍手道："莲妹说得是，尽心就是尽人事，所谓'尽人事，知天命'。只要为民尽心求雨，其成与不成，以及我一人之荣辱得失，不必看重。好！弗儿、莲妹，这场雨，我求定了！"王弗高兴地笑了，感动地看着小莲。小莲却面露忧色地说："哥哥胸怀锦绣，大公无我，妹妹实在钦佩之至。不过方才说起家父，母亲近日常跟我念叨，想回庆州一趟。"

苏轼一拍头道："我好糊涂。怎么忘了让你们回家？"王弗心中一惊，说："妹妹，难道这里不好吗，你们却要回庆州去？"小莲忧伤地说："我们哪里还有家。眼看就到了父亲三年之祭，母亲无非是想到父亲的坟上祭奠一番罢了。"王弗点点头，松了一口气。

苏轼恍然道："原来是杨大人的三年祭日，我若不是脱不开身，也一定到杨大人的坟前致祭。边境不安宁，明日让巢谷送你们到庆州去，你们早去早回。"

十六　求　雨

　　晚上，杨伍氏和小莲在房中收拾东西，准备明日上路。杨伍氏试探着问道："莲儿，这次回去拜祭你爹，你说我们娘儿俩还回不回来？"小莲手一哆嗦，然后定了定神说："我听母亲的。"杨伍氏大有深意地看了小莲一眼，叹道："莲儿，虽然大苏先生让我们回凤翔来，可我们两家毕竟不是至亲，若常住在人家家里，总不免叨扰麻烦。再者说了，你哥哥官俸不多，这么大一家子，你姐姐又刚生了迈儿，就怕给他们添了负担呀。唉……"

　　小莲应道："母亲说的极是，可是我们若回庆州，又哪里有安身之地？"杨伍氏干脆说明了："莲儿，你心思敏锐，当明白娘话中的意思。娘不瞒你说，你爹生前就与苏老太爷说起过，要将你嫁给子瞻。后来你爹获罪蒙冤，此事才作罢。"小莲忙止住道："母亲，您别说了……"

　　杨伍氏不理会，接着说道："唉，夫人是个有慈悲心肠的大好人，子瞻娶了她，真是好福气。莲儿，娘问你，你愿不愿给子瞻……"小莲羞红了脸，忙止住杨伍氏道："娘，不说这个了，快睡吧，明日还要早起赶路呢。"杨伍氏叹道："莲儿，娘知道你心中是怎么想的。娘也知道，你弗儿姐姐，跟娘想到一块了。"

　　这天晚上，苏轼半躺在床头，捧着天象历法之书观看，突然对王弗说："喔，对了。你明日送送杨老夫人，叫巢谷兄一路上小心照顾，到庆州致祭完毕，即刻返回，以免让我们担忧。"王弗停下手中的针线活，开玩笑似的说："你是担忧杨老夫人，还是担忧小莲妹妹呢？"苏轼放下书，一本正经地问道："弗儿，你这话是何意？"

王弗忽然正色道："好了，说正经的。我一看见小莲，就想起了我们死去的姐姐！"苏轼神色一动。王弗接着说："莲妹的学问、聪明、见识、气度，无处不像姐姐。"苏轼何等聪敏之人，很快就明白了王弗的意思。苏轼坐了起来，握住王弗的手笑道："弗儿，我明白了。在我眼里，你聪慧贤良，没有人可以代替。"

王弗抽出自己的手，依旧严肃地说："我知道你说的是真心话。论学问，论才艺，我不比莲妹差。可要是论见识，论气度，我就比不上她了。"苏轼有些恼怒，说："各有所长，比来比去做什么！"王弗笑道："我不是要和莲妹比，我是觉得——觉得——她能帮你。子瞻，我想把莲妹永远留在咱家里！"

苏轼心里一惊，故作不解道："什么？永远留在咱家里，那小莲永远都不嫁，在家里当尼姑吗？！"王弗一点苏轼的头，笑道："人称你是大宋第一才子，怎么这么笨啊！有你这个大活人，让人家当尼姑干什么！"

苏轼像个孩子般跳起来，笑道："啊呀！弗儿，原来我去了一趟终南山，你就学坏了！"王弗笑道："你呀，我怎么学坏了！我也不是为这个讨好你，我是真喜欢莲妹。"说到这儿，王弗神情忽然有些黯然，说道："说真的，我觉得这世上啊，也只有你才配得上她，也只有她才能处处帮你！"

苏轼感动地看着王弗道："弗儿，我明白了。你这么想，可不要让小莲知道，小莲若是得知，怕要伤心。"王弗点头道："这倒说得是，怕是委屈了莲妹。"苏轼坐上床，说："不说这个了，睡觉吧，明日我还要观测天象，以定求雨之期。"王弗依旧坐在床边，沉吟道："可是子瞻，若小莲心中有你，这岂不是两全其美的事？这话我不能对小莲说，我可以跟杨老夫人讲呀，今日我看杨老夫人欲言又止的。杨老夫人还说过，以前杨太守就是要把小莲许配给你，兴许杨老夫人也有这意思呢，只是……子瞻……"回头看，苏轼已是鼾声雷鸣。王弗笑着用手指点点苏轼的头道："你这鼾声呀，越来越响了，我受得了，人家可受不了你。"

第二天，送走杨氏母女，苏轼站在院中，手持一本天象书，一边翻阅，一边仰头观阅天象，不时掐指计算，思索徘徊，不一会儿已经是满头大汗。王弗来到苏轼身边，替苏轼摇着扇子。

苏轼看着天，忽然眉头一展，高兴地说："弗儿，你看，这天上云层状似棉花，且仍在不断壮大，直向高处扩展，又变为高塔形状。按历法天象书中的讲解，此乃湿气向上蒸腾以至旺盛的表现。也就是说，近日必有暴雨发生啊！"王弗摇着扇子，高兴地说："如此大热的天，夫君却说天有雨象。唉，夫君，你原来上晓天文，下知地理，莫非是孔明转世，可为何今日才显露真身呀？"

苏轼笑道："百姓称我是文曲星下凡，我只是将信将疑。如今连我的弗儿都说我是诸葛孔明转世，我只能全信不疑了。"一边说，一边捻须，装腔作势地念道："功盖三分国，名成八阵图，老夫是也。"

王弗呵呵笑着，用扇拍打苏轼，说："夫君又在顽皮说笑了。夫君既说有雨，那就快些测算降雨的时辰吧。"苏轼略一掐算，喜笑颜开道："弗儿，为夫已然算出。三日后巳时，凤翔必有降雨。我就定在三日后为民祈雨。"

这时，一衙役忽然进来禀告："苏签判，陈太守吩咐小的特来问您，求雨之期定在何日？"苏轼胸有成竹地说："你去回禀陈大人，就说三日后巳时，本官在太白山上祈雨！"

三天后，烈日当空，蜿蜒的太白山路上，苏轼、王彭、陈恺等人走在前面，众百姓举着各色旗帜，抬着牛羊，紧随其后。队伍在军士的护卫下，浩浩荡荡地沿着山路，迤逦向太白山行去。

人群中有人小声议论着。王老汉问："曹勇，你说苏贤良能不能求下雨来呀？"曹勇小声道："苏大人方才对我说，他观测天象算出今日巳时，必有甘霖。苏大人说话从来都是作准的，这雨一定求得下来。"王老汉欣喜道："苏贤良是文曲星下凡，他说下雨一定下雨。"一旁的王二听见这话也很高兴，对众人喊道："大家快些走，有苏大人为我们求雨，老天爷一定会下雨啊！"众百姓高兴地拍手叫好。

队伍来到一座山神庙前，忽然，阵风陡起。一个抬着牲畜的小兵，向天喃喃了几句，就口吐白沫，胡言乱语，貌似"中邪"。他一边到处扑打，一边说："我是山神，我是山神，过我不祀，必降尔灾！我是山神，我是山神，过我不祀，必降尔灾！"众人吓得纷纷趋避。

苏轼转身看看王彭，王彭说："苏大人，百姓都言，此地山神常常显灵，索要祭祀，你看是否要留下一些祭品！"苏轼哼了一声，怒冲冲地走向那个士兵，对旁边的几个士兵说："将他捆起来！"众人都大吃一惊，劝道："不可啊！苏签判，他是山神附体，不可得罪啊！"苏轼不停，厉声道："捆起来！"

士兵将"中邪"的士兵捆了起来。苏轼让人把他拖到山神庙前，举鞭欲打。很多人见此情景，吓得跪下说："不可啊，万万不可啊！"这次，苏轼不理众人，举鞭抽打起来，而且一鞭一吼："仙界何曾有，恶鬼满世间。我赴太白山，你要买路钱。本官无所有，只有笔和鞭。尔若胆气壮，找我苏子瞻！"打完，弃鞭而去。

众人惊恐万分地听着，"中邪"士兵忽然停止叫嚷，恢复了正常，站起身来，四顾茫然："你们都跪在这里干什么？"众人大奇："咦，好了，好了，被苏签判打好了！"

队伍来到太白山的龙王庙前，军士们陈列好祭品，点燃香烛，架好礼炮，庙下人头攒动，场面宏大而严肃。众百姓纷纷跪下，向天祈祷。苏轼正色，大声宣读祭文道："雷阗阗，山昼晦。风振野，神将驾。载云罕，从玉虬。旱既甚，蹶往救。道阻修兮……"苏轼诵毕，将纸在香烛上点燃，接着一挥手，十三声礼炮轰鸣。

众百姓齐齐跪下，向天喊道："老天爷呀，下雨吧！救救我等吧。"少顷，大家抬头看看天，仍是晴空万里，颇感不妙，人群中一片寂静。两个时辰过去，天上还是无一丝云彩。苏轼大惑不解，只得挥挥手，号令大家收拾东西回去。

山路上，求雨的队伍颓败而回，旗帜零落，无精打采。人群中怨言暗起："雨都求不下来，他还真把自己当文曲星了。"有些老人流泪哭泣道："天不下雨，我们可怎么活呀，只有等死了！"曹勇、王老汉等人听见这话，垂头丧气，也顾不上理论。苏轼也听见了议论，心中郁闷，却又无可奈何。

府衙内，陈希亮和张璪也在焦急地看着天，天上万里无云，两人脸上露出喜色。衙役送来毛巾给两人拭汗。

张璪还是不免紧张地说："大人，若苏轼真把雨求来了，却如何是好？"陈希亮瞪了一眼张璪，说："你瞧瞧这天，烈日当空，可有一丝云彩？怕什么！这天要下雨了，我马上辞官，把这知府让给苏轼，回家种田去！"

这时，一衙役疾行而入，笑着禀告："禀报陈太守，张法曹，苏轼求雨不成。这天上别说下雨，就连云彩都没飘起来。他已率众百姓下山了，十分狼狈。"

陈希亮听说，大笑道："哈哈！苏轼还以为他真是文曲星了。当朝的皇上恩宠他，可这天上的玉皇大帝不买他的账！痛快！"张璪也附和道："大人说得是。我顶看不上苏轼那狂妄劲儿！他不就是专会逢迎皇上吗？看来，苏轼也就是个沽名钓誉之徒。"

陈希亮回头向张璪道："哎……也不可这样说，你们虽是同年，苏轼之能，却是你不可望其项背的。本官虽是武人，这个还看得出来！"张璪撇撇嘴，心中虽有不悦，但仍然笑道："不过求不来雨，看还有几个人叫他作贤良。这贤良的名号，注定跟他帽上的纱翅一样短！"

苏轼回到家中，脱去官服，只穿着内褂，坐在烈日下发呆，不时看看天，无奈地摇头。王弗上前安慰道："夫君，不必自责。夫君不是说了吗，尽人事，知天命，天上不下雨，那是自然之法。夫君已尽心尽力，何罪之有？"

苏轼懊恼地说："可是我明明测算出今日巳时降雨，按天象来解，不该有错啊。"王弗给苏轼摇着扇，说："人皆说天有不测风云，天象也是瞬息万变的，夫君岂能面面俱到？"苏轼苦笑道："弗儿呀，都怪我平日不问天象历法，如今临时抱佛脚，又自作聪明，唉……"王弗道："过莫大于不自知，夫君不必自责了。"苏轼叹道："我受人耻笑，丢尽颜面倒无所谓，只是百姓仍要饱受旱灾之虐，实在是让我心急如焚啊。"

一旁的采莲看着苏轼，又看看天，忽然喜形于色，指着天空道："子瞻、弗儿，快看！"苏轼低头无奈道："有什么可看的。"王弗抬头，赶紧推着苏轼道："夫君，你快看呀。起风了，上云了！"苏轼抬头看天，只见天边渐渐涌来一片乌云，不一会儿，雨点大落，苏轼和王弗的脸上挂满笑容。

大雨倾盆而下，仿佛是积蓄了太久，一时猛力倾泻。官户村外，众百姓在大雨中欢跃庆贺，高喊着"苏贤良"，纷纷拿出锅碗瓢盆用来接水。

苏轼家院内，苏轼和王弗站在雨中，不顾大雨如注，高兴地在雨中欢笑跳跃。苏轼大声笑道："弗儿，久旱逢甘霖，看来我的测算无错。"王弗应声笑道："也许是夫君心诚所至，感动上天，所以兴云致雨，降福于凤翔百姓！"采莲拿着雨伞出门，上前给王弗打着雨伞，也笑道："弗儿，快进屋吧，别受了风寒。"

而此时陈府院内，陈希亮独自站在大雨中，一脸茫然地仰着头，任雨滴重重砸在脸上，狼狈而疲倦，老态毕露。他不解地看着大雨，怎么也琢磨不透，已顾不上擦拭脸上的雨水。

杜氏举着一把伞从屋里走了出来，替陈希亮打上伞："老爷，你这是干什么，快进屋避雨呀！"杜氏拉不动陈希亮，反被陈希亮一把推开，跌在雨水中。杜氏略带哭腔地说："老爷，你疯了！"陈希亮充耳不闻，仍无语地看着漫天的大雨。

下了大半天的雨，到傍晚雨才渐渐止住，之后又断断续续地下了几天的雨。王弗却因为淋雨而生了病。这日，王弗一脸病容，躺在床上，间或咳嗽两声。采莲端了一碗汤药，走了进来，一脸担忧地说："弗儿，该喝药了。唉，你上次尚未满月就去府衙替子瞻告状，从此落下了病根。你也不懂疼惜自己，那么大的雨，也不避一避，还跟着子瞻一块疯。"王弗喝了几口药，强打精神道："表姑，我没事，眼看就好了。子瞻呢？"采莲道："在后院督促他们盖亭子呢。"王弗挣扎着起身道："我已好几日没下床了，也想下来走动走动。表姑，你陪我去后院看看。"采莲虽然担心，却还是拗不过王弗。

采莲搀着王弗来到后院。苏轼在一旁率领着曹勇、王老汉、王二等人修亭子。采莲扶王弗坐下，众人都上来行礼。苏轼上前道："夫人，你怎么下床行走了？快回去歇息。"王弗笑道："子瞻，我已无碍了。下地走走，反倒有益恢复。"

苏轼让采莲取出一袋钱交给曹勇做修亭的工钱。曹勇忙推辞道："大人，这可不行。这场雨是您求来的，凤翔城和官户村的百姓正商量着怎么感谢您哪，给您修个亭子，我们怎么敢要工钱呢！"苏轼笑道："我求来的？曹勇，我可不敢贪天之功为己有啊！老天该下便下，不该下便不下，岂是人能求来的？"

王二放下手中的水，迷惘地问道："苏贤良，既是这样，那您还去求什么？"苏轼笑道："我去求，是我想去的吗？是你们逼我去的！我若不去，就凉了父老的心！"王二更加疑惑了："那要求不来，您岂不丢脸了？"苏轼两手一摊，笑道："'与民为官，尽心而已'，求来求不来，丢脸不丢脸，我岂能管得了！"王老汉赞叹道："苏贤良真是一个大好官，我等能遇见苏贤良，是天大的福气呀！"

苏轼向采莲低声说了几句，采莲从屋中送来笔砚。王老汉道："苏贤良要写文章？"苏轼笑道："是啊！下不下雨由老天，写不写文章在子瞻！"众人笑道："苏贤良乃是文曲星，岂能不写文章？"苏轼点头道："一场喜雨，秋粮下种，岂能不写文章？对，就叫《喜雨亭记》！"苏轼铺纸疾书，文思泉涌，转眼就已写好。

苏轼故意摇头晃脑地念道："亭以雨名，志喜也。古者有喜，则以名物，示不忘也……"念了一会儿，苏轼问王二："王二，你懂吗？"王二迷惘地摇头表示不懂，众人也纷纷表示不解。苏轼点头道："不懂？那我说解给你们听，我说的是呀，这座亭子用雨来命名，是纪念一件喜事。古人遇见了喜事，就用来给事物命名，表示不忘记。这你们明白了吧？"众人笑着点头，表示懂了。苏轼接着念下去。

西北连降大雨，解了凤翔的旱情，但却使杨氏母女回家的路充满坎坷，虽有巢谷一路护送，但杨伍氏还是病倒了。

这日，巢谷一行来到一个小镇，距庆州还有几日的车程。天已向晚，巢谷下马，只见杨伍氏脸色苍白，一脸病容，连说话的力气也没有了。于是问小莲道："杨老夫人好些了吗，心口还疼吗？"小莲回道："巢谷兄，母亲还是不好，我们就在前面这客栈歇脚吧。巢谷兄，你能去附近寻个郎中来吗？"巢谷忙道："待我们住下，我就去找。"

到得前面一家简朴的客栈，巢谷小心翼翼地扶杨伍氏下车，小莲也扶着巢谷手臂下车，巢谷顿时一抖；小莲似有察觉，脸色微微一红。巢谷也满脸通红。

来到客栈内，小莲搀扶着病容憔悴的杨伍氏。巢谷找到店家："店家，赶紧收拾出一间干净的客房。"小莲吃惊地看着巢谷。

店家也疑惑地看着三人，问道："三位客官只要……只要一间……房？"巢谷慌忙说："不是我，是给她们母女俩的。你这店家，这么喜欢啰唆，只管快去。"说着给店家银两，店家点头要走，巢谷拦住问道："哎，你先别走，这附近哪里有郎中？"店家回道："十几里外李家庄上有位郎中。"巢谷喜道："好，你一会儿就带我去李家庄找那郎中，我自不会亏待你。"店家点头离去。

小莲扶杨伍氏在床边坐下，问道："巢谷兄，你睡在外面？你……"巢谷笑道："这荒野小店我不太放心，我在外面马车上看着，恐有人打扰……莲妹你们只管安心睡觉，有我巢谷在，谁也不怕。"杨伍氏挣扎着说："巢谷贤侄，这……"巢谷忙说："老夫人请放心，只管养病休息，巢谷身强力壮，老

167

夫人不必担心！"

小莲见巢谷执意睡在外面，感激地说："那……委屈巢谷兄了！"巢谷脸一红，笑道："莲妹，不要客气！"杨伍氏看了一眼巢谷，暗自叹了口气。

巢谷很快骑马请来了郎中，为杨伍氏诊病开方，小莲连夜煎好了汤药让杨伍氏服下。

拂晓时分，小莲披衣走出，见巢谷坐在门外睡着，十分感动，急忙拿衣服替他披上。巢谷察觉醒来，忙站起笑道："我是练武之人，身子没那么娇贵！"小莲说："巢谷兄，真是让你受累了。"巢谷道："哪里话，老夫人好些了吗？"小莲勉力笑道："比昨日稍好些。"两人相对，一阵沉默。

巢谷目光游离，不敢看小莲，低头道："那我们……赶紧吃过饭赶路吧，尽早到庆州找个好郎中给老夫人治病。"小莲点点头，神情也极不自然。

巢谷三人加快速度，两日后终于到了庆州。杨氏老家早已没了，三人只好住在旅店中。稍作休息，杨伍氏就带着小莲和巢谷去祭扫丈夫的墓地。墓地一片荒芜，巢谷打扫了墓地，并找来石匠重新刻了一块墓碑。杨氏母女在墓地上痛哭不已。

祭扫已毕，三人回到旅店中。杨伍氏虽吃了几服药，但因伤心过度，再加上路途劳顿，病势日益沉重。她自知大限之期将至。于是，杨伍氏将小莲叫到床边，哀声说道："自从前日到你父亲坟上祭奠，就成日想着随你父亲而去，就是——"小莲哭道："母亲！不要说了，您会好起来的，不要扔下莲儿啊，母亲！"

杨伍氏叹道："莲儿，记得娘说的话。子瞻是可托终身之人，娘知你心高，可要是能服侍你子瞻哥哥，自是你的福分，就不要计较名分了。莲儿切记，要与你王弗姐姐好生相处。"小莲连连点头道："母亲，孩儿如能随娘所愿，也知足了。"

杨伍氏又说："莲儿，叫巢谷进来。"小莲哽咽着，向外叫道："巢谷兄。"巢谷应声而入，说："巢谷在此，老夫人有何吩咐？"杨伍氏怜惜地看看巢谷："巢谷贤侄，老身托你一件事，不知你可肯答应。"巢谷忙应道："杨老夫人请讲，巢谷一定办到。"

杨伍氏叹道："巢谷，老身知道你是义士……请你一定把小莲送到凤翔……"巢谷连连点头应承，杨伍氏又从床头下摸出一封信，说："还有，我前几天写了一封信，请你替老身交给苏夫人！"巢谷接过信，坚定地说："老夫人，小侄一定亲手交给苏夫人。"

杨伍氏点点头，呆呆地看着巢谷。巢谷见状，忙问道："老夫人，还有什么事吗？"杨伍氏叹道："巢谷贤侄，你心里想什么，老身心里都明白，可又有什么办法呢？看来，老身是闭不上眼睛了……"杨伍氏说罢，无力地倒在枕上，长叹一口气，溘然长逝。

接下来的几天，巢谷和小莲又将杨伍氏和杨云青合葬在了一起，并把墓地扩建修缮一番，给了庆州杨氏宗亲一笔钱，安排每年定期祭扫。小莲日夜痛哭，也病了一场，多亏有巢谷守在身旁，不时劝慰。

半个月过去后，巢谷征得小莲同意，两人收拾行装，赶回凤翔。不到半月，二人回到了苏家。大家见小莲身着孝装，大吃一惊。小莲扑向王弗，哭倒在她怀里。

苏轼向巢谷问道："这是怎么了？"巢谷低下了头，答道："老夫人悲伤过度，一病不起，就过世了……"王弗抱着小莲哭道："可怜的妹妹啊！"众人皆感叹拭泪，苏轼呆呆地坐在椅子上。

巢谷掏出一封书信，对王弗说："这是杨老夫人托我转交你的。"王弗有些吃惊地问道："给我的？"巢谷点头。王弗拆开信，看罢，稍一思忖，将信收起。众人有些纳闷，王弗也不说，只扶着小莲回房休息。

苏轼求雨成功，凤翔城郊的荒田皆开垦播种。时值初夏，庄稼长势喜人，官户村和凤翔的原住民都欢欣雀跃，苏轼在百姓心中的影响力越来越大，而其政绩在全国都产生了巨大影响，大家只知凤翔有苏轼，倒很少有人还想得起陈希亮这个太守了。陈希亮内心不平，又无处发泄，加之儿子离家而居，妻子一心钻营，老态渐渐显露，生了一场大病。

这天，陈希亮躺在家中的藤椅上，头上敷着热毛巾，不时打着响亮的喷嚏。杜氏过来给他喂服汤药，陈希亮不耐烦地将碗推开。这时，陈奇领着陈慥和苏轼进屋。陈希亮瞅见二人，把头上的热手巾一把揭掉，扔落地上。

陈奇上前禀告："老爷，公子回来看您了。苏大人也来了。"陈希亮装作没瞧见二人，杜氏在一旁阴阳怪气地说："哟，老爷，现在居然还有人来看您啦！"

陈慥看也不看杜氏，径直上前行礼问道："父亲，您的病好些了吗？"陈希亮恼怒地挥一挥手，大声道："谁是你的父亲，我没有儿子！"陈慥低头站在一旁，不说话了。苏轼见状，上前行礼道："陈太守，下官听同僚说您贵体欠安，甚是挂念，特来探望。"陈希亮挣扎着说："谁说我病了？我没病，我好着呢！我胃口也好，一顿饭能吃下一头牛去。你若不信，现在就随我去骑马狩猎，射杀猛虎！倒要看看哪个说本府病了。苏轼，你不信，我二人现在就比试掰腕子。"说完挣扎着想要坐起来，却感到一阵昏眩，只好重新躺下。

陈慥见状，心中一紧，鼻子酸酸地要落下泪来，但又忍住，上前急切地说："父亲！"苏轼也说："太守，您又是何必呢？"杜氏也忙拾起毛巾，洗了洗，重新给陈希亮敷上，带着哭声说："老爷，您就不要逞能了，您要是有个三长两短，奴家可怎么活呀！"说罢，嘤嘤哭泣起来。

陈希亮又甩开毛巾，大声斥道："哭什么哭！你这妇人，再给我丢人现眼，我就将你赶出去。"杜氏的哭声戛然而止。

苏轼恭敬地说："太守，待您病去复元之后，再教训下官掰腕子也不迟呀。但求太守清心养病，早日康复。"陈慥也只得叹道："父亲，孩儿不孝，不能侍候尊前。孩儿只愿父亲早日康复，今日父亲既然不愿见孩儿，孩儿改日再来探望。"陈希亮听罢，心中虽不舍，但又不愿表露出来，脸色铁青着，并不看陈慥。

待二人走后，陈希亮气愤地拍腿吼道："你们两个，妻不贤，子不孝！当着苏轼的面，出我的丑，让他看我的笑话，本府的性命迟早要断送在你二人手中。"杜氏哭道："老爷，这怎么能怪我？我们本就活不下去了，你这宝贝公子把店铺都卖了，让我们拿什么养老啊！"陈希亮气力不支，语气缓下来说："你又说这个，慥儿拿这钱又不是乱花，他是借给苏轼办公事，建官户村了。"杜氏朝着门外不屑道："就是这个苏轼，气得老爷您现在躺在病榻上，他凭什么拿我们的钱办公事？他可以不要呀！他有本事，自己找钱去！"

这时，陈慥忽然从门外进来，躬身作揖道："父亲，方才忘了一事。这是您交给孩儿管理的账目，孩儿借给苏大人的钱也如数归还了。今天还给您，从此落个耳根清静。"杜氏眼睛一亮，一把抢了过去。

陈慥接着说："父亲，孩儿这是花钱替您消灾，您要不听儿子的话，将来定会栽到这女人的手里！"说完转身而出。

陈希亮再也压抑不住心中的不舍，挣扎着喊道："慥儿——慥儿——"

这时，陈奇进屋。陈希亮忙道："快拦住慥儿。"陈奇道："少爷已经走远了，门外张璪求见。"杜氏烦躁不堪地说："不见，不见，来成一窝蜂了。还让不让我家老爷养病了！"陈希亮吼道："你，闭嘴，给我出去！"杜氏"哼"了一声退下，边走边细算着账目。

张璪进屋，躬身施礼道："给大人问安，不知大人已痊愈了吗？"陈希亮躺着说："好多了，你来有什么事？"张璪上前轻声道："下官是来禀告大人，下官已奉大人之命给京师王珪大人去了书信，该说的话下官都说了。"陈希亮眼睛一亮，喜道："喔，好！"

官户村规模渐大，又得到了官府的正式承认，因此官户村的村民也必须承担赋役。由于这些村民本都是无家可归的难民，因此重型徭役就摊在了他们头上。苏轼对此也无可奈何。

这天，苏轼听说曹勇等官户村的村民因行徭役不当，被打进了大牢，忙与巢谷急匆匆来到监牢。二人来到一监牢外，只见张璪正领着衙役点名，曹勇和王二坐在几百名犯人之中，衣衫褴褛，形容枯槁。

张璪见到苏轼，笑道："子瞻兄，你来了。"苏轼忙问道："邃明兄，这是怎么回事，为何将这许多官户村的村民抓了进来？"张璪不屑地看着曹勇等人，淡淡地说："哦，这些人犯都是摊派了从水路运粮、运木的徭役，这曹勇是官户村的地保，自然也不例外。他们不懂水性，将一只粮船翻在黄河里了。如今还不上官家的钱粮，理当治罪，我也是按律办事。"

众犯人见到苏轼，仿佛见了救星一般，齐齐跪下，哭喊道："苏贤良，救救我啊，我家里有老有小，可怎么办啊！"曹勇低头哭道："苏贤良，是我无能呀，连船粮都保不住。"众人都向苏轼哭喊"救命"。

苏轼见状，心中刺痛，向张璪道："邃明兄，他们不懂水性，却硬要他们去水路运粮。国家之事强行摊派给个人，船翻了却要私人承担，好个不公的乡役制！"张璪忙说："子瞻兄，这乡役制是大宋国法，难道你又要改了不成？"苏轼摇头道："你想想，运粮运木的船翻了于国家是损失，于个人是重罪，乡役制祸国殃民！不公之法就得改，非改不可。"

张璪冷笑道："子瞻兄，你还是好好当你的凤翔签判吧，我劝你别再出什么乱子了，日后平步青云，别忘了我这个同年就好。"苏轼也笑道："邃明兄说笑了，为官若只为平步青云，还不如学参寥兄皈依佛门，落个清净。如今乡役制如此祸国殃民，我不能听之任之。"

张璪拍手笑道："子瞻兄说得好啊，张某是自愧不如呀，但是这为国为民，也得先保全了自身不是，我也是好意相劝。"苏轼拱手道："多谢邃明兄好意。"说完对犯人说："诸位快起来，我一定想办法，早日给大家一个说法。"众犯人齐声道谢，只有曹勇低头不语。

苏轼上前说道："曹勇，你也不必自责，此事并非你们的错。"曹勇、王二感激地说："多谢苏贤良，我们亏欠大人太多了，今生今世都报答不尽！"苏轼扶起二人，向张璪略一作揖，和巢谷走出监牢。张璪恨恨地看着苏轼的背影不语。

第二日，凤翔府衙内，苏轼、王彭、张璪、陈慥在堂下等候陈希亮，苏轼焦躁不安，不停踱步。

过了一会儿，陈希亮悠闲地背着手走了进来。苏轼忙上前施礼道："陈太守，您可来了，您的病好了吗？"陈希亮笑道："本府本来就没病，什么好不好的？"苏轼忙道："恭喜大人，下官有公事急报。"陈希亮缓缓坐下，悠悠说道："苏签判真是公而忘私呀，我正好也有事要对你讲，你先讲。"

苏轼正色道："大人，下官同张法曹查看监狱，因乡役制使监狱人满为患。下官深感乡役制的弊害，求大人上书朝廷，一陈其弊，请朝廷改革乡役制。"陈希亮先是一惊，但转而又点点头，略带嘲讽地笑道："哎呀，我的苏签判，你怎么什么都要改啊？你可真是才高胆大，你的脖子长得稳，我陈希亮的脖子可不如你的硬啊。还是等苏签判哪天当了宰相，再大改天下之法吧，到时候我陈某一定效命。"

苏轼接着说："太守，乡役制之害有目共睹，国家和百姓均受其害，你我作为朝廷命官责无旁贷啊！"陈希亮抬起手，严肃地说："打住，本府不跟你们这些书生进士讲大道理。记住，你还不是宰相。你口口声声为朝廷改这改那，你有没有想过朝廷怎么看你？"苏轼理直气壮地说："但求无愧于心。"

陈希亮笑了笑，慢悠悠从袖中摸出一份朝廷敕文，在苏轼面前抖开，笑道："苏签判，本府刚刚接到的朝廷敕文，你听听。"说着摇头晃脑地念道："陈慥急朝廷之急，以私财捐助公事，其心可嘉，特予褒奖，赠内府藏书若干！苏轼未经朝廷许可私建村落，虽查明为公，不咎其罪，然罚俸半年，以儆天下妄行者。"念完，又慢悠悠地卷起收回袖中。众人大惊失色，唯张璪暗喜，与陈希亮对视一眼，被陈慥看见。陈慥大为不悦，心知此事必是张璪联同父亲所为，遂恨恨地瞪着陈希亮。

苏轼大笑道："太守，苏某不但无功，反而有过！好！好！好！"陈希亮一时震惊于苏轼的反应，忙道："此乃朝廷敕文，韩琦宰相押的字，与本官无涉。不信自己看去！"苏轼摆摆手道："罚俸就罚俸，只是这事理不明。"

张璪上前，一脸不平地说："我说苏签判真是冤枉，明明做了件好事，反被罚俸。我看这事要是摊在别人身上还要论功行赏呢，这罚俸之事恐怕是针对苏签判的，不公啊不公。唉！"

苏轼冷冷地看着张璪，陈慥忍不住，上前指着张璪道："张法曹，你火上浇油，是何用心！"张璪貌似委屈地说："季常，我可是一片好心为子瞻不平啊。子瞻兄消消气！消消气！"

苏轼淡淡地说："我没有气，我是在讲理。他韩琦宰相虽以忠直闻名朝野，但一贯循古蹈旧，冥顽不化。正是我私建难民村，众多难民才不致饿死，凤翔才得以安定。他说我有错，就让他到凤翔来干！比起我这个凤翔签判，他那个糊涂宰相简直太好当了！"陈希亮拍案站起，怒道："苏轼，不得放肆，怎可目无尊长，诋毁当朝宰相！"

苏轼霍然怒道："我今日就是要放肆一回！还有这专祸害乡里的乡役制，更该让他韩琦来看看！我主管刑狱，这一个凤翔府里就押了几百不能按期完役的贫穷百姓。按现在的律例，他们永无重见天日之时，只有在牢中等死。大宋有多少个凤翔府，又押了多少这样的百姓！这些百姓，本就是被逼无奈代公家行役，怎么就不能放了！这千刀万剐的乡役制，怎么就不能改了！那些谏官、御史，自称清流，动辄清议，口口声声什么大宋律例、祖宗成法，他们怎么不走下朝堂，睁开眼睛来看看！他们简直是赵高，是张让，是——"

陈希亮大声将苏轼的声音压下，道："苏轼，你再说下去，本府就将你捆了，押送到朝廷上去！"苏轼大笑道："哈哈哈！陈太守，你要捆就捆，我苏轼不怕！若不是我建了官户村，一举安定了凤翔，这顶知府乌纱怕早已不在你头上了！"说罢转头对陈慥施礼道："季常兄，多有得罪！"陈慥摇摇头，含泪不语。陈希亮见状，一时语塞。

王彭忙上前止道："苏签判，歇歇，从长计议，从长计议！"苏轼不听，仍向着陈希亮道："歇歇？从长计议？你们都歇着吧！我这就回家给韩琦上书，我要问他，他到底赦不赦免这些百姓，改不改乡役制！他若不改，我辞官，回老家！"

十七　凤翔八观

　　回到家中，苏轼立即动笔写就奏章，力陈乡役法种种害民之弊，力谏革除。苏轼连同一封家信交给巢谷，说："巢谷兄，这是两封信，一封是家信，一封是给宰相韩琦的。给韩琦的上书你请范镇大人转交，否则就会迟延时日。你明日就启程上路，在汴京住些日子，看看父亲和子由有什么新文章，抄一些回来让我看看！"巢谷点头应允。

　　这时，王弗突然来到书房，拿出一封信，对巢谷说："我这里也有一封信，是交给老爷的！"苏轼惊道："弗儿，你这是何意？"王弗摇头笑道："你不要问了。"巢谷疑惑地接过信。小莲正好端茶进屋，惊异地看着王弗，似乎明白了什么。

　　夜晚，巢谷回屋收拾东西，准备第二天一早启程。小莲也回到屋中，她当然猜出了王弗写信是希望苏洵同意苏轼纳自己为妾，因此心里忐忑不安。有母亲的遗嘱，若再得苏洵的同意，自己又能终身随侍在苏轼身边，她自然心满意足，求之不得，怎么还会在乎名分！但委身为妾毕竟有违当初苏杨两家互通婚姻的约定，岂不是对先父的违逆，因此苏老先生也未必答应。想到此，小莲又不免自伤起来。她心烦意乱地整理着父母的遗物，想到父母双双离世，自己一人孤苦伶仃，不免又对着遗物啜泣一番。

　　正哽咽之时，忽听得敲门声，是王弗的声音："莲妹，开门，姐姐有话对你说。"小莲急忙吹灯，擦了擦眼泪，说："姐姐，我已睡了，有什么事，改天再说吧。"王弗还是敲门，连喊着"莲妹"。小莲对着门说道："姐姐的心意小莲明白，可我真的睡下了。"王弗无奈地说："那好吧，那你歇息吧，我走了。"说着轻声离去。小莲听着脚步声渐去渐远，呆呆地坐在床沿。

转眼间，苏迈已能呀呀学语，蹒跚学步，家中也因此添了不少乐趣。

这日，采莲在后堂和苏迈逗乐，苏轼正在读《周易》，时不时充满怜爱地看看学步的苏迈。这时王弗、小莲进来，看到苏轼心不在焉地拿着一本《周易》，王弗上前说："人说《易》能预知休咎，何不给咱迈儿起上一卦？"苏轼摆手连说不用，王弗问为何，苏轼笑道："我和子由都是表姑看大的，迈儿也由表姑看大，想来自然差不了，何须起卦？"

采莲一边拉着苏迈，一边说："我可没那本事，你们哥俩是老爷和夫人教出来的！"苏轼朝王弗一笑，说："听到没有，我还算有些本事，要是迈儿出息不了，可是你这当母亲的没有教好了。"王弗笑着对小莲道："是啊，我自知没有本领，故而给你请了一个有本领的来，让莲妹来教！"小莲羞答答地说："姐姐！快别折杀小莲了！"

苏轼一怔，明白了王弗的意思，故而岔开话题："哎，对了，我近来脾气甚大，倒是该给自己起上一卦。"说着拿过蓍草，折出手指长的短棒十八根，横七竖八地排列一阵，煞有介事地掐算一下，忽然惊道："哎呀，不好！"众人皆问为何。苏轼叹道："月内将有小损，数不过'八'！"众人不解，忙问何意。苏轼神秘兮兮地说："天机不可泄露！"这时，小莲突然"扑哧"一笑。王弗心中仍是迷惘，不知苏轼所言为何，见小莲如此，也猜到苏轼是在笑谈，不是真有不吉之事，便释然了。

这时王彭走进屋来，向苏轼行礼罢，说道："苏大人，陈太守派我来告知，叫你随他去城外狩猎！"苏轼疑惑地应了一声，随即换上衣服，随王彭出门。

两人来到凤翔城外原野，只见陈希亮、张璪、陈恺等都骑马而行，各拿着兵器弓箭，一干军士跟随在后。两人拜见陈希亮后，即随众人来到原野策马驰骋，寻找猎物。跑了一番下来，张璪等书生已是气喘吁吁，苏轼近来由于向巢谷、陈恺学武，又兼为官户村扩建之事挖泥伐木，故而这番奔跑早已不在话下。只是这一番下来，众人竟毫无所获。

陈希亮挥舞着马鞭嚷道："今日别说虎豹了，竟连只野兔也不见踪影，真是乏味得紧。"随即看到身边的苏轼精神抖擞，毫无疲劳之象，心中不免诧异，遂问道："苏签判，你上奏朝廷要改乡役制，为何石沉大海，没有消息呀？依本府所料，怕是早已被宰相韩琦否决了！哈哈！"苏轼微笑着，并不言语。陈慥在一旁佯装咳嗽，意思是劝父亲不要如此，陈希亮看了陈慥一眼，并不理会。

陈希亮接着说："苏签判，本府可还记得你那日说过的话，乡役制不改，你就要辞官回家。说心里话，本府可不愿意苏签判辞官，苏签判虽有点年少气盛，好高骛远，但这也是在所难免。苏签判毕竟是个才子嘛，以后可以多为本府写写奏章、公文，本府仍会重用你的。所以苏签判辞官的话，本府就当你从没说过，如何？啊，呵呵！"苏轼撇嘴一笑，拱手道："多谢陈太守提携下官。太守，下官忽发奇想，想与您再比试一回掰腕子！"陈希亮心中一喜，眼中放出光来，笑道："哈哈！你要与我掰腕子！难道你不怕当众出丑？"苏轼笑道："太守不怕，苏某也不怕！"众人一惊。

陈希亮豪爽地大笑道："好好！来来！"随即命令一个军士躬身蹲在地上，陈希亮和苏轼便将手臂放在军士背上，摆好姿势，开始掰手腕。一出力，陈希亮才发现，此苏轼已非两年前除夕晚上的那个苏轼，细长的手看似柔弱，但已可感到上面长满了细细的茧子，而其中发出的力也很沉稳。二人旗鼓相当，相持不下。陈希亮心中稍微有些着急，身子一摆，官帽掉落地上，张瑮忙捡拾起欲给他戴上，陈希亮挥挥手拒绝了。

张瑮与众军士都在为陈希亮大声鼓劲加油，只有陈慥、王彭盯着苏轼，暗暗为之鼓劲。陈希亮和苏轼都大汗直流，仍不分胜负。张瑮与众军士更加卖力地挥舞着手臂，为陈希亮吆喝得青筋直暴，而陈慥和王彭也忍不住喊出声来，为苏轼鼓劲。

时间又过去了许久，陈希亮毕竟老迈，右手微颤，已是坚持不住。陈慥见状大喜，向苏轼叫道："苏签判，机会来了。"苏轼遂用尽最后一丝力，大喝一声，使劲一扳，将陈希亮一举扳倒。张瑮和众军士瞠目结舌，纷纷止住了鼓噪。陈希亮瘫倒在地，一脸惶惑不解地说："怎么会这样，怎么会这样？"随即又怒向陈慥道："慥儿，你到底是谁的儿子？！"陈慥低头不语。

苏轼见状，揉着手腕，上前笑道："陈太守，若不是陈公子教我勤练体魄，授我技法，我苏轼焉能胜得过大人！所以说到底，赢的还是您！"陈希亮瞪着陈憷，又累又气，一时语塞。众人也不知说什么好，气氛非常尴尬。

正在这时，一阵紧凑的马蹄声传来，大家顺着声音向凤翔城外大道望去，一片烟尘中，苏轼依稀辨得是巢谷，他正策马疾奔而来。不一会儿，巢谷疾驰而至，飞身下马，兴奋地说："子瞻兄，朝廷批准了，批准了！"苏轼迎上来，心中虽已猜到大半，但仍兴奋地问道："批准了什么？"巢谷拉着苏轼的手道："改乡役制，赦免二百五十二户，在凤翔试行募役法！"众人闻言皆大惊。

苏轼大喜，不敢相信是真的，摇着巢谷的手问东问西。巢谷喘了口气，从怀中掏出朝廷的赦令，递给苏轼道："这是韩琦宰相押字的赦令！"苏轼忙着翻看一番，笑道："哈哈，看来是我冤枉韩大人了，若有机会，我当面向他赔罪。"说着把赦令递给陈希亮，兴奋地说："陈太守，看，这是朝廷的赦令！现在可以放人了吧！"

陈希亮急忙接过赦令观阅，脸色大惊，只觉眼冒金星，站立不稳，被一旁的陈憷扶住。苏轼激动地对众人说："好，改乡役制，代之以募役法。朝廷在凤翔试行以钱粮募役的法子，让官府出钱粮雇人去服劳役。好，好！陈太守，明天就是中秋节了，可将牢中人犯都放了，让他们尽快回家团聚！"

苏轼来到监牢内，拿出朝廷赦令命令狱吏放人。众犯人除去镣铐，走出牢门，来到苏轼面前，齐齐跪倒，流着眼泪千恩万谢。苏轼忙扶起前面的几位，说："众位父老兄弟快起来，我苏某可担当不起啊！"曹勇感动地说："苏大人，又是您搭救了我们，若没有您，我们只怕就死在牢里了。"王二也说道："苏贤良的大恩大德，我们一辈子不忘！"苏轼忙说道："曹勇、王二，众位乡亲，快起来吧。今日正好是中秋节，就都回家吧，还能赶上团圆饭。"众犯人都站起来拭泪道谢。

这时，得知今晚要释放犯人的乡亲们也赶来监牢中迎接各自的亲人。带头的王老汉见到苏轼，又不免感激一番，要跪下磕头。苏轼忙止住大家，道："老人家，不必，不必。如今村民们的日子还好过吗？"王老汉道："托苏贤良的福，好着呢。这下有了剩余口粮，不用吃了上顿愁下顿了，苏贤良真是小民们的大恩人哪。要是这些当官的都像苏贤良这样，就天下太平喽。"苏轼道："哪里哪里，我只是尽了为官的本分。"

苏轼又回头对曹勇说："对了，曹勇，我有件事情要告诉你。朝廷要在凤翔试行募役法，就是官府出钱粮雇人去服劳役。官户村人多地少，你们商量一下，可以在你们四个官户村里推选出五十户左右试行，如何啊？"曹勇拍手笑道："哎呀，苏大人，这可是大好事啊！"众人也都为这有钱赚的活儿感到高兴。王老汉点头道："嗯，老汉我活了这些年，这种好事还是头一回听说。看来当今圣上到底还是圣明啊！"众人都嚷嚷着要服募役，苏轼见状，心中大喜。

苏轼家中，王弗和小莲在做针线活。王弗停下手中的活，笑着问小莲道："莲妹，方才子瞻算卦说月内将有小损，数不过八，还说什么天机不可泄露，我没明白，却见你偷偷一笑，你告诉姐姐，子瞻是何用意？"小莲笑道："姐姐不必担心，到时候姐姐就知道了。"王弗抚着小莲的背道："莲妹，如今我越发觉得，你最知道子瞻，你也最能帮他。莲妹，你答应姐姐，你……"

小莲慌张地站起，放下手中的针线，忙止住王弗道："姐姐，我这就去教迈儿念诵古诗。"小莲起身离去，王弗拦她不住，只有摇头苦笑。

夜晚，苏家正堂内，饭桌上摆的是粗茶淡饭，但众人却兴高采烈，为巢谷接风洗尘。王弗站起，举起酒杯，笑道："今天是中秋节，刚好巢谷按时到家，我们一起敬巢谷一杯，一路上辛苦了！"众人皆站起举杯。巢谷回敬道："夫人，区区小事，不足挂齿。只是总在赶路，没人说话，烦闷得紧。后来我自己跟自己说话，就比原来热闹多了。"众人皆笑，巢谷偷觑一眼小莲，见小莲也是一脸笑意，便越发高兴了。

苏轼问巢谷道："父亲、子由、史云和侄儿都好吧？"巢谷笑道："都好，都好。这是给你的诗文。"说着从包袱中取出一叠诗文递给苏轼，苏轼接过，急急地翻着，一面不住地点头赞道："噢，好，好！"

王弗试探性地问巢谷道："老爷有没有给我信？"巢谷爽快地说："有！"说着又拿出一封信递给王弗。王弗忙着拆开信，看完后将信缓缓收起，始终不动声色。苏轼和小莲脸上都不太自然。巢谷笑着喝酒，对此懵懂不知。

吃完晚饭，苏轼夫妻来到卧室。苏轼略有醉意地拉着王弗的手笑道："你干的好事，你当我是傻子！那信上写的是什么，岂能瞒得了我！"王弗低头笑道："我谁都没想瞒！"苏轼醉醺醺地说："你没想瞒人？那好，我问你，自古以来，有几个妻子上赶着为丈夫纳妾的，况且你年纪轻轻，就替我生下了儿子。你以为这是在招贤纳士呢？"

王弗神情有些黯然，说："招贤纳士？不错，我就是觉得你和她才是天造地设的一对。"苏轼动情地搂住王弗道："弗儿，世上哪有你这样贤惠的人。"王弗嗫嚅地说："我——和你这样的才子在一起，自觉不配，怕是年命不长，故而才要找一个和你才貌相当的……"苏轼急忙捂住王弗的嘴，正色道："不许胡说，我此生就要你一个。再说，你那过目不忘的本领，也无人能及，何必妄自菲薄呢？"王弗深情地看着苏轼说："我岂能不知，只是……"

苏轼接着说道："再说，巢谷兄恋着莲妹，大家谁人不知。以我之意，应将莲妹配了巢谷兄才是！"王弗忽然挣开苏轼，站起正色道："夫君，说到这里，我可要明白告诉你。巢谷兄就是我们的亲兄弟，况且还是我们的救命恩人，在我心里，并无远近。可莲妹是什么人，那是天下的女人尖，她的心思你们男人不明白，我们女人可是明白。你要是让莲妹配了巢谷，那就是莲妹先熬死，巢谷后悲死，你是害死了我们两个亲人！"

苏轼沉吟半响，心知王弗所言不假，叹道："是啊，天啊，这可如何是好。"说着又垂着脑袋说："我苏某天不怕，地不怕，可——可对这事没办法啊！"王弗怜惜地握住苏轼的手说："我们女人的事，就让女人办吧！"

来到小莲屋前，王弗看到门半掩着，小莲正在做针线，神情郁闷，身旁还放着书本，窗外吹来的风将书页翻起。

王弗敲了敲门，走进屋中，笑道："莲妹，还没睡吗？"小莲见王弗进来，心中一怔，忙站起施礼道："是姐姐来了，小莲有礼。"王弗携着小莲坐下，笑道："你呀，哪有那么多礼。"说着拿起小莲正在做的针线，好奇地问道："原来在做针线，这是——"小莲笑着说："是给迈儿做的鞋子！"王弗笑道："迈儿好福气，将来有你教导，一定赶上他父亲！"小莲听出话中的弦外之音，低头道："姐姐，我——"

王弗从怀中掏出苏洵的回信，放在小莲手中，说："莲妹，看信。"小莲早知王弗此来正为此事，但她仍是眼睛抬都不抬，拿过针线活接着做起来，一边说："姐姐，小莲不看。"王弗佯怒道："姐姐叫你看，你就看。"小莲摇头不语。王弗叹道："莲妹，你有块心病，姐姐今晚要给你去掉。我呀，是真喜欢你，打心眼里喜欢你。不仅是我，子瞻也喜欢你！"小莲抬头，眼中露出欣喜，转即又羞惭地低头不语。

王弗看出了小莲眼中的欣喜，长舒了一口气，笑道："这句话讲出来，倒也不是那么难。小莲，你说说，姐姐一家对你怎么样？"小莲忙说："姐姐，小莲父母去世，也无兄妹，亲族零落，正是天地间孤伶伶一人！幸得姐姐一家收留小莲，待小莲亲如骨肉，小莲心中感激之情岂能言说……"王弗听此，联想起小莲的身世，不禁哭道："苦命的莲妹，你只须记着，你不是孤身一人，你有子瞻，有我，有迈儿，我们不是收留你，这里就是你的家！"小莲亦落泪，感激地看着王弗。

王弗收住眼泪，接着说："莲妹，当初认识你，知道你出身官宦人家，读了那么多书，又有那样的见识，我就——"小莲忙抢着说："姐姐，你……你通晓事理，万里无一，小莲岂能相比？"王弗笑着说："莲妹，与你相比，我就没见识，没胆气了！"小莲又欲辩驳，王弗掩住她的口说道："你听我说，莲妹。我就觉得，你是那女中丈夫。子瞻说话做事，你不仅懂，而且能为他答疑解惑，帮助于他，这实在难得。以子瞻之才，在男人中都难觅知音，何况你还是个女流，所以你才是子瞻的红颜知己！而我只能替子瞻生儿育女。"小莲欲言又止，王弗接着说："你不要说话，听我说。我想，在这世上啊，也只有子瞻能和你相配。可是，可是——可是，我怕委屈了你，就一直不敢跟你说！"小莲不禁哭了起来，不是委屈，而是为王弗能如此体谅自己而感激。

王弗接着说道："杨老夫人去世后留的那封书信，说要将你托付于子瞻，我才知你心里答应了。这才写信给老爷，老爷也同意你在除去丧服后，让子瞻娶你！"小莲哭道："姐姐，别说了！"王弗抚着小莲的背，眼中也含着泪水，说："莲妹，你千万不要觉得委屈，子瞻和姐姐一生都会疼你、让你的！"小莲扑倒王弗的膝盖上，放声痛哭道："姐姐，我的好姐姐！"王弗也抚着小莲的头流着眼泪，但这是高兴的眼泪，兴奋的眼泪，是冲破了重重心理障碍后释然的眼泪。

由于要给巢谷接风，又要释放犯人，苏轼又违犯了中秋节到府衙议事的规矩，依律要罚铜八斤！第二天晚上，苏轼见饭菜不如以往，笑问采莲道："表姑，这饭食怎的越来越粗淡？一点荤腥都不见，莫不是让我们吃斋！"王弗忙说道："夫君这官当的，被罚半年俸禄，又被罚铜八斤。你又不是财主，岂能不省俭着点！亏得府衙让巢谷兄补了签判厅的书记官，要不，我们一家人岂止是吃斋，真要被饿断肚肠了！"众人皆大笑。

苏轼一怔，恍然笑道："噢，让大家受委屈了。"巢谷也笑道："哎呀，本来嘛，在苏子瞻家只能吃得满腹诗书，饭是吃不饱的。"王弗佯怒道："就知道，跟了你是受穷的命！"说完看了一眼小莲，小莲羞涩地低头。巢谷对此仍懵懂不知。

苏轼笑着说："真的？那我问你，一个是又笨又丑的土财主，一个是虽穷却英俊潇洒的大才子，你要哪一个？"王弗故意迷惘摇头寻思，表示很难做出选择，众人也笑看着王弗，期待她回答。苏轼放下碗，笑道："我来讲一个故事吧。从前啊，有一个漂亮的姑娘，到了出嫁的年龄了，媒人上门来提亲，说啊，东家有一个小伙子，又笨又丑，可家里很有钱；西家的小伙子聪明英俊，但家里很穷。媒人问，姑娘啊，你选哪一个呢？"巢谷也忙问王弗选哪一个，王弗还是故作沉思状。小莲已想明白，微笑着低头吃饭。

苏轼看看王弗、小莲，学着王弗沉思片刻，慢悠悠地说："那姑娘沉吟了半响，对母亲说：'娘啊，我到东家吃饭，西家睡觉，如何？'"众人喷饭大笑。王弗也放下碗筷，敲打苏轼，佯怒道："叫你坏，叫你坏！我看你是又丑又笨又穷！既无人到你家来吃饭，更无人来你家睡觉！"小莲笑得捂着肚子，众人笑得前仰后合。苏轼一本正经地说："这个故事嘛，就叫东食西宿。"

片刻后，王弗突然想起前两天苏轼所占之卦，不就是应了今天的罚铜八斤吗？于是向苏轼问道："你既然能起卦算出罚铜八斤，那你算算我们家什么时候才能有钱？"苏轼一脸无辜地说："我哪里会算？你以为我是算命先生？"王弗疑惑地问道："那怎么能算出——"众人也想起前日苏轼所算之卦，纳罕地望着苏轼。

小莲笑道："姐姐，按照大宋官制，节日官员不到衙门议事，罚铜八斤。哥哥原就不打算到府衙议事，要到监牢去看望犯人，故而知道自己会被罚的！"众人恍然大悟，长出了一口气，巢谷温柔地看着小莲，一脸的欣赏。

吃过午饭，众人收拾饭桌，苏轼抚着肚子在庭院中和巢谷说话，忽听得门外有人敲门。巢谷上去开门，只见参寥穿着一件半旧的袈裟，挂着锡杖在门外施礼。巢谷惊喜道："哎呀，是陈凤——噢，参寥兄！"苏轼也迎了上来，兴奋地说："参寥，哎呀，想煞我了。"一家人听到声音也迎了出来，苏轼把参寥介绍给大家。

参寥双手合十，施礼道："小僧游方到此，诸位施主，小僧有礼了！"众人笑着回礼。苏轼学着参寥道："阿弥陀佛，有礼便是无礼，无礼便是有礼。有理无礼，无理有礼。何须施礼！"二人哈哈大笑，携手进屋。

进得屋中，苏轼向王弗说道："弗儿，快给参寥兄上斋饭。"参寥诧异道："你们难道知道我来？"王弗笑道："我们刚刚吃过斋饭。"参寥更是疑惑，问道："你们吃斋？"苏轼笑道："为了迎接你，我们全家只好都吃斋饭了！"参寥还是一脸的不解，众人大笑。

王弗端上素餐，笑道："参寥大师，别听他的！"参寥看见饭食，忽然明白，双手合十道："阿弥陀佛，子瞻兄，只道你在红尘中做官，却原来吃得空门般素净。苏子瞻总是苏子瞻，凡事必然不同凡响。"苏轼看看参寥，豪爽地一笑。

吃完饭，苏轼和参寥边喝茶，边聊天。这时巢谷快步进屋，兴冲冲地说道："子瞻，你看谁来了？"苏轼和参寥起身，却见章惇匆匆地从门口走进，苏轼大喜，笑道："哈哈，定是参寥兄佛光普照，竟把子厚兄都引来了。"章惇与参寥相见亦大喜，施礼过，几个老朋友就亲密地攀谈起来。

章惇此次是商洛县令任期已满，趁回京复职之前来凤翔看看老友苏轼。因此相比于上次的匆忙，这次可以多盘桓一段时间。

这日，苏轼在公务之余，和章惇、参寥以及一家人在凤翔附近闲逛。一行人来到凤翔街道，苏轼与章惇骑马，走在前面。巢谷赶车，参寥步行，车内坐着王弗、小莲，大家有说有笑。

苏轼赞叹道："子厚兄，你这商洛知县，几年来政声极佳啊！"章惇笑道："那可比不上你子瞻兄！建官户村，改役、豁免役户，哪一样不是朝野震惊！"苏轼笑道："我和你不同，你是正道，我是邪道。"章惇一本正经地说："邪道？嘉祐以前太学体是正道，被你老兄那么一冲，太学体从此就变成了邪道了。哈哈，不瞒你说啊，我要是也有皇上和朝廷的宠爱，我宁愿走'邪道'！"

苏轼笑了笑，说："子厚兄还是当年的脾气！你我先不谈官事了。我今日暂无公务，正好偕同你，还有参寥兄来游览游览这凤翔的风景。咱们今天就四处散散心！"章惇痛快地说："既来之，则安之，恭听子瞻安排！"苏轼试探着问："哎，要不要叫上张璪，他也是你我的同年。"章惇摇头正色道："道不同，不相为谋。"苏轼点点头，回头对车上的参寥说道："参寥兄，我等先去游历何处呀？"参寥道："子瞻兄是地主，贫僧随人脚后就是。"王弗笑道："要不是参寥兄来，我们恐怕难得一游。"苏轼不好意思地仰着头说："哎——明明是夫人你自己不愿外出嘛，这能怪得了谁。"小莲笑道："原来要有大和尚相陪，哥哥才肯出游！"苏轼道："知我者，莲妹也！既是陪大和尚来玩的，我等就先去开元寺。开元寺中壁上有王维和吴道子的画，我们一同去欣赏吧！"

不一会儿的工夫，一行人已到开元寺，抬头一望，只见寺庙巍峨，松柏林立。苏轼、章惇下马，巢谷扶王弗和小莲下车，大家一同走进寺中，迎面便看见寺院内两边的画壁，众人边走边看画，不禁啧啧称叹。

王弗指着画上一人飘逸的衣襟对小莲说："妹妹，你看，这就是'吴带当风'！"小莲说："那姐姐就给我讲讲这'吴带当风'吧！"王弗看着画说道："那姐姐就露怯了。'吴带当风'啊，说的是唐朝大画家吴道子画风流畅飘逸，尤其是喜欢酒后作画，醉眼蒙眬中，将人物的衣带一笔勾出，中无断绝，使衣带如临风飘举，令人有飘飘欲仙之感！古人评论说'天衣飞扬，满壁风动'。故而吴道子被前人称为'画圣'。"众人都对王弗的博学赞叹不已，章惇摇头叹气道："要不妒羡苏子瞻呀，实在很难，难啊。"

看完壁画，王弗和小莲到宝殿内烧香求福，苏轼和参寥、章惇来到后院，与寺中住持闲谈佛法。住持见参寥谈吐不凡，忙问其名，苏轼介绍后，住持不禁点头称道："原来竟是参寥大师，闻名已久，不想大师竟这般年轻！"

游罢开元寺，众人又来到寺庙附近的黑水谷。这里极为险峻。往上看，可见古木参天，遮天蔽日，巨石嶙峋；往下看，则见谷底湍流激奔，可闻其声如雷。深谷之上架有一块横木，前有绝壁而立，深谷中的激流不时带上来阵阵凉风。时值盛夏，来到谷边却感凉意沁人发肤，令人有不寒而栗之感。

王弗和小莲见此险境，就停下了脚步，坐在谷边稍远处的树荫下。苏轼、章悼和参寥、巢谷继续前行。王弗远远地叫了一声："夫君，小心些。"苏轼回头道："知道。"又向前边走边说："参寥兄、子厚兄，想不到吧，我凤翔一边缘小城，竟还有如此美景啊！"众人皆点头赞叹。

一行人很快来到架在绝壁上的横木前，章惇一脸英气，向苏轼说道："子瞻，沿着横木，过去在那块绝壁上题几个字如何？"苏轼看了一眼下面的深谷，连连摆手，笑称不敢。巢谷一捋衣袖，上前道："这有何难，待我过去就是。"巢谷从章惇手中取过笔，上前欲过，见脚下深渊，却不由得迟疑了一下。

章惇见状，笑道："哈哈，诸兄不会是怕了吧，待我去写来。"说着从巢谷手中接过笔，向前走去。参寥神情寂然道："子厚，不可无谓铤而走险。"众人也欲上前劝阻，章惇毫不理会，来到横木前，把长衫向腰间一撩，毫不迟疑，从容踏木至对岸，然后一手扶住绝壁突起的一块岩石，一手在巨石上写了几个大字：苏轼、章惇游此。尔后又毫无惧色、轻松自如地重回过岸来，拍拍手，笑看着大家，眼中透出自得之色。

苏轼颇有深意地看了一眼参寥，参寥会意点头。巢谷忍不住赞叹，但又觉得章惇的眼中有着不同一般读书人的凶戾之光，遂轻声对苏轼说："哥哥，子厚可谓胆大包天啊。"苏轼不理会，死死盯着章惇道："子厚，你终有一天会杀人。"章惇不解地问道："何以见得？"苏轼语气和缓下来，但仍正色道："敢于玩弄自己性命之人，也能轻取他人性命。"章惇笑道："呵呵，子瞻言过了，在我看来，这绝壁犹如平地，并无危险。"参寥低头，双手合十，呢喃道："阿弥陀佛，一切诸法，无不由心。善哉，善哉。"

游历了一天，众人回到苏轼家中，天已向晚。苏轼安排参寥和章惇歇下，回到自己屋中。小莲端来洗脸水，王弗拿来笔墨，苏轼遂就着笔墨摆弄文稿。王弗看着小莲忙碌的样子，对苏轼笑道："不知你前生如何修来的福气，让我们两个伺候你！"苏轼会意，停下笔，也笑道："噢？看来夫人是心有不平啊！不过啊，人同此心，情同此理，换了我啊，我也不平！让这么两个才貌双全的女子来伺候我一个臭男人，真是上天不公啊！"说罢忽然站起来沉思，一本正经地说："要不这样，待参寥兄、子厚兄走了，让我伺候二位如何？"小莲笑笑不语。

王弗笑道："夫君可越发油腔滑调了，该打！"举起手佯装要打，小莲道："哎——姐姐别打，别把哥哥的诗打跑了！"苏轼笑道："呵呵，好，明白了，下次要是再挨打，就说要写诗！"王弗笑道："你呀，我还以为你这两日跟着和尚道士们悠哉游哉，也想要出家了呢！"苏轼一脸正气地说："出家？弗儿放心，有你俩在，就是让我做汴京大相国寺的住持我也不出家！"小莲听罢，捂着脸低下头。

苏轼心中自觉失言，急忙转口，故作惊讶状，说道："哎，看看，我写了八首诗，凑齐了《凤翔八观》，就是凤翔的八处景观。这一是《石鼓歌》，二是《诅楚文》，三是《王维吴道子画》，四是《维摩像唐杨惠之塑在天柱寺》，五是《东湖》，六是《真兴寺阁》，七是《李氏园》，八是《秦穆公墓》。"说着，一边誊写，一边将誊好的诗稿交给王弗。

王弗接过诗稿念道："《石鼓歌》。冬十二月岁辛丑，我初从政见鲁叟。旧闻石鼓今见之，文字郁律蛟蛇走……"小莲也接过一叠诗稿，念道："《东湖》。吾家蜀江上，江水绿如蓝。尔来走尘土，意思殊不堪……"两人念罢都啧啧称叹。苏轼这时却善感地说："弗儿、莲妹，到凤翔快两年了，难得清闲这一二日。为官这般忙忙碌碌，竟连写诗著文的闲情都没有了，唉！"王弗笑着抚慰一番。

过了几天，章惇和参寥向苏轼告辞，欲一同往汴京去。章惇去复职，参寥欲往汴京大相国寺拜见自己的师父。

十八　刺义勇

苏轼在凤翔任职已有两年多，而这时的朝廷也发生了巨变：一向对苏轼器重有加的仁宗，于嘉祐八年（公元1063年）三月二十九驾崩，终年五十四岁。去世前仁宗把大臣们叫到床前，郑重地把国家大事托付给他们，并单独把范镇留下，授予他一把令剑，留下遗诏，嘱咐范镇在新皇政权有变时可相机行事，并把苏轼作为为子孙选定的太平宰相托付给范镇。

四月初一，三十三岁的新皇帝赵曙的登基大典在崇政殿举行，到处张灯结彩，一片吉祥之气；百官朝贺，分外庄重。是为大宋第五代皇帝宋英宗，改年号治平。

此时，西夏军队大举进犯秦凤路，连克庆州、延安、渭州，严重威胁到凤翔。朝廷下旨："着秦凤路诸州府三丁抽一，刺义勇，备钱粮，以资拱卫……"

刺义勇乃宋代兵制，类似后世的抓壮丁，并在所抓军士的脸上刺字为记，字迹随人终生不灭。试想谁愿意被刺义勇？故而能跑的人都跑了，陈希亮只得亲率众军士在凤翔城乡刺义勇，军士见到男子就抓，致使街市村庄乌烟瘴气，鸡飞狗跳。苏轼深知此弊，但也万分无奈。

这日，苏轼带巢谷上衙。来到府衙前，看到一些军士看管着用绳子串绑在一起的义勇，如同看管犯人。苏轼无奈地叹了口气，对迎上前的王彭问道："王监军，刺了多少人了？"王彭回道："按凤翔府在册人口十五万计算，男子就有七万，按数应刺两万多人；但一家或四男，或二男，有二男者不刺，有四男者也刺一人，再除去已应募禁军、厢军和杂役的，如此算下来，也要刺一万余人。可如今只刺了不到两百人。"苏轼忙问为何。王彭叹了口气，回道："苏签判，这一旦被刺了义勇，不仅要自备刀枪，还要自备粮食战马。若是真上了战场，义勇军一触即溃，非死即伤。大人您想想，哪有人愿当这义勇啊！"

苏轼又问义勇由谁训练，王彭说无人训练。苏轼大惊道："不训练就上战场？简直岂有此理！"王彭也恨恨地说："正是，若不是为了此事，下官也不至在此混日子！"苏轼诧异道："噢？王监军难道也反对刺义勇？"王彭愤愤不平地说："岂止是反对！"巢谷上前说道："子瞻兄，我听那些军士说过，若不是王监军抵制这刺义勇制度，早就升任马步军都总管了，哪里还用在这里当个监军受鸟气！"

苏轼点头道："那王监军对义勇兵制有何见解？"王彭回道："兵制不改，西夏难敌。我们这些武人，算是把祖宗的脸丢尽了！"说罢低头叹气。

苏轼也不由得叹了口气，但随即兴奋地向王彭说道："王监军，既是如此，我们就改了这刺义勇如何？"王彭坚决地说："只要苏签判敢，我王彭死不旋踵！只怕兵制难改，兵源难寻！"苏轼笑了笑，坚定地说："我自有办法。"说罢，指着远处被军士看着的老弱不堪的乡民说道："那就是王监军刺的义勇？"王彭点头无语。

苏轼走向前，义勇中王老汉认出苏轼，大喜过望，遂大声向众人喊道："这位就是苏贤良，苏贤良救救我们吧！"说完领着众人向苏轼跪下。苏轼扶起王老汉，愤愤不平地说："起来，起来。老人家你这把年纪，竟也被刺了义勇？"王老汉起身回道："苏贤良，我儿子王二跑了，老汉我是跑不动了呀！"苏轼怒道："岂有此理，王监军，让这老人家去上战场，与送死何异？"王彭垂头不语。

苏轼又问众人道："你们都是自愿当兵的？"众义勇答道："不是，不是！能跑的都跑了，小人也是跑不动，故而被刺了义勇！"苏轼叹道："跑不动了才去打仗？"说罢随手推了几个人，皆是有气无力，东倒西歪。苏轼遂向王彭问道："王监军，这样的兵真能打仗？"王彭无奈地说："我也是无法可想！"

苏轼略一沉思，坚定地说："王监军，你先把这些义勇放了。"王彭大惊道："放了？我不敢！"苏轼笑了笑说："与你无关，不是你放的，是我苏轼放的！你随我见太守，我自有主张。"王彭迟疑片刻，随即命令众军士放了义勇。

王老汉跪下道："苏贤良，您的大恩大德，老汉无以承受呀！"苏轼连忙扶起，众义勇也都叩头谢过，然后起来飞跑而去，边跑还边回头，唯恐官府变卦，苏轼看着他们远去的背影摇头叹息。

释放义勇后，苏轼和王彭来到凤翔府衙，衙内众官均在，陈希亮高坐堂上。苏轼高声凛然道："大人，王监军刺的义勇被我放了！"众官听后大哗。陈希亮面无表情，缓缓地说："本府就知道，此事不经你苏签判来反对，怎么能完呢？你说吧，本府听着呢。"众官纷纷注视着苏轼。

苏轼向王彭问道："王监军，这样到街上逢人就抓，能刺多少义勇？"王彭答道："能抓到的就刺，最多也就刺得一两千人！"苏轼转向众官，说："请问诸位，这样的一两千人能够挡得了西夏铁骑一两万人的进攻吗？"众人皆点头不语。王彭说："别说一两千义勇，就是一两万禁军也挡不了西夏数万铁骑的进攻！"苏轼说："这就是了。既然挡不住，还刺这些义勇干什么？"

张璪站起说道："这，苏签判，刺义勇可是朝廷的兵制规矩，历来如此！"陈希亮厉声道："打住！张法曹，休得胡说！"张璪一惊，众人皆讶异，奇怪陈希亮怎么护起苏轼来了。陈希亮笑了一笑，缓缓说道："张法曹，本府想都不用想，就知道苏签判如何回答你的话。苏签判定然说，哼，什么朝廷规矩？什么历来如此？陈太守，诸位，就从未想过这兵制对民是福是祸吗？按这样的规矩办事，大宋非亡了不可！"苏轼也笑道："哈哈，知我者，陈太守也！"众官纷纷道："可太守大人，放了义勇，是死罪啊！我等——"

陈希亮止住大家，讥笑道："死罪？前几次哪回苏签判犯的不是死罪？他现在活蹦乱跳的，比在座的各位都要精神百倍。苏签判定然会说，放了义勇是我苏轼一人之罪，但守不住凤翔，在座的诸位恐怕都难逃干系！"苏轼虽感到陈希亮话中有刺，但仍笑道："陈太守洞若观火，下官钦佩之至！"

陈希亮接着说："前几回听苏签判反朝廷，改规矩，本府也吓得冷汗直流！可如今听习惯了，倒也不觉得了。不这么说话，你就不是苏子瞻。"苏轼拱手谢罪道："陈太守见谅。"陈希亮冷笑道："只是，苏签判留神的不是被砍头，而是不要再被罚俸半年。"苏轼呵呵一笑，道："谢陈太守提醒。"

陈希亮转即正色道："苏签判，本府犯不着提醒你。本府若不让你放义勇，你定上书朝廷，朝廷必再度准你之奏！但你既放了义勇，西夏军眼看就要进犯，你总不会没有解救的法子吧。可是你一个文弱书生，又怎么懂得兵法武略？义勇好放，空话好讲，兵可不好带！"

苏轼胸有成竹，斩钉截铁般地说："陈大人，文法兵法，一脉相承，皆在审时度势。西夏此次进犯，乃是趁先皇驾崩，新皇登基，人心未稳之时急进抢掠，并无久驻之意，故敌军利在猛攻速战。"说到仁宗弃世，苏轼语调有些哽咽，但他还是定定神，继续说道："我等若能紧守城池，迟滞敌军，使敌一时难以攻下，挫其锐气，静待大宋禁军来援，敌军必不战自退。"陈希亮听罢一惊。其实陈希亮作为一位武人，自知所抓义勇皆为送死之人，但没有兵源又有何法，因此这次他倒真想看看苏轼是否有好的破敌之计。故听到这话，心中不禁暗暗称是，但表面还是一派严肃。堂上众官相视，纷纷点头。

苏轼接着说："西夏以马军为主，长处在掠地，不在攻城。庆州等地丢失，其原因就在于将领轻敌，且邀功心切，依仗兵多，率兵出城作战；一旦城外失利，又不坚决守城。如果能避免出城作战，一意坚守城池，就可反败为胜！"

陈希亮听罢大悦，从椅子上站起来，问道："既要守城，你以为，该如何守？"苏轼不慌不忙，说："当务之急，第一，改刺义勇为招募志愿军，并发布文告，若西夏军来，凡愿入城者皆可自备食粮入城，这样就把为朝廷作战变为保卫家园财产而战；第二，将官户村三千左右壮丁编为义勇军；第三，将所有寺院、道观中的青壮和尚道士约一千人编为义勇军。"众人啧啧叹道："哎呀，也是，再加上原有的千余军队，就会有上万人了。"苏轼接着道："不止人数有万余，最重要的这支军队好统领，好训练，能打仗！"有官员忍不住竖起拇指称道："苏签判真是不仅有房、杜之才，更有孙、吴之智啊！不过——"

陈希亮高声呵斥道："且慢！纸上谈兵，又有何难。苏轼我问你，若无军饷，你刚才所说皆属空谈。本府问你，军饷从何而来？"苏轼笑道："这苏某也已想好。官户村和僧道编成的义勇可自带部分钱粮，至于招募来的义勇，可用官户村上缴的粮食，不足部分，由官府补足；若再不足，一是可向民间募粮，二是由各位大人捐助！陈太守又要解私囊了。"众人皆点头称是。

陈希亮心中虽喜，但仍佯怒道："原来打的还是老夫的主意！大胆苏轼！"苏轼笑道："大人放心，放义勇、改兵制一事我即刻上书朝廷，责任我一人承担，与旁人无干！下官还用写军令状吗？"陈希亮坐下，摆摆手道："那鸟军令状写来何用！算了，让本府想想，你等先下去吧！"

陈希亮回到家里，不一会儿，陈奇带着张璪进来。张璪向陈希亮施礼毕，说："陈大人，下官任期已满，请予下官转官辞，下官该到审官院报到了。"陈希亮有些惊讶，但脸上并不显露，只说："如此紧要关头，你居然要走？"张璪毫无羞愧之意，笑道："大人，只是下官任期已满。"陈希亮盯着张璪，张璪也陪着笑了笑，良久，陈希亮缓缓说道："张璪，你这个人，有点意思，有点意思。"

张璪来不及品味陈希亮的话，忙说道："多谢陈大人这些年的栽培，你还是让下官转官吧。"陈希亮痛快地说："张璪，本府这就给你写转官文书。只是，到现在老夫才看出谁是君子，谁是小人！"说着，命人拿来转官文书。

张璪想起刚进门时看到苏轼远远走去，心知陈希亮所言之意，不由得愤怒，但又不好发作，只是说："我是小人？大人，君子也难保凤翔！再说，下官转官也是按朝廷规矩。"陈希亮写罢文书，掷于张璪眼前说："那你就快些走，今夜就走，免得西夏人来了，你就走不了啦。"

张璪听陈希亮点到了心中痛处，但仍想为自己辩护，于是脸上显出十分别扭的苦笑，说："陈大人，您这么说是何用意呀？难道我是因惧怕西夏军而转官的吗？我是遵奉朝廷的规矩。不像苏轼，一贯目无法纪。陈大人，临走之前，我要奉劝大人，切不可为苏轼所左右，甚至与他同流合污啊。"陈希亮冷笑道："话该这么说，本府如今宁愿与苏轼同流，也不愿与你张璪合污。"张璪正色怒道："大人这么说，必有后悔的一日。"

陈希亮愤怒地站起，扬起手中的文书，指着张璪道："张璪，你还是快走的好，不要等本府后悔了，不给你写转官文书，反在你脸上刺两个字，让你补那义勇之缺，就不好看了！"张璪听罢大惊，接过转官文书，狼狈逃出。

从陈希亮家中出来，张璪只感到分外委屈，心想自己这初入仕途，不过是遵循官场定规行事，并未做危害国家人民之事，何以受到陈希亮这般侮辱。倒是苏轼，虽然政见总是与自己相左，但两人好歹有着同年之谊，苏轼在私交上从来都和自己不错。上次章惇来访，苏轼也曾邀请他同游，只是被章惇拒绝而作罢。

傍晚，张璪来到苏轼家中，和苏轼告别，苏轼略备酒菜为他送行。两人坐在苏家前院内，苏轼举起酒杯，对张璪说道："邃明兄，今天，我们俩要好好喝上两杯，算是我给你送行，预贺你升任县令！"张璪举杯一饮而尽，满腹牢骚地叹道："咳——年兄不是在讽刺吧，都是同年，章惇当知县都任届期满了。"苏轼笑道："不要急嘛，所谓三年不飞，一飞冲天嘛。"张璪摇头叹道："三年法曹，三年县令，只在县野里打转转，有何出息。"苏轼饮酒不语。

张璪举杯向苏轼说："子瞻兄，不是我不帮你，即使小弟在这里，也是无用！"苏轼笑道："邃明兄误会了。我觉得，当官本就没有出息，无非是为国尽忠罢了。"张璪心中虽不以为然，但也不好反驳，转即正色道："正是，正是。就要分别了，还请子瞻兄送几句话吧！"

苏轼沉吟片刻，笑道："好吧，苏某送邃明兄十个字：官小想大事，官大想小事。"张璪微微思索，点头道："精辟，精辟！子瞻兄，你在凤翔想的可都是大事，不像我，就只想小事！"苏轼笑道："呵呵，想大事也好，想小事也罢，但能做好事就好啊！呵呵！"张璪先是一怔，随即也举杯笑着，又饮了一杯。

陈希亮自受了苏轼一番抢白，不仅没有记恨于心，反而茅塞顿开，真正认识了苏轼这个人，也认识了自己之前的种种不足。反省一通后，也意识到为什么陈慥宁可离家租房而住，并且拜苏轼为师，却屡屡和自己这个父亲"作对"。他之前总觉得儿子不孝，现在才知道也许儿子才是对的。

夜晚，陈希亮让陈奇带着他，骑马来到陈慥所租之地。屋内灯火明亮，门没锁，陈希亮轻轻推门而入，只见屋内书架上散乱地摆着各式各样的书籍，书桌上笔墨纸砚齐全，陈慥正在桌前阅读一部史书，浑然不觉有人进门。陈希亮见陈慥读书竟如此专注，心中大感欣慰。

陈慥忽察觉身后有人，以为是侍从，头也不回，摆摆手说："有事我再叫你，先出去吧。"陈希亮咳嗽一声，陈慥仍手不释卷道："听见没有？"陈希亮轻声一笑，从后面用马鞭翻了翻陈慥手中的书，陈慥一惊，回头见是父亲，顿时手足无措。稍冷静下来后，陈慥忙起身施礼道："父亲，您为何来此？"

陈希亮脸上露出难得的慈爱，笑道："我怎么就不能来？"说着环视四周叹道："你越来越不像我的儿子了，瞧你住的这地方，你看的书，你倒像个读书人了。"陈憷忙说道："父亲，孩儿已拜苏大人为老师，他教授孩儿学业。"陈希亮点头道："苏轼有学问，该是个好老师吧？"陈憷应道："孩儿受益匪浅。"

陈希亮此行当然主要是看看儿子，但也想让陈憷帮忙苏轼招募义勇，以此表明自己对苏轼态度的改变。但又不太好意思说出口，于是沉吟半晌，装作轻描淡写地说道："为父来看看你，这就要回去了。只是——苏轼要招募义勇，他毕竟是个文人，不如你懂，你能帮他且帮他，也算为凤翔百姓做件好事。"陈憷听此，领会了父亲的意思，欣喜地说："遵命，父亲。"

陈希亮摆摆手走到门前，正要开门。陈憷在后面忽然跪下道："父亲，请恕孩儿不孝。"说罢抬头看着陈希亮。

门开着，陈希亮一愣，站在原地，并不回头，但陈憷从后背仍可觉察到父亲胸膛的起伏。陈希亮叹了口气，说："憷儿，你为何要骂为父？"陈憷一惊，疑惑地说："父亲，孩儿不明。"陈希亮仍不回头，说："子不教，父之过。你不骂我又是骂谁？"陈憷忙道："错不在父亲，是孩儿的错。"陈希亮肩膀微微一耸，声音有些哽咽，说道："憷儿，有空搬回来住吧，家里没你，冷清！"说着不等话音落下，就走出门去。陈憷热泪盈眶，目送父亲离去。

自苏轼贴出招募义勇的告示，并把保卫凤翔城的意义在告示中说明之后，逃走的村民们纷纷返回家中，携粮参军的人络绎不绝。

这日，曹勇、王老汉、王二领着官户村的村民也来到凤翔府衙前的招募处，这里人人都扛着粮食，父母送子，妻子送夫。曹勇来到苏轼跟前说："苏大人，我们官户村的人都来了！"王老汉也说："苏大人，我给您送义勇来了！这是我的两个儿子。"苏轼感激道："老人家，你怎么把王二送来了，还是两个儿子？官府规定，一家只收一名义勇啊！"王老汉感叹道："苏大人啊！多亏了您啊，没有您，我们这一家子早就不知散落何地了。眼下大人正是用人之际，俺哪能不帮您守城呢？"苏轼笑道："老人家，不是帮我守城，是帮朝廷守城，帮自己守城！"王二听此，转头对人群说："苏大人说得对，只要把凤翔守住，就是把我们的家守住了！"众人都兴奋地响应道："是啊，我们的家就在这凤翔府，我们不守城，谁来守城？谁来守家？"苏轼高兴地说："好，老人家，我就恭敬不如从命了，收下。"说罢，指挥衙役按顺序录名、称粮。

苏轼又和巢谷来到开元寺，召集凤翔的和尚道士们组成义勇，并由巢谷带领训练。而数千人的村民则由王彭组织军士在官户村集合训练，剩余诸人由苏轼、陈慥等率领修筑城墙。整个防御工作有条不紊地进行着。

一天傍晚，巢谷从开元寺回来，正在院中巨石上磨长刀，小莲路过，说："巢谷兄，听说子瞻哥要招募义勇，准备抗击西夏军队。"巢谷停下手中的活，兴奋地说："是呀，莲妹，没看见我在这儿磨刀霍霍吗？"小莲点头，问道："巢谷兄，明日我要做个物件，你能帮我忙吗？"巢谷兴致勃勃地说："当然，莲妹要做什么东西？"小莲神秘地一笑，说："谢巢谷兄，明天就知道了。"

第二天傍晚，苏轼从城墙修筑处兴冲冲地回家，王弗迎上来扑打苏轼身上的灰尘，笑道："看你，高兴成这样！"苏轼张开双臂，让王弗收拾，笑道："当然要高兴啊！真是想不到，一天就招募了一千余人。真是怪，抓人刺义勇，人就逃跑。招募义勇，哎——反而争着当！"王弗收拾好苏轼的外衣，高兴而又略带一丝神秘地说："快进去吧，莲妹还有更好的消息等着你呢。"苏轼不解地看着王弗。

刚好小莲从屋内迎了出来，说："哥哥回来了。没有什么，就是姐姐爱夸奖人！"王弗笑道："莲妹，你就快拿出来吧！"小莲向屋内喊了一声巢谷，巢谷喜滋滋地从屋里搬出一套大型的弓弩。

苏轼惊奇地抚摸着这套弓弩，研究着，问道："这是什么弓弩？怎么像个纺车一般？"小莲笑道："这叫诸葛连弩。"苏轼惊道："诸葛连弩？莫非是当年诸葛亮所造之弩？"边说边要摆弄，小莲急忙制止道："哥哥小心，还是让巢谷兄给哥哥演示吧！"

巢谷把诸葛连弩搬至后院的喜雨亭中，让弓弩对着一面土墙，众人尾随而至，好奇地看着巢谷操作。巢谷将预先制好的箭排装上，共九支箭，每排三支，自上而下。然后用力搬动长长的力臂，将三根弓弦撑开，再扣动扳机，瞬间发射完了三排箭，准确地射在了远处的土墙上，力度之大，竟至于坚固的土墙有摇摇欲坠之势。

苏轼大惊，拍手笑道："哎呀，太好了，太好了，这简直顶得上十万大军啊！若用它在城头往下射，敌人纵使有千千万万，吾何惧哉！"小莲笑道："不仅可以设在城头，还可以埋伏在城外壕沟边，阻滞敌人，等敌人冲到近前，再撤回城里！"

苏轼激动地握住小莲的手，连连摇晃，大喜道："对啊！我的好莲妹，你可帮了为兄的大忙了。你这小脑袋是怎么想出来的？"众人皆笑。小莲微嗔道："哥哥！"苏轼会意，知道自己有些失态，笑着放开了小莲，但仍追问道："快说说，你是怎样制成这诸葛连弩的？这不是已经失传了吗？"

小莲缓缓说道："家父生前为边关守将，常常琢磨守城之法，知道对付西夏的马军，弓箭最有效。古书上说三国时诸葛亮有一种连弩，但没有图样，经反复琢磨，方想到是这个样子。不过，未及制成，就——"说罢掩袖拭泪。苏轼恭敬地拱手向天一拜，叹道："杨大人，大宋冤枉您了。若得您制成此弩，西夏何惧！"

第二天，苏轼立即命令凤翔城内所有工匠连日赶制诸葛连弩。几日内便造成了几百副连弩，架于各城墙的垛口上。王彭兴高采烈地操作诸葛连弩，向前来探视的苏轼说道："苏大人真神人也，这回西夏鹞子军再敢前来，定让他有来无回！"众军士也齐声呐喊："让他有来无回！"

凤翔城的防御工事在短短一月内就已竣工，城头的每个垛口都摆上了一副诸葛连弩，下面摆好了数排羽箭。垛口后站着军士，身后是滚木擂石，城门上的水缸里盛满了救火用的水。城外义勇正在训练，百姓与和尚、道士同列，喊声震天。

这日，陈希亮、苏轼、王彭、巢谷、陈恺以及众官员戎装巡视。陈希亮笑道："苏大人没有食言，竟然连诸葛连弩都被你造了出来！老夫平生所见最固若金汤的一座城池，竟是在短短一月之内建成。苏大人说得对，你不只是个书生，老夫只是个武夫！"苏轼见陈希亮竟如此谦恭，反而不好意思起来，施礼低头道："陈大人，休怪下官说过的张狂话。若无陈大人鼎力相助，凤翔城建不成如今这样！"陈希亮大笑道："哈哈，苏大人竟也会说恭维话了！依苏大人所说，本府虽然心胸狭小，但也不至于厚着脸皮抢占苏大人的功劳！"

苏轼笑道："陈大人取笑下官了。下官还有一事提醒大人，大人尚不可轻敌。西夏兵擅长猛攻急战，稍有疏忽，就会破城。若是城破，我们就不是对手了。那时，全城百姓就死无葬身之地了！"陈希亮正色道："本府当然知道。苏大人，修城、招义勇你管，打仗我来管，兵法多变，相机而动，本府自有应对之策。"苏轼点头道："太守英明。"

陈希亮停下脚步，有些不解地看看苏轼，向众人道："诸位大人，有没有发觉，苏大人如今对本府客气许多了？但本府的脾气很怪，苏大人对我客气倒不如原先顶撞我来得舒服。苏大人，你以为呢？"苏轼笑道："大人放心，该顶撞时下官自然还会顶撞！"众人大笑。

不多日，探子报得西夏兵已将近凤翔城郊。陈希亮立即带领众官员、将领着戎装来到凤翔城上，等待迎击敌军。

很快，凤翔城外烟尘滚滚，一队西夏兵现出。显然，之前西夏兵的探子早把凤翔的防御工事通报了，今日一见，果然不同寻常，因此西夏将领命令手下军队只远远地看着，想等宋军出城再战。

凤翔城头，陈希亮、苏轼、王彭、巢谷、陈慥等人也远远望着西夏兵，皆胸有成竹。陈希亮摩拳擦掌，跃跃欲试。苏轼见状，忙说道："陈大人万不可带兵出城应战。"陈希亮不耐烦地说："知道，知道，坚守不出嘛。"

僵持了半日，西夏军畏于凤翔城的防备，又不见有军队出来迎战，遂无奈地掉头离去。城头上众将士见状，皆齐呼三声，军威震天。正此时，苏轼发现陈希亮不见了，问王彭："陈大人哪里去了？"王彭摇头。陈慥瞬间一惊，忙走到城墙边望着城下，大喊道："父亲！"众人会意，看着城下，只见陈希亮独自一人，满副铠甲，纵马横刀，嘶喊着向西夏人退走的方向追去，众人见状皆大惊失色。

王彭见状，忙对苏轼说："苏签判，我下去拦住陈大人。"陈慥也说："王监军，我随你去。"苏轼摆摆手说："不必，不必，陈大人自有分寸，他这只不过是过过瘾罢了。陈大人向来自比李广，却英雄无用武之地，今日就让他过了这把瘾吧！"陈慥点头称是，并拦住了王彭。众官员一片唏嘘。

十九　离任赴京

正如苏轼所料，西夏人此次侵犯边境正是趁新皇刚刚登基、朝政未稳之际来刺探大宋虚实的，因此庆州、渭州、延安等地虽沦陷，但西夏并未就此长驱直入，而凤翔因防御得当，西夏只将军队开到城门下就退去了。

再说大宋朝政，新登基的宋英宗身体多病，处理朝政也是心有余而力不足，因此暂由曹太后垂帘听政。

这天早朝，英宗临朝崇政殿，虽高坐金銮殿，但萎靡的病态大臣们都看在眼里，曹太后于宝座后垂帘听政。宰相韩琦出班奏道："陛下，西夏占领庆州等地后并未内侵，但他们要求增加岁币，否则就要——"朝堂上一片沉默。

英宗向曹太后的方向转头颔首道："朕头昏不能理事，请太后定夺吧！"韩琦应着，转向旁边的帘子奏道："是否增加岁币，请太后定夺。"曹太后问众大臣的意见。范镇厉声奏道："启禀太后，西夏此次进犯，不过是趁新君登基之初抢掠而已，若敕令边将，严加防范，西夏定无意东侵！"王珪忙出班奏道："可如今庆州、延安、渭州已失，长安几无屏障，长安若失，后果不堪设想！"欧阳修也奏道："启禀太后，边关三州之失，其咎在于守将轻敌，依仗兵多，出城与西夏骑兵作战，失利后又畏敌如虎，弃城逃跑。若能坚守城池，拒不出战，再以禁军骑兵截击，敌兵必无所乘！"曹太后点头称是。

韩琦奏道："启禀太后，欧阳修所言，乃是苏轼进言。苏轼乃一介书生，坐而论道，必不可行！"范镇反驳道："韩大人，你说苏轼是一介书生，你到凤翔看看苏轼是如何守城的！"韩琦回道："他守住一日，也不能担保凤翔此后万无一失。我是宰相，应对整个大宋的安危负责。"范镇怒而无语。

此时，御史胡宿突然出班，奏道："太后，说到凤翔签判苏轼，微臣有一要事禀报。微臣听说苏轼在凤翔放走义勇，还废了刺义勇的制度，尚不相信。但现已接到苏轼本人的禀报，确有此事！"朝堂上瞬间哗然，王珪一党其实早知此事，只是此时故作惊讶。

范镇辩道："太后，微臣亦接到了苏轼的书信，说是改刺义勇是为了招募义勇，再加上官户村的壮丁以及僧道人众，已得义勇近万人，与刺义勇的数额大致相当。"朝堂上一片讥笑之声，皆对和尚道士当兵感到不解。

韩琦出班怒道："启奏太后、陛下，苏轼本不过七品签判，竟敢擅改朝廷大法，招募义勇，以僧道为兵，这无异于谋反！"众人瞬间停下争论，朝堂上一片静默，因为谁都知道，这谋反罪一旦落实，其后果可想而知。

范镇力辩道："太后、陛下，苏轼废刺义勇而行招募，实是出于无奈，苏轼乃全心全意为国着想，岂是谋反！"韩琦道："太后，苏轼如此做法，如不惩治，只怕将来朝廷敕令无人遵守！"有了宰相的支持，吕诲、胡宿同声说道："苏轼不法，应予惩治！"

欧阳修出班，从容奏道："所谓'将在外，君命有所不受'，将帅受命本就有临机处分之权。就是退一步说，苏轼若因改变了兵制而失了凤翔，那时依法惩办也不迟，但如今苏轼将一座凤翔城守得如同铁桶，为何还要惩治？"不少大臣皆额首称是。

吕诲仍是不依不饶，厉声奏道："苏轼任职凤翔，屡犯法规，如天下官员率起效仿，如何处置？"又有一班官员响应。欧阳修怒声驳斥道："如能效仿得好，也未尝不可！"众人交头接耳，一时无所适从。

曹太后岂能不知者朝堂之上的党派之争，但对党魁王珪的沉默甚为好奇，问道："王珪，你怎么不说话？"王珪笑了笑，缓缓奏道："启禀太后，原凤翔法曹张璪上奏，说凤翔太守陈希亮贪财荒政，纵容苏轼屡犯法规，苏轼毕竟年轻，加之天性狂放，无人管束，以至于此。微臣以为，苏轼在凤翔三年，行事浮躁，藐视法规，实难当大任，仍须在地方加以历练。"这一建议在吕诲、胡宿等人的劾奏中退了一步，看似做老好人，但实际更加可行，对苏轼的打击更能落到实处，曹太后不禁心中暗暗冷笑。范镇、欧阳修等对此也不知如何辩驳，一时语塞。

王珪接着从容说道:"太后,新皇登基之始,人神共庆,不宜大动刀兵;且诸事待兴,头绪繁多,一时之间,难分轻重缓急。不妨先答应西夏增加岁币的要求,日后再从长计议!"朝堂内一片附和之声。曹太后也觉得还是求稳为好,于是说道:"好,增加岁币之事就由你和韩琦商议办理吧!苏轼一事,凤翔太守乃是陈希亮,放走义勇、改刺为募之事,应由他来负责。再说,陈希亮贪财荒政,哀家早有所闻。胡宿,念陈希亮守凤翔有功,擅放义勇之事就不要查了。查查他的贪财荒政吧!"胡宿领旨。

曹太后接着唤王珪吩咐道:"你方才所奏,苏轼在凤翔为政虽显急进,但其锐气可嘉。先皇驾崩前,特地提到过他。苏轼在凤翔任职将满,朝中需要人手,催他交割一下,回京转官吧!"范镇和欧阳修听到太后旨意,对视一笑,心中大喜。王珪眼中掠过一丝犹豫,但很快便应承了下来,领会到这是太后给他的暗示,心想:太后明显是向着苏轼,纵然自己再在苏轼身上找茬,仍是不能阻止苏轼的仕途。苏轼这一进京,凭着太后的恩宠,飞黄腾达岂不是指日可待,自己是不是要改变对苏轼的态度呢?

朝廷既已作了和议的决定,便令宰相韩琦亲率军队运送岁币至西夏和议,以表诚意。

这日,车队经过凤翔,陈希亮率凤翔众官迎接。陈希亮施礼道:"下官凤翔知府陈希亮率凤翔府衙官员迎接宰相大人。大人辛苦了!"韩琦下车,挥挥手说"不必客气",他环顾群臣,问道:"签判苏子瞻何在?"苏轼应声上前施礼。韩琦点点头,对苏轼说:"你先领我到城头看看!"又回头对陈希亮等说:"诸位先请回吧。"

苏轼领着韩琦登上凤翔城头,王彭领几位军士在后护卫,眼神中流露出对韩琦的愤怒和不满,韩琦全然不知。韩琦一边观看,一边向苏轼不断询问,并试射了几次诸葛连弩,频频点头,喜道:"凤翔城果然有固若金汤之势,苏签判,听说守城多半是你的功劳?"苏轼拱手道:"下官不敢贪天之功。上赖朝廷,下靠同僚用命!"韩琦笑道:"呵呵,苏大人也学会了说官话,在本相的眼中,你可不是此道中人啊!"苏轼也笑道:"不是官话,若非同僚用命,就是苏轼浑身是铁,也打不了几根钉!"韩琦笑道:"我说的不是'同僚用命',我说的是'上赖朝廷'，你这岂不是讥讽本相！"苏轼忙回道"不敢"。

韩琦止住苏轼，叹道："哎——不要说了，老夫同你开个玩笑。老夫亲眼所见，你的城守得好哇！若是都像你这样，庆州、渭州、延安又岂能丢失！老夫错怪你了，等老夫回到朝廷，定要保举你！"苏轼施礼道："谢大人。下官屡改朝廷之法，给大人添了许多麻烦，还请大人海涵！"韩琦笑道："噢……苏子瞻也会客气，哈哈哈……"说罢回头看苏轼，只见苏轼眉头紧锁。

韩琦正色道："你是在想本相此次往西夏议和之事吧，对此你有何高见？但说无妨。"苏轼凛然道："高见不敢，可家父的《六国论》却讲得很清楚，'六国破灭，非兵不利，战不善，弊在赂秦，赂秦而力亏，破灭之道也'。同理，若增加岁币给西夏，则国库日虚，大宋日穷，而西夏愈强，实乃抱薪救火之道！"

韩琦脸色顿时沉了下来，说："果然苏子瞻敢说话。此理本相岂能不知，但新皇登基，不宜大动刀兵。再说，即使作战，朝廷亦无必胜把握！"苏轼不卑不亢，从容辩道："大人所言差矣！我无必胜之算，西夏更无必胜之算。西夏人若有五成胜算，就会起倾国之兵东侵。今西夏人驻足观望，索要岁币，正是因为他们没有胜算。我大宋若能严敕将领，死守城池，拼力一搏，西夏人必无所乘！似此若无必胜把握就不作战，那西夏必会得寸进尺，长此以往，终会成养虎为患之势，大宋危矣！"王彭在一旁频频点头，但看到韩琦越来越阴沉的脸色，心中已知朝廷之意，大为愤郁，但又无可奈何。

果然，苏轼话音刚落，韩琦大怒道："放肆！人言苏子瞻狂言无忌，果然不虚！"说罢拂袖而去。护卫人员尾随韩琦而去，王彭却留在了城头，气愤地两眼暴怒，手握双拳，一拳击向城墙，顿时鲜血直流。苏轼见状会意，但也不劝慰，只是站在城楼上，扳动了一个诸葛连弩，三排箭射向远方。

韩琦身为老臣，曾与范仲淹等共同实施庆历新政，但新政的惨淡收场让韩琦心灰意冷。随着年事与权位渐高，韩琦也变得越来越保守，虽为国操劳还是一如既往，但对于内政改革与对西夏用兵，皆是极力反对。本来到凤翔，是想让苏轼总结一下守城经验，以为将来防备西夏之用，但苏轼一番主战的言论让他感到这简直是对他权位的藐视，故而在凤翔停留一夜便离去了。

韩琦走后，朝廷派往凤翔查办陈希亮贪财荒政一事的御史接踵而至。御史到来自然没有什么好事，众人眼光一齐往苏轼的身上看，以为朝廷要清算苏轼数次违法之事，苏轼反倒面不改色，一身坦然。

不一会儿，胡宿一众人飞马赶到。胡宿下马，也不理会率众上前施礼的陈希亮，拿出敕令道："凤翔官员听着，朝廷敕令：'查，凤翔知府陈希亮假公济私，积聚财产，已触犯大宋律，着即革职拿问！'"众人大惊，府衙内一片沉默。

苏轼也有些惊讶，问道："大人，只罚陈大人一人吗？"胡宿瞄了苏轼一眼，点头称是，随即命令锁拿陈希亮，陈希亮呆呆地站在一旁无语。苏轼见状，忙跪下道："慢！大人明鉴，陈大人曾散财相助公事，于朝廷功劳甚大。前年凤翔建立官户村，亦多亏陈大人捐款！"

胡宿漫不经心地说："此事朝廷已经嘉奖，是陈大人之子陈愭所为！"苏轼依旧力争："那今年防守凤翔，陈大人又出钱甚多！"胡宿不屑道："哼，这与本官无干！苏轼，你作为七品签判，无权干预朝廷拿人！老夫劝你还是多加珍重自己吧。"说罢转向陈希亮道："陈大人，自己到御史台去说吧！"军士将陈希亮锁上，陈希亮突然仰天大笑，任军士押着自己走出衙门。苏轼无奈地看着这一切，众官员一片唏嘘。

胡宿命众军士将陈希亮押至监牢，自己率一帮军士来到陈希亮家中查抄，在杜氏的哭声中，一大堆的经商账目皆被查收，家中财物亦全部查抄殆尽。陈愭自知父亲此劫是难逃其咎，只能和陈奇带着酒菜到监牢照顾父亲。

这晚，苏轼、王彭和巢谷在凤翔城头喝酒，三人都已酩酊大醉。尤其是王彭，身为武将，沉沦下僚多年不说，在朝廷无数次的对西夏的委曲求全中，他更是深感身为大宋武将之屈辱。但他人微言轻，纵然有一腔报国热情，可哪里是他王彭可以驰骋的疆场呢？昨日韩琦的态度更是打碎了他心中最后的一丝希望，觉得此生恐怕只能在这种屈辱中度过了。

王彭苦笑道："'醉卧沙场君莫笑，古来征战几人回。'下官虽只是个小小监军，却是故武宁军节度使王全斌大人的曾孙，故武胜军节度观察留后王凯大人之子。"苏轼醉醺醺地举杯道："啊，原来王监军是开国元勋、名将之后，怪不得王监军气度非凡，苏轼一向失敬了。"

王彭摆摆手，叹道："苏签判取笑了，下官给祖宗丢脸了！下官虽不才，却也曾十五岁时随父讨贼，搏战于甘陵城下，下官所统部下单斩敌首就七十余级，下官还亲手射杀二人。可是后来……"王彭叹了口气，说，"后来功劳报到了朝廷，朝廷不赏赐。有人劝下官自己上书，下官说，我为君父战，岂为赏哉？"

巢谷怒发冲冠，拍案而起，厉声说道："朝廷不公！大年兄，待我去为你讨个公道！"王彭摆摆手，笑道："不必了，巢谷兄，王某并非妄图虚名之辈。"苏轼施礼道："好！王监军。受苏某一拜！"

王彭扶起苏轼，一手举起酒杯，一手抓起腰刀，在城墙上纵情作歌、作舞，苏轼、巢谷也起身附和。王彭醉歌道："妖氛起西北兮，志不能报东南；生不得射天狼兮，不死意欲何为！"苏轼猛然一惊，停下舞步，盯着王彭。王彭也猛然间站定，绝望地看了一眼苏轼，转身从高耸的城墙上纵身跳下！苏轼追呼不及，巢谷也从歌舞中醒来。

两人率一帮军士来到城墙下，王彭已是气息奄奄。巢谷疾步上前，抱着王彭，泣道："大年兄，何苦如此啊！"苏轼赶到，亦不禁携起王彭的手，无语泪流。

王彭望着苏轼，时断时续地说："苏签判，你要走了，仗也不打了，我也不想再刺义勇了！"苏轼哭泣道："王监军，来日方长，何苦如此？"王彭断断续续地说："苏签判，我也算曾为国效力，不致辱没了先人。可大宋如此懦弱，我们武人还活着干什么！"周围的军士都被说中了心中痛处，哭成一片。

王彭抓住苏轼的手，竭尽最后一丝力气说道："苏签判，你要善自珍重，不要像我，与人多忤，与事多忤，大宋需要你啊！"说罢便在巢谷怀中气绝身亡。众人跪下大哭。

第二日，凤翔城头，冷风怒号。苏轼、巢谷率众官员、军士向王彭致祭，士兵们在城头上抛洒纸钱，纸钱漫天飘零。苏轼展开昨夜写成的《王大年哀词》，悲声念道："君之为将，允武且仁。甚似其父，而辅以文。君之为士，涵咏书诗。议论慨然，其子似之。奔走四方，豪杰是友。没而无闻，朋友之咎……"

安葬好王彭后，苏轼任期已到，很快就收到了朝廷敕令他回京的文书。苏轼将公务交代完毕，家人收拾了几日，便整理好简单的行李，准备上路了。

这日，巢谷把马车赶到门外等候。众人将行李装好，最后看了一眼凤翔的家，苏轼感叹道："三年凤翔签判，转瞬即过，真是人生如白驹过隙，世事也无常得很哪！"小莲笑道："哥哥才多大年纪，就发这样的慨叹！"王弗笑道："他啊，生下来就满肚子的忧患！"苏轼叹道："我不仅是感叹时光，更感叹抓一太守，如驱犬羊！说不定有一日也轮到我头上。还有王监军何等英武，如今也已撒手人寰。"王弗嗔怪道："说哪里话！陈太守这些年一味积聚钱财，迟早会落得这样的结果，这都是他夫人作的孽！你清廉公正，怎么能拿陈太守比自己？"小莲道："姐姐讲的极是！"苏轼转头说道："夫人，陈大人是积聚钱财，但陈慥兄两次出资相助公事，花的也是陈大人的钱，陈大人对凤翔百姓是有恩的。陈大人是曾为难于我，但后来对我大有转变，况且我放义勇，朝廷却怪罪在陈大人身上，我有愧于陈大人呀！"众人皆低头叹息。

走到凤翔城门附近，只见众官员、军士，以及曹勇、王老汉、王二等官户村民皆聚在一起，为苏轼一家送别。官户村的许多百姓给苏轼送上干粮肉食，苏轼、巢谷急忙推辞。苏轼对众官员拱手施礼道："三年来多亏众位相助，苏某这里相谢了。"众官员道："不敢不敢。苏签判以旷世之才辅制凤翔，政绩有目共睹，回汴京后，朝廷必然越级擢用，那时还望对旧日同僚多加关照。"苏轼笑道："诸位说笑了。不过，诸位若有用得着苏某处，当不敢推辞。"众官员道："我们这里先谢过了。"苏轼再次拱手道："众位请回。新任太守不日即到，还望各位辅佐新太守把凤翔的事办好。"众官点头称谢。

王老汉率众村民跪下，牵住苏轼的马头哀求道："苏贤良不能走啊！"苏轼忙下马扶起王老汉，并叫大家起来。王老汉不起，哀叹道："苏贤良，你走了，我们怎么办？"苏轼道："诸位，官户村的事我已替你们安排好了。此事朝廷已准，不会再起波折。诸位乡亲若有事，我们可以书信来往。"众人齐声道："多谢苏贤良！"曹勇站起，说："好了。时候不早了，让苏贤良启程吧！"众人哭送，跟在后面依依不舍。

苏轼环顾左右，似乎在找人。巢谷问道："子瞻兄在找谁？"苏轼笑道："噢，不找谁！"巢谷心中一紧，知道是找陈慥。送行的队伍越聚越多，出城门后，已形成了一条长龙。苏轼几次央求大家不要送了，大家才止步，苏轼一行便在凤翔官民的注视中走远。

赶了半天的路，苏轼看见官道上胡宿骑马率一干随从押着陈希亮的囚车也正好经过，陈希亮戴着枷锁，坐在囚车内。苏轼忙驱马上前，施礼道："陈大人，陈大人！"陈希亮回头一看是苏轼，眼中闪出惊异的光，想说什么，但没有出声。

苏轼转头向胡宿道："胡大人，下官想与陈大人说几句话。"胡宿冷冷地说："快些讲，我等还要赶路呢。"苏轼谢过，胡宿驱马走开。苏轼上前问道："陈大人，您可好？"陈希亮佯怒道："大胆苏轼！你看我这样好吗？你现在是得意了，你去做朝廷的京官，本府却成了阶下囚。哈哈！本府说过什么，你苏轼屡犯重罪，毫发无损，不黜反升。本府我英雄神武，将帅之才，稍有闪失，就被他们下了大狱。可怜我陈希亮生不逢时呀！"苏轼含泪道："陈大人，下官有愧于你呀！"

陈希亮哼了一声，道："什么愧不愧，你们这些书生，就会讲乖巧话！"说罢，脸色忽然转为忧伤，叹道："不过本府老了，也无所谓了，既然不让本府浴血疆场，坐牢又有何妨？"苏轼听罢，低头无语。陈希亮忽又童心大发，道："苏轼，本府虽然过去不服你，但如今也知道你确是个人才。你说心里话，本府若生在汉唐，可不可以做个李广？"苏轼拭泪，坚定地说："陈大人若生在汉唐，定可做李广无疑。"陈希亮仰天大笑道："哈哈！苏轼，若不是本府现在腿脚不灵便，定要与你掰回腕子，再教训你一番！"苏轼笑道："陈大人，这又有何不可？大人稍候。"苏轼骑马至胡宿跟前耳语，陈希亮好奇地看着。

胡宿不耐烦地挥挥手，淡淡地说："好吧，那就快点！"说罢向随从使了个眼色，随从上前将陈希亮的枷锁打开。苏轼骑马返回，笑看着陈希亮。陈希亮施展着筋骨，问道："苏子瞻，有你的，你跟他说了什么，他就准了你。"苏轼淘气地说："下官对胡大人说，陈大人如果不赢我掰手腕，就赖在这里不走。胡大人只好答应了。"

陈希亮佯怒道："好你个子瞻，又在后面诋毁本府。来，让本府再教训你一回，你可不许让本府，拿出十分力气来！"苏轼笑道："不拿出十分力气，怎能赢得了陈大人！"两人摆好架势掰腕子，苏轼装作十分用劲的样子，青筋暴露，但未使全力，陈希亮大喝一声，将苏轼扳倒，随即大笑道："苏轼，本府对你是二胜一负，你服不服本府？"苏轼装着揉了揉手腕，笑道："陈大人英雄神武，下官佩服。"

远处的胡宿看着这边又笑又闹的，不耐烦道："不能再耽搁了，锁上陈希亮，即刻上路。"陈希亮看着苏轼，眼角泛泪，叹道："苏轼，凤翔府官员无一人敢替本府求情，唯有你敢为本府开脱，本府三年来却处处与你为难。"苏轼忙道："陈大人，这么说大可不必。"陈希亮极力掩饰自己激动的情绪，装作满不在乎的样子说："苏轼，本府走了，你好自为之！"胡宿一挥手，车队押送陈希亮远去。苏轼远远地招呼道："陈大人，一路保重。"陈希亮并不回头，也不应答，只望见他低着头，双肩微微颤抖。

苏轼回到家人身旁，叹息着上了马，正见陈慥白衣单骑匆匆迎了上来。二人相见，皆下马行礼。苏轼大惊道："季常兄，我刚送走陈大人。你如何这身打扮？"陈慥低头道："继母昨日寻了短见，亡故了。"苏轼惊讶不语。陈慥苦笑道："早去了早干净！"苏轼劝道："也不能这样说！"陈慥摇了摇头，叹道："父亲操劳一生，也算是个干吏，可是自从我这继母进门，他就终日想着敛财，终于落得这个结果！"苏轼道："人死为大，就不要再说她了，何况是自寻短见，她还是有愧疚之心的。"陈慥点头称是。

苏轼又问道："季常兄日后如何打算？"陈慥说："我已卖尽家财，打算尾随家父到京，再作一番营救。然后将家父送回老家，我就云游四方！"苏轼沉吟一番道："营救陈大人自是应该，不过你也该取功名，不然枉费了一身本领。"陈慥长叹一声道："子瞻兄，父亲此事，让我对官场已心灰意懒。况且我本就不是耐得住束缚的人。"苏轼笑道："也是。那你我到汴京再见。"两人拱手作别，陈慥策马前去，苏轼在马上陷入沉思。

二十　痛失爱侣

苏轼离职赴京，时值年末，西北气温骤降，又逢大雪，王弗身体本就不好，又兼有身孕，很快就感觉身体不适，因此苏轼一行走得很慢。在汴京，朝廷已经开始为这位政绩显赫的才子考虑官职了。

这日天气稍暖，英宗与曹太后在御花园中缓步走着，英宗显得无精打采，韩琦躬身跟在后面。曹太后问道："韩卿家，苏轼转官该到京了吧？"韩琦奏道："回太后的话，苏轼早该到了。只是前一阵北方大雪，想是阻隔了路程，此刻尚未到京。"曹太后停下脚步，转身问英宗道："苏轼在凤翔政声煊赫，足见其治才。不知皇上准备授他何职啊？"英宗微微一愣，似乎正在魂游天外，咳嗽了两声，说："这，这个嘛，先皇曾欲授他何职，便授何职吧！"

韩琦听此，眉头紧锁，低头沉吟。曹太后见韩琦似有他意，问道："翰林学士……韩大人，你看如何呀？"韩琦躬身回道："皇上、太后，微臣曾亲眼见到凤翔城百姓安居，军备森严，苏轼确有治才。"曹太后略感意外，喜道："哦？未曾想韩卿家对苏轼竟如此看重。"韩琦微微笑道："老臣正是受先皇之命历练他。不过，苏轼生性狂放，在凤翔屡改律例，在朝中引起非议。臣以为，在下旨任命苏轼之前，不妨让他暂到史馆，考察一段时间再做定夺。"曹太后淡淡一笑，问英宗道："皇上的意思呢？"英宗道："就依韩大人说的吧。"曹太后点头道："如此也好。"

苏轼的官职既已论妥，韩琦便命翰林院下诏命职。而朝廷也颁下诏书，令在京三年而未授予官职的苏辙速速往大名府上任。因此苏辙心焦如焚，不知哥哥能否及时赶到，兄弟俩能见上一面。

一天傍晚，苏轼一行来到驿站，打算尽早休息，巢谷正要将马车停在驿站门口，忽然听见一声响亮的木折声，巢谷惊道："哎呀，车轴断了！"车内的王弗、小莲都感惊愕，两人对望了一眼。车轴折了，这在古代行旅之人看来，是极不吉利的。采莲不停地念"阿弥陀佛"。巢谷忙安慰道："咱们到驿站修理就是了。"

王弗掀开车帘，脸色苍白，向苏轼喊道："子瞻，明日还是换辆车吧。"苏轼先是一愣，转即明白，笑道："弗儿，那些无妄之事不要乱想。何况，这里地处偏远，就是想租，也找不到车啊。"采莲念佛道："阿弥陀佛，难道就坐这'折了'的车？不行不行！"苏轼笑道："表姑，没什么。百姓都说我是文曲星下凡，跟着我还有什么不放心的？"巢谷也宽慰道："是啊，表姑，这种事不想就没有！"众人下车，走进驿站。

驿站内，巢谷在院中修理马车中轴。苏轼在屋内的破火盆里生起火，采莲抱着苏迈，与王弗、小莲都围坐在火堆旁。王弗一阵咳嗽，呆呆地看着火堆，说道："看来与子由和史云见不上面了。"小莲急忙给王弗捶背。

苏轼沉吟道："车行才能有辙，车轴断了，也就没辙了，看来见不到子由也是个定数。"说完自嘲地笑了笑。王弗喃喃地说："没辙，没辙……没辙车就行不了。这车还是新的，行路也不算很远，怎么就'折了'呢……"众人脸色皆变。小莲忙说道："姐姐莫多想，旧的不去，新的不来，这预示着哥哥要换新的冠盖，要升官了。"苏轼笑道："小莲妹妹慧心灵性，说得真是好听。"小莲低头道："难得哥哥夸一句，还话里有话。"王弗笑道："其实他心里天天夸你呢！"小莲嗔怪地看了王弗一眼，仍是想法替王弗排解忧思。

这时，巢谷修完车，走进屋来，看到大家开心的样子，也笑呵呵地坐过来烤火。王弗微笑着看着苏轼说："以莲妹的学识和见识，若不是女儿身，定能在科考中考取进士三甲。"小莲笑道："姐姐谬奖。我做进士，子瞻哥做什么？"王弗笑了笑，说："子瞻啊，就让他伺候我们好了！"苏轼笑道："好，你们二人做了女进士，我正好无官一身轻，给你们烧菜做饭！"众人大笑，唯有巢谷轻轻地附和着笑了两声。这么长时间的相处，他已渐渐地知道了小莲的心意。虽然王弗未说，他也猜到了杨老夫人临终书信的意思了。

苏轼看到了巢谷的神情，赶紧转移话题道："难得大家这么有兴致，我讲两个笑话助兴吧。"苏迈这时已能牙牙学语，他躺在采莲怀中，看到大家都这样高兴，也舞动着小手说："笑话，笑话……"众人见状都哈哈大笑，巢谷也忍不住笑出声来。

王弗一本正经地说："莲妹，我们不笑，看他怎么办。"小莲也止住笑，学着王弗的严肃状。采莲看她俩的样子，忍不住笑道："你们绷不住的。"苏轼也挑拨道："夫人，小莲要是笑了呢？"王弗还是严肃地说："那算你有本事。"巢谷兴奋地看着苏轼。

苏轼慢悠悠说道："过去有个秀才去赶考，临行前的最后一个晚上，为图个好口彩，他嘱咐书童说：'如果明天是雨天就报告说是风云际会，如果是晴天就说是天开文运。'第二天早晨起来，秀才问童子是什么天气，童儿犯了难，因为这天的天气既不是晴天，也不是雨天，而是阴天。于是童子只好回道：'秀才，不是风云际会，也不是天开文运，天阴得像个死人脸！'"边说边指着王弗和小莲的脸。巢谷会意，大笑起来。

两人极力忍住笑，王弗说："你讲得不好笑。再讲一个，我们保准还是不笑！"采莲笑道："哎呀，子瞻，可笑是可笑，就是那两个字不吉利。"苏轼笑道："那就换个笑话，我的笑话就是周朝的褒姒也会笑！"王弗和小莲摇头不信。

苏轼又讲道："古时候，有一个叫艾子的人，嗜酒成癖，经常大醉，很少有醒的时候。妻妾劝阻，始终不听。一天，他的妻和妾商量说：'这样太伤害身体了，我们一定要吓唬吓唬他，让他不敢饮酒。'一次，艾子又喝得大醉，呕吐满地，上床睡了。他的妻子让妾找来猪肠子放到艾子的呕吐物中。第二天，艾子的妻子指着猪肠子对艾子说：'凡是人都要有五脏才能活，你现在吐出了一脏，可怎么活啊！'说着，妻妾都哭起来。艾子看了半天猪肠子，忽然笑着说：'你们不要哭了，唐三藏只有三脏尚且可活，何况我还有四脏乎！'"王弗看看小莲，终于忍不住大笑起来，大家也都笑得前仰后合，这清冷孤寂的驿站中洋溢着暖意。

好不容易回到汴京，王弗就病倒了。苏辙已经上任，苏轼刚到家拜见过父亲，匆匆整理好家务，史馆就已派人来送官服催苏轼上任。

这日，苏轼第一天来到史馆，看到琳琅满目的图书，想起在凤翔的三年，政事繁忙，很多书都已荒废未读，更不用说一些难得的古籍，那是想读都没处找，便在办公处如饥似渴地翻阅着一些秘藏经典……

这时，欧阳修背着手，缓缓走进来，看了苏轼半天，苏轼浑然不觉。欧阳修咳了一声，笑道："呵，也不在家休息几天，就跑到史馆来读书了。"苏轼听到声音一怔，已知是谁，忙回头作揖道："哎呀，恩师来了，我本来要前去看望您，可我一到汴京，朝廷就让我先到史馆任职。"欧阳修携起苏轼的手说："史馆暂时急需人手，你还没到汴京，朝廷就已作了安排。我知道你又要安顿家室，又有史馆的职事，太忙了，我约了范镇大人、司马光大人今日来这里与你相见！"苏轼忙回道："那太好了。只是，我本想到你们府上拜访的。如此一来，学生惭愧了。"

一阵沉着的脚步声过后，范镇还没进屋，声音就传进来了："拜访什么，我们知道你在凤翔任上未存分文，难道让我们在家里等着你送礼上门不成？"三人大笑。司马光也跟着进来，笑道："听范公的意思，好像你经常收受别人的礼物啊！"范镇一怔，又笑道："啊！呵呵，被你捉住话柄了！"

苏轼上前深深作揖，道："见过恩师，君实公。"范镇携起手："好侄儿，不要客气了。让我看看，呵呵，胡子见长了。可惜了你三年的小州签判。"司马光在一旁赞道："子瞻虽是三年签判，可政声比得上十年知府啊！"苏轼摇头道："司马公过奖了。"

司马光说道："子瞻啊，这次回来，你就帮我著书吧，别的就不要干了！看这史馆多清静，我等读书人本来就不该上那官场！"范镇佯怒道："司马公此话怎讲？难道欧阳大人和我就不是读书人？"司马光也一怔，笑道："啊——这次被你捉住话柄了！"

欧阳修挥挥手让大家都坐下，说："范公一来，就夹缠不清。还是让子瞻说说凤翔的情况吧。"范镇也催促苏轼快讲。苏轼沉吟片刻，叹道："三年签判，方知朝廷一举一动皆关乎国计民生。如今的朝廷之法，可谓百弊丛生。国弱民穷，皆缘于此！"司马光问道："为何百弊丛生？"苏轼正色道："皆因墨守祖宗陈法，不能与世推移！"司马光沉默不语。

范镇问道:"那你说说看,都有哪些陈腐之法?"苏轼低头思索片刻,说道:"我一时也想不清楚,等我慢慢想清楚了再给朝廷写奏章。"欧阳修点头称好。苏轼突然站起,说:"倒是有一件事需要急办!"众人忙问何事。苏轼回道:"凤翔知府陈希亮以营私罪在押,其实陈太守还是一个干吏,他两次以私助公,若无他的帮助,建官户村、废除乡役都难以完成!"三人对视了一下,眼中流露出赞赏的笑意。

　　欧阳修笑道:"听说在凤翔时陈希亮处处与你作难,你为何要替他说情?"苏轼说:"与我作难是真,但以私济公也是真。后来陈太守与我也渐渐融洽了。"司马光叹道:"子瞻真有古君子之风。"范镇点头道:"过几日我奏请朝廷,看看能否给他减轻处罚。"苏轼忙从袖中取出一份奏章,向范镇说:"这是我替陈希亮求情的奏章,不知可否替我呈给皇上。"范镇接过应下。司马光赞道:"光明磊落,以德报怨,子瞻之谓也!"

　　苏轼回到家中,刚好遇到出门的刘郎中,这是苏洵派人请来给王弗看病的大夫。

　　卧房内,王弗躺在床上,病势沉重,小莲、采莲在一旁服侍。王弗叹道:"我真是没福,刚刚回来,就病了。"采莲拭泪道:"唉,就是你上次没坐满月子,到府衙里替子瞻告状,落下的病根。自那之后,你身子就一直不好。"王弗听了这话,更感忧伤。小莲忙劝慰道:"表姑,您说什么呀。姐姐是因怀了身孕,身子沉重,在路上受了风寒,不过是寒热之症,好好将养,就会好的。"采莲反应过来,忙说:"对,对,小莲说得是。"王弗一脸愁容,说:"不过,我总觉着,我这肚子里的孩子,和生迈儿的时候有些不一样!"采莲忙道:"不要瞎说。你都生过迈儿了,还有什么不放心的!"王弗苦笑道:"说得也是。可我这心里,还是时时担忧,就怕……"小莲劝道:"姐姐莫怕,有子瞻哥,你不要担心!"王弗勉强笑了笑。

　　堂屋内,苏洵正和苏轼一起讨论王弗的药方。苏洵说道:"这病是因路途劳顿,外感风寒而起,刘郎中的药方似乎重了一些。"苏轼接过药方,问道:"父亲有没有告诉郎中弗儿怀有身孕?"苏洵捻须道:"刘郎中试过脉象,应该知道!"苏轼朝里屋喊道:"表姑,表姑——"采莲应声而出。

苏轼问道："表姑，你告诉刘郎中弗儿怀有身孕了吗？"采莲说："刘郎中是名医，我看他切了半天脉，想必知道。我若说了，怕对人家不尊重。"苏轼看看父亲，苦笑道："什么名医，只怕是游医。"苏洵点头，看着药方说道："这等药方，孕妇吃下，岂不要杀人。"说完拿笔改动，递给苏轼。苏轼看过，点头道："嗯，这样既能驱寒，又能保胎，十分稳妥。"遂向采莲说道："表姑，叫人照这个方子抓药煎服。"采莲接过药方出门。

来京几日了，王弗的病情并不见好转。这日，苏轼早早回家照顾王弗，又在堂内和苏洵议论王弗的病情。巢谷进来说："老爷，子瞻兄，陈慥来访！"苏轼起身道："啊——快请！"陈慥一身孝服地走进来，向苏洵深深一揖道："小侄拜见伯父！"

苏洵问苏轼道："这位是——"苏轼忙介绍道："这位是凤翔知府陈希亮的公子陈慥。"见陈慥丧服打扮，心中已知几分，但还是问道："季常兄，你这是……"陈慥叹道："昨夜家父已去世。"苏洵、苏轼一惊，久久无语。

陈慥说："家父脾气刚硬，不堪羞辱，再加年事已长，就于昨日去世了。"苏洵叹道："唉——这——朝廷说不定会——"陈慥苦笑道："是的，前日范镇大人已将子瞻兄的奏章呈给了皇上，朝廷已有减罪之意。但父亲说他已觉人生如梦，生死原无分别，是——是他自己不愿意活了！"苏轼喃喃道："人生如梦，人生如梦……接下来，陈慥兄如何安排？"陈慥坚定地说："明日就将父亲的灵柩运往家乡。"

苏轼忙说："那我们这就去——"陈慥急忙拦住，说："大宋律例，犯官自毙于狱中者，不得行祭奠！"说罢又向苏洵作揖道："伯父，子瞻兄，陈慥还有事要办，先行告辞。"苏洵点头道："贤侄保重。"苏轼与陈慥握手送别，沉痛地说："季常兄，节哀顺变，多多保重，你我后会有期。"

陈慥刚走，采莲忽然从里屋出来，急急地说道："老爷、子瞻，不好了，少夫人忽然腹疼。"苏洵大惊道："哎呀，莫不是长途奔波伤了胎气！你快进去看看，若是早产，赶快叫产婆。"苏轼点头冲进里屋。

卧室内，王弗躺在床上痛苦呻吟，采莲、小莲一筹莫展。苏轼拉着王弗的手喊道："弗儿，弗儿！"采莲焦急地说："看样子怕是要早产！"苏轼忙道："那就快去请产婆！"采莲点头匆匆出门。

王弗气喘吁吁地握住苏轼的手，吃力地说："子瞻，我这病怕是好不了啦。"苏轼笑着鼓励道："不要乱想，一会儿产婆来了就好了。"王弗抓住苏轼的手，摇摇头。小莲忽然看见王弗下身流血，大惊道："哎呀，哥哥，你看。"床上鲜血横流，王弗痛不欲生，苏轼大惊，查看后，立即拿笔写下几味药，将药方交给小莲道："莲妹，巷口就有一家药铺，你立即将这止血药取来，急火煎煮。"小莲立即跑了出去。

王弗脸色变黄，死死地抓住苏轼的手，说："我早就觉得腹疼，知道要病。"苏轼抚摸着王弗的手，竭力忍住眼中的泪水，安慰道："弗儿莫怕。一会儿吃了止血药，养好胎气，就会好的。"小莲进门道："伯父亲自去取药了。"苏轼点头道："这样更好，父亲更懂得药性。"

卧房外面，巢谷喊道："产婆来了。"采莲携产婆应声入内。小莲端过水来，产婆边净手边说："听说夫人身孕才六七个月。"苏轼说："是。前几日才从凤翔来到京师，怕是长途奔波，伤了胎气。"产婆说："你们先出去，我看看再说。"

堂屋内，小莲生火洗刷药具，巢谷着急地用扇子猛扇着炉火。小莲焦急地问苏轼："哥哥，你说姐姐不会有事吧，女人最怕的就是这一关。"苏轼道："弗儿已生过一胎，就是早产，大人也该无大碍。"小莲双手合十道："但愿如此。"苏洵拿着草药匆匆进来，小莲抢过草药煎药。采莲从卧房内出来："不好了，血越流越凶了！"众人惊讶，苏轼、小莲忙奔入内。

卧室内，产婆匆匆说道："官人，夫人伤了胎气，是早产，可——可——"苏轼忙问怎样，产婆说："可……胎位不正，是骑马生，只怕无法——"苏轼大惊，深深一躬，慌道："只求保住大人，便是再生父母。"小莲也跪下叩头。产婆忙扶起小莲道："老身已然尽力，要看夫人的命了。"

王弗气息微弱地说："子瞻，过来。"苏轼扑跪在床前，眼中含着泪水道："弗儿，你要撑住，撑住！"王弗挣扎着起来说："前日啊，我做了一个梦，生下了一堆肉芝，就知道不祥。不过，我能和你做十年的夫妻，已是心满意足了。再向天要寿，怕是非分之想。"苏轼含泪苦笑道："弗儿，弗儿，千万别这么想，你不会有事的。"说着转向产婆道："大娘，救救我的弗儿啊！"产婆手足无措。

王弗忽然十分清醒，眼睛发亮，盯着苏轼道："轼儿，你看着我。"众人都吃了一惊。王弗挤出一丝笑意道："你看着我，让我仔细看看你。你每次叫我弗儿，我心里都高兴。我想应你一声轼儿，却一直不敢，今日我叫了，你高兴吗？"苏轼哭道："高兴，高兴！"王弗接着说："好。轼儿啊，以后要听父亲的话，要对莲妹好，要疼迈儿。你总说天下无坏人，看谁都是好，却看不见坏处，我怕你日后吃亏呀！"苏轼忙点头应承。

王弗向小莲看了一眼，叫道："莲妹，你过来。"小莲哭着跪到床边，王弗握住小莲的手，笑着说："我是真喜欢你啊。以后啊，你要好好帮轼儿，要教好迈儿。"小莲哭着点头。王弗安心道："姐姐一直想送你点东西，却没什么好送的。今日，就把我这只玉镯送给你吧！"小莲哭诉："姐姐，姐姐，我不能要，不能要。"王弗奋力脱下玉镯，忽然严厉地说："戴上！"小莲吃惊地一愣，王弗挣扎着替小莲戴上。王弗看着小莲，笑道，"嗯，这就好。"说着将苏轼和小莲的手并在一起，将两人的手紧紧握着，笑道："轼儿、莲妹，你们要好好过。"说完，气息软下去，断断续续地说，"我到母亲和姐姐那边，会过得很好的，你们不要担心。"苏轼哭道："弗儿，别这么说。"采莲端药急急进来说："快给少夫人喂药！"苏轼急忙接过，抱住王弗要喂。王弗头往枕上一倚，溘然离世。苏轼抱着王弗大哭道："弗儿，弗儿……"众人亦跪下大哭。堂屋内，苏洵听到哭声，一下子瘫坐在椅子上。

几日来，苏家笼罩在一片悲痛的气氛中。大殓后，苏轼亲自将王弗安放在棺内，木然地坐在棺木一边。苏洵搂着身穿孝服的苏迈对苏轼说："你妻嫁后随你至今，极尽恩义，可谓有呕心沥血之劳。但未及见你有成，更未及共享安乐。"苏轼垂首点了点头，掩面哭泣。

苏洵流泪叹道："弗儿到我们苏家，那是我们苏家有幸啊！可惜——可惜我这白发人不能代黑发人啊！"苏轼拉着苏洵的衣襟劝道："父亲！"苏洵摆摆手道："弗儿的棺木先停放在兴国寺，等参寥和尚回来做场法事，再设法运回老家，葬于祖坟。"苏轼点头。苏洵佝偻着背，一声长叹，缓缓走出灵堂。

深夜，灵堂中，一支烛火默默燃着。苏轼独坐沉思，流下两行热泪，抚摸着桌上王弗的遗物。一会儿，苏轼走到王弗的灵堂前化纸，对周围的人说："你们都去吧，我来给弗儿守灵。"采莲拉着小莲，巢谷拉着苏迈离去。苏轼神色悲凄，痴痴望着王弗的棺木。炉中的冥纸烧起，青烟缭绕。

苏轼为王弗守灵，已有数日未曾上史馆办公。这日，迩英殿内，英宗萎靡不振地坐于金銮宝座上，曹太后在一旁垂帘听政。曹太后说："陛下，你不是要召见苏轼吗？"英宗强打起精神，说："噢，对，范镇，朕想要召见苏轼，苏轼现在史馆如何呀？"范镇出班奏道："启禀陛下，苏轼妻于近日病死，苏轼将其妻棺椁停放兴国寺，现在兴国寺守灵。"英宗点头准奏。

曹太后叹了口气，道："唉，苏轼之妻尚年轻，该才二十五六吧，却过早亡故了。陛下，你身为圣上，当关爱臣民，施仁布泽。苏轼亡妻，应予抚恤啊。"英宗点头道："太后教诲得是。传朕的旨意下去，赐苏轼之妻锦缎十匹，珠冠一顶，蓝田玉镯一对，玉佩一对。"曹太后点了点头。

胡宿出班奏道："陛下，微臣以为欠妥。位极人臣者，也不过有此礼遇。苏轼区区一个七品史官，连上朝堂的资格都没有，怎可受如此皇恩？此例一开，则有失皇家威仪，必引起朝野议论。"吕诲也奏道："陛下，胡宿所言极是，苏轼官卑职微，如此恩宠，实属不公。"英宗犹豫不决。

范镇出班驳道："胡大人、吕大人，言重了。苏轼虽官微，但论其才能，日后堪当朝中宰相。陛下抚恤施恩，有何不可？"胡宿对道："范镇，你一贯包容苏轼……"曹太后不耐烦地说："好了，好了，不要争了。陛下施恩布泽，怎可以凭官大官小而论？陛下不以苏轼官微，而施仁于他这才是大公所在。我看陛下的赏赐并不过分，就这样定了吧。"众臣遵旨。欧阳修和范镇暗喜，胡宿和吕诲怒气满腹，王珪始终不言语，仿佛若有所思。

散朝后，众大臣在皇宫外叽叽喳喳议论不止，一大臣说道："苏轼小小一个史官，亡妻竟得太后和皇上恩赏。看来，未来的宰相非苏轼莫属。"看到韩琦正从身后走来，忙躬身问道："宰相大人，您以为呢？"韩琦挥挥衣袖道："哼，老夫还在相位上呢！"这位大臣忙拱手后退道："哎呀，韩相，下官失言，得罪得罪！"

又一大臣说："苏轼既是未来宰相，今又亡妻，他续弦之事是如何定的？"众人被他这一席话点醒，纷纷看着走过来的范镇。范镇不解道："你们这样看着老夫干什么？"一大臣上前谄媚地说："范公，满朝都知你偏爱苏轼。我家中有一小女，甚为贤良淑德，就有劳范公为小女说亲了。"范镇摇头道："不可，苏轼与其妻感情甚笃，其妻入殓才多久，哪有这个时候说亲的？"又一大臣说："范公，我家也有一女，颇爱诗文，与苏轼一定志趣投合。范公，您若帮我这个忙，下官必当铭感不忘。"范镇讥笑道："你们呀，都是属猴的，可真会攀呀！"众臣哄笑一片。王珪在一旁捻须静听，若有所思。

王弗一死，苏洵备受打击，不久就病倒了，宫中特派刘太医来给他看病。这日，苏轼、巢谷在门口送刘太医上轿后，回到苏洵床前。苏洵躺在床上，脸色蜡黄，咳嗽连连。采莲端粥说："老爷，您吃一点儿吧！"苏洵挣扎起身，苏轼接过粥喂苏洵，苏洵边吃边喘气，喝了几口便躺下。苏轼放下粥碗宽慰道："父亲，您一定要照刘太医的嘱咐，万事放下，静心调养。"苏洵叹道："是啊，想不到我也病了。我也算略懂医道，人说医不自医，如今方有体会。"

苏轼又说："礼部编纂《太常因革礼》的事，暂且放下吧。历代礼制变化极为繁复，一时之间，也难理清楚。"苏洵点点头，叹道："编纂之事，可不挂心。只是一闭上眼睛，就梦见你母亲、你姐姐，还有弗儿——我们苏家，怎么总是女人先走！"

苏轼勉强笑道："父亲万不可悲伤过度。您要是有个长短，母亲在天之灵也不得安息。再说——大宋也不能没有您啊！"采莲收泪道："子瞻说得是。老爷千万要保重啊！"苏洵说："我知道。轼儿呀，我昨日掐算，你近来又有俗事烦扰。你明白吗？"苏轼摇头表示不知。苏洵意味深长地看了一眼小莲，小莲会意，低头不语。苏洵叹道："唉，你们都先出去吧。我累了，让我安静一会儿吧。"苏轼起身道："父亲，您好生静养。"众人出门，苏洵看着苏轼和小莲的背影，一声长叹。

这日，王珪府院内，两只斗鸡正在扑斗。一只鸡冠紫红者貌相英武，骁勇异常，将另一只鸡斗得节节败退，鸡羽横飞。管家笑道："老爷，这只斗鸡名为神勇将军，委实厉害，竟从没输过。"王珪捻须笑看斗鸡，口中却念念有词道："朝中人都说，苏轼要做未来宰相，说先皇驾崩前，仍不忘嘱咐范镇提携苏轼。"管家点头应道。这时，神勇将军飞扑狂啄，又引来众人一片喝彩。

王珪看着斗鸡，若有所思道："老夫原以为苏轼只是年少轻狂，当年私撰典故，制策逆君，到凤翔任个小小签判，竟视我朝百年律例为无物，横加篡改。老夫身为参知政事，岂能坐而不管，屡次要对他施以儆戒，却被他巧妙应付，连扳几局。如今更被太后和皇上看重，朝野之中再无第二人，难道老夫错看了苏轼，他果真有宰相之才？"管家看着斗鸡，也没顾得上听王珪的话，只拍着手说："是，是，老爷，您看这鸡，委实神武呀！"两斗鸡继续猛斗。

王珪接着说："他若真有宰相之才，老夫就该顺应大势，收揽人心，化干戈为玉帛……"这时，神勇将军猛啄一口，另一只鸡疼得满地哀鸣，败下阵来，众人一阵喝彩。管家大笑道："好！好！神勇将军！"

王珪不为所扰，继续着自己的思路："老夫若当伯乐，辅佐于他，他日后的成就，就记在老夫的功劳簿上！"管家上前问道："老爷，这神勇将军咱买不买？可要花费百两银子呀！"王珪眼盯着神勇将军，仿佛是对着苏轼，点头坚定地说道："买！"管家拍手笑道："好嘞，老爷。红花配美人，宝刀赠英雄，我看也只有这神勇将军才配得上老爷威严。"王珪捻须点头，暗自得意，心中已决定下午就前往范镇府中。

下午，范镇府内，范镇背手站在屋中，笑看着桌上堆满的请帖。一仆从拿帖入内道："老爷，这是魏王府的人送来的请帖，请您与苏轼赴宴。"范镇展开请帖笑道："嗯，好你个苏子瞻，老夫因你享尽口福了！"又一仆从进门道："老爷，王珪大人求见。"范镇略微迟疑道："哦，这一位也来了，请吧！"

王珪进屋，拱手道："范公，安否？"范镇还礼道："禹玉，找老夫何事呀？"王珪笑道："范公，旁人找你何事，今次我便跟风而行。"范镇笑道："禹玉，你看看，帖子都快堆成山了。魏王、高王、颖川王、故相家，还有一干大臣们，都要将女儿嫁给苏轼。你怕是来晚了，呵呵！"王珪深施一礼，笑道："还请范公玉成此事。"两人分宾主落座，范镇说："我说禹玉呀，以老夫对子瞻的了解，他甚爱亡妻，不可能马上续弦。"

王珪忙说道："不碍事呀，可以先把亲定下来，等个三年，吾女也不过二十，再成婚也不迟嘛。"范镇惊道："二十？都成老姑娘了！禹玉呀，你可真舍得呀！"王珪笑道："小女说了，非苏子瞻不嫁。"范镇笑道："禹玉，怕不是你女儿说的吧，该得益于禹玉的循循诱善吧。老夫尽力而为吧，成与不成，范某不敢说。"王珪起身,深深一揖道:"有劳范公费心了,事成后我必带全家登门道谢。"范镇摆手笑道:"后话,后话。"

范镇举起茶杯,似乎不经意地问起:"禹玉啊,我有一事不明,你向来对子瞻心怀成见,如何肯将爱女嫁于子瞻做继室呢?"王珪故作严肃地说:"范公啊,此一时彼一时,我毕竟是子瞻的老师,对他严厉一点儿怎么好说是成见呢?"范镇略带鄙夷地大笑,王珪则笑得有些尴尬。

第二天,范镇乘轿来到苏轼家,要将朝中诸多提亲之事告知苏轼。

来到门前,范镇刚要举手拍门,忽然想到苏洵家新逢丧事,沉下脸来,小心地对仆从说:"你来敲门,苏家正逢丧事,我若是说话大声了,你就掣一下我的衣襟。"仆从笑笑,上前要敲门。范镇吼道:"大胆,不懂礼数!说了正逢丧事,你还笑!"说着沉下脸来,显得憨态可掬,问仆从道:"你看我脸上,够不够庄重?"仆从忍住笑,顺势点点头,不知所以。范镇叫道:"还愣着干吗?敲门呀!"仆从这才上前敲门。

采莲开门,说:"是范大人!快请进!"采莲领着范镇往里走,边走边大声说:"老爷、子瞻,范大人来访!"苏轼迎出,深深一揖道:"有劳恩师大驾。"范镇不见苏洵,遂伸头往里看道:"子瞻呀,你父亲呢?"苏轼叹道:"父亲患病,已卧病在床多日了。"范镇惊讶无语。

进得苏洵卧室,只见苏洵躺在床上,病容憔悴,话语虚弱。范镇坐在床边,关切地询问病情,苏轼垂手站在一旁。苏洵感激道:"何劳范公挂怀,我没什么大碍。想是编书太累,将养几日就会好的。"范镇叹气道:"唉,怕是有些过于伤心了。"看到苏轼低首哀伤的样子,范镇拍了拍苏轼,爱怜地说:"子瞻节哀啊。想开些,佳人配才子,结发到白头,古来能有几人?像我这样的老朽,却能颠三倒四地活到现在,正所谓天妒红颜啊!有时我想啊,要是在六十不死就活埋的秦朝就好了,我就不用再徒费布帛米粮了!"苏轼微微一笑,苏洵也笑道:"姜子牙、百里奚七十多岁才有风云际会之遇,范公刚过六十,已成国家栋梁,风华正茂,正当大有作为,何出此言?"范镇也笑道:"呵呵,明允公好一张利嘴,无怪人家说你的文章有纵横家之风呢!"

仆人从旁掣了一下范镇的衣襟,范镇会意道:"噢,噢,看我又纠缠不清。本是来看看你，又说起这些来了。"苏洵笑道："哎，说起这些，我就什么都忘了，病也就好了。"苏轼也说："范公的高谈阔论，正是家父的对症良药！"范镇笑道："呵呵，我这侄子说话就是中听，那我可就高谈阔论了！"仆人又掣了掣范镇的衣襟，范镇烦躁地推开他的手，道："哎，不要掣我的衣襟，还是让我说吧，要不憋死我了。"苏洵督促他快说。

范镇说："那我就说了。子瞻新丧其偶，我本来不该说为老不尊的话，可不说又不行。"苏洵早有所料，道："范公尽管开口吧。"范镇看看苏轼，有些犯难地说："此事实难开口。不过以明允公和子瞻之聪明，何事不能逆料。当朝都知我偏爱子瞻，什么魏王、高王、颖川王、故相家都来托我，还有一干大臣，都想问子瞻的续弦之事！"

苏轼躬身道："恩师，亡妻尸骨未寒，怎能谈什么续弦！"范镇无语以对。苏轼看着桌上的文房四宝，忽然一把将它们推到地上，说道："为了哀悼我家弗儿，我三年不写诗，更不谈婚娶！若有违背，形同此笔。"说着将一管毛笔撅断。范镇欣然站起，赞道："啊呀，好一个苏子瞻，搁笔悼妻，三年不娶，古君子不及也！"苏洵也说："范公，子曰：'三军可夺帅，匹夫不可夺志。'轼儿既有此志，你就成全了他，替我婉言回绝了那些人吧！"

范镇作揖道："明允公，范镇遵命就是。"说罢转身怒斥仆人："叫你掣老夫衣襟，你为何不掣！"仆人尴尬得哭笑不得。范镇又说了一番宽慰的话，才起身告退。

范镇走后，小莲背着一筐中草药往里走，巢谷手拎两个木桶往外走，两人恰巧遇上，面上皆十分尴尬。小莲欲叫巢谷，巢谷却只向小莲点一下头，小莲也木然地点头。两人都想避让对方，却又阻挡了彼此。巢谷干脆往门边一站，小莲低着头顺势走了过去。巢谷忧伤地看着小莲的背影。

厨房内，小莲正在生火煎药。巢谷拎了两大桶水进屋，放在墙角，仍未招呼小莲，小莲正欲对巢谷说话，巢谷却转身走了出去。小莲岂不知巢谷的心事，但奈何母亲已经将自己许配给苏轼，王弗更是临终把自己托给了苏轼。巢谷虽也知这些，可心中的这份情愫却怎么也不能摆脱，两人只能在同一屋檐下尴尬地相处。巢谷也只能终日以酒浇愁。

从厨房出来，巢谷一心烦闷，又想上街买醉，直往门外冲，险些撞倒迎面进屋的采莲。采莲道："哎呀，巢谷，怎么这么冒失呀。"巢谷低头道："表姑，没看见你。"采莲问他去哪儿，巢谷说去酒肆，话音未落，就冲了出去。采莲看巢谷的背影，明白了几分，叹了口气。

　　这日，苏轼应驸马王诜之邀赴宴。王诜是苏轼的知己好友，苏轼不能不去。来到他家的西园，只见王诜早已等候在内。苏轼急忙迎上去，脸色勉力向王诜行了礼，王诜见状也深深一揖道："子瞻兄，小弟有礼了。"苏轼忙扶起道："哎呀，驸马大人的礼我可受不起。"

　　王诜见苏轼一脸愁容，便风趣地说："子瞻兄，别人看我是驸马，你看我是什么我还不知道！"苏轼忙问是何，王诜笑道："是一头蒙起眼睛拉磨转圈的叫驴。"苏轼忍不住笑了，一旁上茶的丫鬟也忍俊不禁。苏轼又叹道："哎，我可不会这样说，回头让公主听见了，我可是担当不起。"王诜道："子瞻兄过谦了，自当年那场科举风波时起，我就是你的忠实追随者，可你总是对我不相信！"苏轼拱手道："岂敢。王兄，苏某近来心绪不佳，谢绝往来，若非王兄三番五次相邀，苏某不会来此。敢问王兄，请我来何事？"王诜一愣，笑笑说："何事？叙旧而已！"苏轼正色道："叙旧？王兄不诚，我要走了。"说罢起身要走。

　　王诜忙拦住苏轼道："哎，子瞻，坐下。你可知我让你来何事？"苏轼道："其他事你不会找我办，但有一事除外。"王诜叹口气道："果然是古灵精怪的苏孔明。"苏轼笑道："岂用诸葛孔明，就是傻瓜也知道。"王诜勉强道："是啊，是啊。我找你来，是因公主吩咐我——"苏轼摆摆手道："哎，不要说了。"王诜忙道："不行，得说，我说了就交差了。公主说她三妹——"苏轼急忙截住道："小民不敢尚公主！此时苏某更不谈婚娶！"王诜脸露难色，苏轼不苟言笑地说："怎么，王兄要我也做那罩眼拉磨的叫驴？"王诜与苏轼相视而笑。

二十一　续　弦

苏洵的病情并不见好转，这使得苏家上下心急如焚。

一天夜晚，小莲端着药盅走进堂屋内，恰好遇见苏轼往外走。苏轼叫住小莲，说有几句话要说。小莲抬头看看苏轼，点点头，把药盅交给采莲，便和苏轼来到院子内。

时值初春，风清月朗，树影稀疏。苏轼和小莲两人一前一后，缓缓踱步。苏轼开口道："小莲，我为悼念你姐姐，发誓三年不写诗，想必你已知道。"小莲点头道："子瞻哥，姐姐泉下若是有知，定会感念哥哥的！"苏轼道："三年不写诗，当然更不谈婚娶。"小莲微笑着说："所以人都说子瞻哥有古君子之风。"苏轼停下脚步，转过脸，意味深长地看了一眼小莲，苦笑道："小莲，三年不写诗的苏子瞻，岂不乏味？"小莲低头微笑道："小莲想，这三年，苏子瞻不乏味，只怕是洛阳的纸便宜了。"

苏轼笑了笑，感动地看着小莲，吞吞吐吐地说："小莲，我心中仍忘不了你姐姐……"小莲抬起头，看着苏轼说："子瞻哥，小莲也是。"苏轼看着小莲，眼中充满了感激。二人站在晚风中，微风轻轻吹来。

小莲接着往前走，举头看着天上的圆月，说："子瞻哥，你看这天上的明月。三年后，小莲相信它仍会是这般明亮。"苏轼望着小莲，再看看天上的明月，默默地点头。

巢谷醉醺醺地从门外走进，在院子的照壁后，看见了这一幕。他瘫坐在门槛上，掏出酒壶，狂饮了一口，闷声不响。

许多天了，王珪并未从范镇那里探知苏轼对续弦的态度，又听说苏洵病重，一天夜里，便托言探望苏洵来到苏家。

采莲把王珪引进苏洵卧室，苏洵憔悴地躺在病床上。王珪来到床边，双方施礼后，王珪一脸关切之色，苏轼垂手站在一旁。王珪客气地说："明允公，这么晚了，我还来叨扰，只因朝中诸事繁杂，实在抽不开身。闻悉明允公染疾已有些时日，甚为挂念，便来探望，还望明允公不以为罪。"

苏洵当然知道王珪深夜来访，乃是为了避人耳目，但仍挣扎着坐起，却被王珪按下。王珪道："明允公躺下，你我不必拘礼。"苏洵叹道："王大人，老夫官卑职微，岂敢怪罪大人。您能来探望老夫，乃老夫之荣幸。"王珪道："明允公这般说，折煞我也。"说着便从管家手中拿过众多名贵药材呈上。

苏洵挣扎着坐起，说："王大人这是何意，老夫不能收。"王珪道："绵薄之意，明允公若推辞，就拿我见外了。"苏洵辞道："王大人，非与你见外，老夫实在收受不起。"王珪道："只愿明允公早日痊愈，明允公就收下吧。"苏洵倔强地说："王大人，说不收就是不能收。"

王珪素知苏洵的性格，已知此礼他必不会收，感到颇为尴尬，遂转移话题，对苏轼道："啊，子瞻呀，几年不见，也不来封书信，倒像是把我忘于脑后了。"苏轼淡淡地说："学生未敢忘记恩师，只是在凤翔案牍劳烦，更不愿打扰恩师。"王珪微笑道："呵呵，子瞻几年历练下来，倒学会说客套话了。"随之脸色转为哀戚，道："闻你丧偶，为师深感哀痛，还望子瞻保重身体才好。"苏轼拱手施礼道："多谢恩师体念，学生知道。"

苏洵早知王珪来意，见其迟迟不愿提及，便说道："听范镇大人说，王大人有意将爱女许配犬子，感谢王大人厚意，真是抬举了犬子。但犬子已发誓三年不谈婚娶，做父亲的也不能强其所难，还望王大人见谅，犬子也实在配不上贵千金。"王珪听罢，心中不豫，但还是正色拱手说道："我女爱慕子瞻才华，决意非子瞻不嫁，还请明允公玉成这桩婚事啊！"苏洵摆摆手道："可惜犬子高攀不上啊。"苏轼也说："恩师，学生已立下誓言，若中途悔改，岂不为天下人耻笑！"王珪此时心知此事也必不能成，心中充满了愤怒，觉得苏氏父子语气太过直接，竟令自己如此下不来台，但脸上还是露出微笑，支吾不语，场面十分尴尬。

这时传来敲门声，小莲应声送汤药进屋道："伯父，该服药了。"说罢将药碗置于苏洵面前。王珪转脸好奇地打量着小莲，小莲的美貌与风仪让他一惊。王珪装作不经意地瞥一眼苏轼，发现苏轼以关切的眼神看着小莲。王珪眼珠一转，若有所思。

小莲感觉到来自王珪的目光，急忙避开，赶紧向众人施礼，走出屋子轻轻掩上门。王珪道："明允公，这位姑娘不像是下人，请问是……"苏洵并无警觉地说："这位姑娘叫杨小莲，是庆州原知府杨云青大人之女，子瞻夫妇二人认了作妹妹，已算是我苏家人了。"王珪微微点了点头。

又说了几句无关痛痒的话，王珪起身告辞，苏轼将王珪和王府管家送出门外。苏轼将采莲手中的名贵药材几乎是塞到管家手中，说："恩师，这些药材，家父愧不敢当，多谢恩师美意了。"王珪正欲说话，苏轼打断道："恩师，学生还要回去照看家父，恕不远送了，学生告辞。"说罢转身走了进去，大门也随之关上。

王珪看着苏家紧闭的大门，脸色阴郁，锁眉沉思，但一阵喜悦又掠过心头，随即脸上浮出淡淡的笑意。管家恨恨地说："岂有此理，老爷，这不识抬举的野人，倒像是把我们赶了出来！"王珪小声吩咐道："你找人查查那杨小莲的底细，我以为她与苏轼绝非兄妹那么简单。"管家点头。王珪抬脚上车，忽见天上一轮明月，自言自语道："永夜角声悲自语，中天夜色好谁看？"

王珪的管家很快就打听到了苏轼和小莲的关系，告知王珪后，王珪大喜，乘轿前往吕诲家。

吕诲正在院中散步，看王珪进门，便急忙迎上去，道："哎呀，是王大人驾到，这真是让茅舍蓬荜生辉了。"王珪笑道："哪里，春光大好，在下乘兴而来，吕大人难道没有同感？"吕诲点头称是。

来到吕诲书房内，摒去下人后，王珪笑着向吕诲说道："嗯，想必吕大人也听说了。苏轼之妻新亡，他扬言要搁笔悼妻，三年不娶，表面上是爱妻之举，实是为一女子所惑。"吕诲恍然道："噢，原来如此。我只听说一众王公贵戚们要将女儿嫁给苏轼做继室，苏轼却不依，正觉奇怪，原来内中有这个缘由。"王珪叹道："这女子老夫倒也见过，现就在苏轼家中。"

吕诲大惊，拍案而起，道："呵！这成何体统，实在大伤风化！"王珪也站起，笑着向前，以手掩嘴轻声道："还不止这个，你知这女子是谁？竟是犯官杨云青的庶出女儿。"吕诲震惊，问道："杨云青的女儿！他如何与杨云青的女儿相识？"王珪笑着坐下，拿起茶杯喝了一口，缓缓说道："嗨，据老夫所知，苏轼在凤翔任上时，杨云青的夫人和女儿转押在凤翔，苏轼不等朝廷批准，私放这二人，还擅自将她们母女养在家中。"王珪放下茶杯，故意说道："不过，听说杨云青的案子朝廷已有昭雪文书了。"吕诲忙道："王大人，你或许有所不知啊！依本朝制度，案件审复须以审刑院的批文为准，若无审刑院的批文，即使有皇上的圣旨，也不能算是结案。杨云青的案子并未完结，他仍是犯官。"

王珪虽早知如此，但假装诧异地听完吕诲的解释，愤然站起，道："既是如此，那么苏轼弃满朝名门闺秀如草芥，要娶一个犯官之女作正房，此等败坏门楣之风，你我怎能坐视不管！"吕诲亦愤然道："大人所见极是，此事若听任之，还要我谏院何用！"王珪点头赞许。

第二天上朝毕，皇宫崇政殿外，吕诲将王珪告知之事"随口"说出，又添油加醋一番，众臣大惊，其中有不少是想和苏轼结亲而被拒的王公大臣，更是既惊且怒。众人将吕诲围在中间，一阵哗然。

胡宿大声嚷道："此等藐视尊贵、败坏门风之举，我等当同声讨伐，绝不姑息！"一大臣说："苏轼口口声声不尚公主，只道他真为祭悼亡妻，原来尚的是一个犯官庶出之女。此行若果，则大乱人伦！"又一大臣怒道："苏轼辱没了公主，就是辱没了皇上，辱没我大宋国体！"众臣皆响应道："真是岂有此理！苏轼猖狂之极！"

吕诲大声号召道："我等这就去崇文院史馆找苏轼去理论，看他如何辩白！"众臣蜂拥而去，王珪本来在旁袖手观看，此刻也尾随而去。

众臣来到史馆内，将苏轼团团围住，戟指苏轼，唾沫横飞。吕诲大声说道："苏轼，你今日须说清楚，你何以辱没公主，藐视尊贵，娶犯官庶出之女为妻！"众臣附和声讨。苏轼竭力压住怒火，平静地说："众大人莫听信那以讹传讹之话，下官立誓搁笔悼妻，三年不娶，绝非戏言。"胡宿冷笑道："你还要狡辩，有人亲眼看见，那犯官杨云青之女杨小莲现就住在你家中，你还有何话说？"苏轼淡淡地说："杨小莲乃下官所结认的义妹，当然住在下官家中，但绝非下官妻妾。"吕诲怒道："苏轼，你休想掩人耳目，混淆视听，你敢说你与那杨小莲并无暧昧之情！"

苏轼拍案而起，怒道："吕大人，此乃苏轼家中私事，与吕大人却无干系。"吕诲环视众人，冷笑道："大家听见了，苏轼承认了！苏轼亡妻尸骨未寒，二人也未成婚，这成何体统呀！"众臣皆怒道："岂有此理！大逆不道！"

苏轼此时已是愤怒至极，忍无可忍，遂高声反驳道："诸位大人，苏轼方才所言尽皆属实。诸位大人乃朝中重臣，却偏听偏信，诬谤下官，才是真正的不成体统！"胡宿大声道："大胆苏轼！不但毫无悔过之心，反恶语相加。你不要以为朝中近来传言，你是先皇钦定的未来宰相，就可以肆意妄为,猖狂无形！我等一干老臣还没死呢！"

苏轼高傲地瞪着胡宿，冷笑道："胡大人，下官婚娶之事，同做不做宰相有什么相干，还请胡大人教诲。"众臣大哗。吕诲怒道："你们瞧瞧，一个小小史官，竟无礼至此！乱人伦者，该当罢黜，岂能当我朝宰相！苏轼，本官早就看你不惯，如今你又不顾门风人伦，藐视朝中望族闺秀，私通犯官庶出之女，是可忍孰不可忍！"胡宿也说："苏轼，你动摇国体，不敬天道，违背祖法，你也不照照镜子，你何德何能，堪当我大宋宰相！"

苏轼勃然大怒，拍案高声叫道："岂有此理！你等恃威仗势，造谣诬谤，苏某不与你们计较。现在又以大宋社稷安危强压苏某，真是冠冕堂皇！若施行你等奉如圭臬的祖法，如今的凤翔只怕早已落入西夏人手中，凤翔的荒野已躺满数万饿殍！非苏某自恃，就凭你等去凤翔任上，这般清谈物议，恪守祖法，只会祸国殃民。动摇国本的，正是尔等！"此话一出，众臣大怒，纷纷吵嚷。

胡宿欲上前拉扯苏轼，被赶来的王珪拉住。王珪笑道："胡大人，君子动口不动手！"胡宿放手道："气煞老夫也！苏轼竖子，老夫从此与你势不两立！"吕诲也说道："苏轼，你以下犯上，罪大恶极，我要禀告圣上！"

苏轼怒不可遏，一时无所适从，遂愤然道："众位大人，苏轼不惧！虽千万人，吾往矣！振兴大宋，还真不能指望你们！还有，既然诸位大人有意玉成苏某，苏某就遂了诸位大人所愿，特告知诸位大人，苏某明日就娶那犯官庶出之女杨小莲为妻，到时候苏某请诸大人喝我的喜酒！"说罢拂袖而去。

胡宿和吕诲气得捶胸顿足，瘫坐在地。众大臣狂怒失态，皆纷纷朝门外嚷道："苏轼狂生，人神共愤！天理不容！"王珪上前，假意劝慰胡宿，望着苏轼远去的背影，目光深不可测。

苏轼扬言明日就娶小莲之事顿时传遍京城，范镇和欧阳修听知，匆忙赶往苏家。

见到苏轼，范镇还未坐下就说："子瞻呀，你还是缺少历练，怎么能这么鲁莽呀！你如今蜚声朝野，树高招风，更要韬光养晦，不露锋芒。你却公然与众大臣失和为敌，他们毕竟都是朝中大员，日后可有你的好果子吃啦！"说罢叹气不已。欧阳修脸色凝重，叹道："子瞻，你这性情呀，还是如此放纵不拘。你若志在青云，当以大局为重，忍小忿而就大谋，细枝末节之事，则当隐忍。"范镇坐下道："欧阳公所言极是，子瞻，你好好听着。"苏轼低头沉默不语，但嘴角微有倔强之意。

欧阳修看看苏轼，叹息一声："唉，大风起于青萍之末，如今你只要稍有不慎，就会招致群起而攻之。"范镇也说道："子瞻呀，你就等着瞧吧，什么刀枪棍棒，斧钺钩叉，都等着招呼你呢！"苏轼仍是沉默。

范镇和欧阳修又嘱托了一番，劝苏轼最近不要再有什么过激之言行了，苏轼皆点头不语。

果然，接下来的几天，苏轼隐忍不言，除每天上史馆工作外，皆早早回家照看苏洵。这日从史馆回家，苏轼低着头，踽踽独行于街道。时值盛春，街上行人不断，孩童戏耍，一片欢声笑语。苏轼见此却一脸忧郁。

行至家门前，正欲打门，忽见小莲推开门，满脸惊惶，一见苏轼，大惊道："子瞻哥，我本让巢谷哥去找你，却四处寻他不到。子瞻哥，伯父病危！"苏轼大惊，快步来到苏洵房中。

苏洵病危，已近大限之期，苏轼忙让巢谷快马告知苏辙和史云。接到消息，苏辙夫妇日夜兼程，很快赶回了汴京家中。苏轼向苏辙哭道："弟弟，我没能照顾好父亲……"苏辙道："哥哥快别这样说。"苏洵有气无力地叹道："哎，老来生病，谁也怨不得！今年我已五十有八，已过知天命之年。二子小成，人生夫复何憾！"苏轼、苏辙对望一眼，觉得不祥，一时泪下。苏洵挣扎着说："唯有一事尚放心不下。"苏轼、苏辙忙说："父亲请讲，我们一定照办。"苏洵看看苏轼，又看看小莲，道："嗯。小莲姑娘，请你回避一下。"小莲脸色立刻黯淡下来，点头出去，心中已猜到几分。

苏洵拉着苏轼、苏辙的手，边咳嗽边说："我们苏家真是有幸啊！你母亲乃世家大族，可我苏家到你曾祖这一代几乎沦落成寒族。你母亲不嫌我苏家贫寒，不嫌我苏洵放浪，硬是勉力持家，相夫教子，使我苏洵折节读书，使我苏家积庆有余，使我两个儿子……咳咳……轼儿、辙儿，你母亲是我苏家的大恩人啊！"苏轼、苏辙哭泣应道："儿子知道。"众人哭泣。

苏洵接着说："我在你母亲去世时就选好了墓地，将来你们一定要让我和你母亲合葬，我要……要……随你母亲而去！"众人大哭。

苏洵劝道："不要哭，不要哭。弗儿也是一样，温良贤淑，又博闻强识，是轼儿读书的好帮手，是迈儿的好母亲，可……早早地去了。如今，如今……如今小莲姑娘……只怕又是一个……一个苦命人！"苏轼拭泪，着急地说："父亲，您何出此语？"苏洵对苏轼说："弗儿不去，小莲姑娘有福寿，这弗儿一去，可就……轼儿，为父担心你呀！辙儿宅心仁厚，后福不浅！可你……"苏辙劝道："父亲，哥哥才华盖世，您不必担心，父亲只要放心将养身体……"苏洵叹道："轼儿，如今为父没必要隐讳了。你告诉为父，你是不是三年后要娶小莲为妻？"

苏轼坚定地说："是，父亲，孩儿三年后就娶小莲姑娘为妻。"苏辙早已听巢谷说得此事，担心地说："哥哥，可朝野都知小莲姑娘是犯官之女！"苏轼激动地说："子由，犯官之女又如何，我历来特立独行，不惧非议！"苏洵叹道："轼儿，你好糊涂！这朝中权贵，以为你这样的人就该娶公主、郡主、王公贵族之女为妻！你若不依，也万万不能娶小莲，否则你就成了他们的公敌，注定要一生沉沦下僚！"说完又是一阵猛烈的咳嗽。

苏轼忙上前道："父亲，您不要因为孩儿动气伤身，孩儿不孝。只是这些人为老不尊，倚势压人，无中生有地来对我指东画西，孩儿才忍无可忍。父亲遇事向来都赞成孩儿，为何这一件偏不行呢？"苏洵缓了一下气息，说："轼儿，唯独这一件不行。以往你与他们相争，是因为政见不同，所谓和而不同，他们皆是读书人，这个道理还是懂的。但你若为一个犯官之女拒绝他们的招纳求亲，则是公然宣布你与他们不和，你就会被打入另册，终身为他们攻伐陷害。你明白吗？"苏轼哭道："父亲，如果孩儿屈服，而与这些人为伍，真不如回眉山耕田！父亲，孩儿更不能为了这些人，而委屈了小莲！"

苏洵挣扎着起身，激动地说："轼儿，轼儿，你……你忘了当年在兴国寺发的豪言吗？你说你有致君尧舜之志，日后当为王佐宰辅，造福天下苍生！古来王佐之才，哪一个不是委曲求全，牺牲身边人而顺天下人！你，你这么意气用事是自毁国家栋梁，也会逼死小莲姑娘……你……你好出息啊！"说完一阵咳嗽，声息渐渐微弱。

苏轼忍着泪连连劝慰苏洵，苏洵慢慢平静下去，由于过于疲惫，昏睡过去。

这时，巢谷在苏家客厅，忽见吴复古走进，忙跪地拜倒，吴复古扶起说："快带我去看苏老先生。"

苏洵处于昏睡中，苏轼、苏辙、采莲在一边服侍。吴复古和巢谷进来。众人看到吴复古，眼中似乎都闪出一丝希望的光芒。吴复古不及招呼大家，便坐在床前给苏洵把脉，不一会儿皱眉道："明允兄何至一病如此！"

苏轼将吴复古请到一边，悄声问道："道长，家父的病情如何？"吴复古叹道："你父二十五岁方折节读书，用力太过；近年来又过于悲戚，致使心脉大伤。只怕……"苏轼略带哭腔地说："太医来过几次，也都这么说，难道家父的病……"吴复古解开背囊，拿出一些药材对苏轼道："我这里有百年老山参一支，上好茯苓一块，怕也延不了多少时日。快拿去煎汤。"苏轼、苏辙跪下道："如此贵重之物，如何使得！"性情温和的吴复古也不禁急道："迂腐不通，什么贵得过人命！"苏轼起身道："那就谢道长了。表姑，快煎人参。"

采莲取过人参和小莲去煎药。灶房内，小莲站在一旁说道："表姑，百年山参具有灵性，可以起死回生，在煎煮之前，我要祝祷。"采莲一边扇着火，一边奇怪地看看小莲，问道："怎样祝祷？"

小莲跪下，双手合十，道："人参仙尊，茯苓娘娘；十年为药，百年为仙；人参茯苓，珠合璧联；民女祝祷，千誓一言：化为参苓，赴此煮煎！"祝毕而拜。

采莲感动地说："小莲姑娘，你愿意以身代药，若是真有神灵，定会感动的。"小莲点头道："但愿如此。"

夜晚，苏洵卧房内，小莲端来参汤，苏轼给苏洵喂服。少顷，苏洵睁开眼睛，众人大喜。吴复古笑道："明允公，你醒了！"苏洵见到吴复古，苦笑道："刚才做了一个梦，梦见你来啦，看看，你真的来啦。"众人皆暗自落泪。

苏洵拉着吴复古的手，竭力说道："苏某正有一件事要托付于道长。"吴复古说："明允公请讲，我一定照办。"苏洵叹道："我思忖再三，我死以后，怕是只有你的话轼儿才肯听。"吴复古忙道："贫道只有尽力而为。"苏洵道："轼儿的婚事，已在朝野引起了轩然大波。"吴复古道："明允公，且不可尚公主、郡主，也不可与王公贵族结亲。"苏洵吃力地点点头，说："正是，我也是这样想的。但与谁结亲为好？"苏洵沉吟片刻，房内一片紧张的气氛。寻思半晌，苏洵突然睁眼道："天下女子，唯有小莲姑娘最合适。"

小莲早已知道苏洵之意，刚才在卧室中的谈话她也风闻了一些。这时苏洵这样说，显然含有无限的歉意，小莲跪下哭道："伯父——"苏洵哀怨地说道："小莲姑娘啊，你的才德像极了我的女儿八娘，我一见啊，就亲如骨肉。我何尝想委屈小莲姑娘，委屈了轼儿，要不是心里拿捏不开，我这病也不至成这个样子！"小莲放声大哭。

苏洵叹道："好孩子，不要怨伯父。"小莲哭道："小莲明白，怎会怨伯父！"吴复古道："明允公的意思是——"苏洵道："我意是日后聘弗儿的堂妹王闰之为妻，这是蜀中之俗，以续亡妻之妹为荣，更兼迈儿尚小，要至亲之人照顾。这样，朝野必无异议。只是……只是委屈了小莲姑娘。"小莲哭道："伯父，小莲不委屈。"

苏轼这时心焦如焚，虽知父命难违，且苏洵正处弥留之际，但也忍不住跪下哭道："父亲——孩儿万事都依你，这件事父亲就依儿子吧！"一旁的巢谷也突然跪下，恸哭道："伯父，您就成全子瞻和小莲吧。若不这样，小莲姑娘只怕年命不长啊！"苏轼万万没想到巢谷会这样，泪眼朦胧地看着巢谷，心中充满了感激，但实际上知道父意已决，恐怕万难更改了。

苏洵叹道："我要拜托你这位方外之人做一件方内之事，辙儿我不操心，望你看护好轼儿！依老夫的意思，日后为轼儿续弦之事做主！"吴复古悲声说："一定尽力！"苏轼绝望地跪倒在地上。

向吴复古嘱咐完苏轼的婚事，苏洵很快就去世了。第二天，苏轼家门外挂起了白幡。参寥得知王弗去世的消息后，早已回京，此时又带领着和尚为苏洵做法事。吴复古站在一旁望天默祷，苏轼、苏辙披麻戴孝，跪在地上为父守孝。

这日朝堂上，胡宿、吕晦等人又就苏轼要娶杨小莲一事奏辩不已，范镇不耐烦地出班奏道："陛下，杨云青乃我大宋忠臣，含冤而死。杨云青的案子朝廷已有昭雪文书，只是无审刑院的批文。苏轼行义收留杨云青遗孀母女，还望陛下明察。"欧阳修也说："陛下，有人以苏轼娶犯官庶出之女来大做文章，可谓心机用尽。"

英宗转向帘后的曹太后问道："太后，您说此事该如何处置？"曹太后道："老身听说苏轼的辩白义正词严，想来心中坦荡，此事先且不议。只是苏洵病逝，文星陨落，我大宋又失智达之士。唉……"范镇忙奏道："太后，苏洵家贫，只怕难以归葬。"

曹太后叹道："唉，欧阳修，苏洵官居几品？"欧阳修回奏："禀太后，苏洵不愿参加科举考试，后经举荐入礼部编纂太常因革礼，官居八品，乃编礼小官。"曹太后向英宗道："嗯，皇上，苏洵文章锦绣，教子有方，操行可为楷模，应追赠官位。"英宗点头道："是，太后。宣旨下去，追赠已故太常寺编修苏洵光禄寺丞，并着转运司调大船一艘，禁军三十名，送苏洵灵柩返乡。"范镇喜道："陛下英明。这光禄寺丞是正六品，六品苏洵可乘官船返乡了。"曹太后叹道："可是，这一下，苏轼又要回乡守制三年。欧阳修、范镇，传旨，让苏轼守制三年间，反骄破满，修身养性，学习圣贤，改改他那臭脾气！"欧阳修、范镇暗喜道："臣谨尊懿旨。"

下朝后，范镇、欧阳修、司马光、韩琦都来到苏家灵堂内吊丧，苏轼、苏辙忙上前跪迎。

四人向灵堂跪下。范镇一边作揖，一边哭着诉说："我的老哥啊，你文富天下，却一贫到骨，如今客逝异乡，归家都要皇上颁旨才能回啊！贤士落魄，是朝廷失德啊！如今一个宰相，三个参知政事竟然还有脸来给你吊唁！"欧阳修、司马光含泪不语。

韩琦有些生气，道："范大肚子，你言外之意好像是指责我韩琦?"范镇驳道："你是当朝宰相，苏明允文才、治才天下皆知，到老竟是八品编礼郎，你难道还不该受指责?"韩琦无奈道："我曾多次写信让明允公修习举业，可他拒绝了啊!"范镇道："苏明允大才，不屑举业，如同唐朝的李太白一样，你却偏偏要他走举业俗路，你岂不是故意堵塞他的进身之道!"韩琦道："你——这哪是我能做得了主的!"范镇道："我看你是该做主的不做主，不该做主的乱做主!"韩琦气得一时语塞。

苏轼、苏辙见状，劝也不是，不劝也不是，急得团团转。还是欧阳修发话了："好啦，好啦，明允公已经仙逝，再争也晚了。亏得皇上追授明允公官爵，他终于可以平安归家了。"范镇、韩琦两人怒目相对。

这时，王珪突然冲进来，分开众人，一头蹿上前，抱着苏洵的灵柩号啕大哭道："明允公呀，明允公，你怎么就殁了呀!"众人面面相觑，悲伤的情绪好像被这戏剧化的一幕冲淡了。王珪毫无顾忌，哭得旁若无人，涕泗滂沱。

二十二　万言书

　　初夏，汴河上，苏洵和王弗的灵柩已抬上官船。围观者人山人海，其中有许多士子模样的人跪哭，焚烧着祭文。

　　治平三年（公元1066年）四月，唐宋散文八大家之一的苏洵在汴京病逝，享年五十八岁。朝廷特赐光禄寺丞，命有司具舟载还。苏轼、苏辙辞官守制，经水路将苏洵与王弗的灵柩运回眉州故里，苏洵与程夫人合葬，王弗葬在苏洵夫妇墓的后侧。

　　苏氏兄弟开始了三年的守制，而此时朝廷也发生了巨变。宋英宗做了不到四年的皇帝即驾崩，二十岁的太子赵顼继位，是为宋神宗。神宗年轻气盛，聪慧多才，富有谋略，性格刚毅，而且意气风发，精力旺盛，与英宗大不相同。他深为仁宗时庆历新政的流产痛惜，也深知父皇虽有心富国强兵，奈何身体虚弱，郁郁而终。因此神宗一上台，就开始寻求改革的方针。

　　夏日，神宗正在勤政殿内认真阅读王安石的《上仁宗皇帝言事书》，深为书中之言所打动，拍案叫好，不时读出声来："朝廷每一令下，其意虽善，在位者犹不能推行，使膏泽加于民，而使吏辄缘之为奸，以扰百姓"神宗正在沉思，却被外面树上无休止的蝉鸣声打扰，高喊道："张茂则！张茂则！"张茂则急忙趋进道："臣在！"神宗头也不抬地吩咐道："快将这些蝉儿赶跑！"张茂则迟疑道："陛下，这树太高了。再说，这些蝉儿天性如此，赶跑了还会再来！"神宗抬头怒道："混账，赶个蝉儿也推三阻四！"张茂则应声退下。

　　勤政殿外，张茂则招呼小太监赶蝉。但因树高，小太监叠人梯，摔得乱七八糟。神宗走出殿外，见此状哭笑不得，于是亲自持杆赶蝉。小太监吓得跪在一边，张茂则不知所措，情形十分滑稽。

这时，年近四十的太子舍人韩维走来，施礼道："陛下！陛下！"神宗没有听见，继续赶蝉。张茂则近前轻声喊道："陛下，太子舍人韩维来见。"神宗停止赶蝉，拍拍手道："师傅来了。"韩维躬身道："微臣见过陛下。不知陛下为何驱赶蝉儿？"神宗不耐烦地说："朕正在读王安石的大好文章，谁知这些蝉儿让人心烦，故而驱赶！"韩维微笑道："蝉鸣树上，乃是自然之理。倘若赶而复来，又当如何？"神宗略有不屑道："师傅总是给我讲自然之理。蝉鸣树上是自然之理，难道我想赶蝉就不是自然之理？赶走复来，来了再赶，不也是自然之理？"韩维一惊，勉强说道："陛下圣明，这——这都是自然之理！"

神宗大悦，转头问韩维道："那好，师傅读过王安石的《上仁宗皇帝言事书》没有？"韩维点头道："王安石的《上仁宗皇帝言事书》，又称'万言书'，当年传颂京城，谁人不知，臣自然读过。"神宗忙问："你以为如何？"韩维道："洋洋万言，气势不凡，所论切直，一针见血；对策有力，切实可行，慨然有矫世变俗之志。"神宗又问："那好，师傅说说，王安石要变法，是不是自然之理？"韩维陡然一惊，迟疑道："这——陛下，穷则思变，变则通，通则久，那当然是自然之理了。"

神宗笑道："好，好，太好了。师傅告诉我，当年他为何要写这'万言书'？"神宗见树上还有蝉儿，借着小太监叠的人梯，继续持杆驱蝉。韩维便随着神宗的动作转着身子，尽量让神宗听见自己的声音："嘉祐四年（公元1059年），经时任枢密副使的包拯包大人力荐，王安石任度支判官，后至翰林院。也就是在翰林院期间，他写了这'万言书'，指斥朝政衰俗，提倡变法。就其内容，与范文正公当年推行庆历新政颇多相似，但比庆历新政所倡导的内容更严密、更实际、更深刻。"

神宗继续赶蝉，一边问道："那为何仁宗帝不用王安石变法呢？朕听说是缘于首相韩琦之反对？"说着话，神宗险些跌倒。韩维吓得赶紧上前一扶，道："哎呀，陛下小心。当时的大事不是变法，而是如何让皇权平稳过渡。仁宗帝龙体欠安，又无子嗣承袭皇位，建储立嗣才是大事。仁宗体弱，已不可能完成变法大业，只有留待来人。现在看来，当时韩琦所为并无过错。"神宗叹道："真是至公之言。但不知王安石人品如何？"韩维笑道："在当今士人中，介甫堪为大贤，生活俭朴，安贫乐道，不好声色美姬，以诗书文章为乐，不喜做官，屡辞要职，只求为皇帝和天下百姓做实事。吾不知，除司马光外，还有谁能与其比肩！"

神宗终于将蝉儿赶走，走下人梯，抚掌大笑。神宗一伸手，示意韩维走出门外，二人边谈边走。神宗喜道："听说师傅与王安石私交甚好，想必对他十分了解吧。"韩维忙回道："陛下，旁人不敢说，但微臣对介甫的确颇为了解。陛下尽管发问。"神宗笑道："朕先不问，师傅倒听朕说说王安石，看朕说的有误吗？他乃抚州临川人，少年好读书，过目终身不忘。属文动笔如飞，见识广博，志向远大，才华横溢。庆历二年（公元 1042 年），二十二岁中进士。三年任职期满后，一反常人之态，主动要求到僻远的小县任县令之职。"韩维大惊。

神宗接着说："任上，他起堤堰、决陂塘，大兴水利；兴学校、严保伍，邑人便之。尤其于青黄不接之际，以官仓之谷贷给无钱购买粮种的农户，俟其秋后计息还粮。如此一来，不仅解决了诸多贫民的困难，而且官府也有盈余。官仓中的陈谷也换成了新谷，打击了豪富对贫民的盘剥，使百姓与官府两受其惠。结果，此县大治。"韩维喜道："陛下竟对王安石了如指掌。"

神宗皱起眉，问道："后来王安石到常州等地做官，政绩不凡，朝廷多次调其入朝为官而不就。师傅，你说说，若朕让他入朝，他会不会来？"韩维激动地说："陛下，士为知己者死，贤臣但求明主，王安石一定会来！"神宗击掌叹道："好，太好了。王安石现在何处？"韩维回道："现任江宁知府！"神宗道："即刻宣他进京！"韩维喜道："谨遵圣命！"

圣旨很快下到江宁，王安石领到圣旨兴奋不已，感慨万千。这日，他带着儿子王雱来到江宁水门赏心亭外散步。王雱是王安石唯一的儿子，现已二十多岁，虽体弱多病，但才华横溢，志向高远。父子俩凭栏俯瞰大江，豪情迸发。

王雱喜道："父亲，新帝急不可待地召您进京，必为变法大计。"王安石笑道："不错，韩维来信已说了。"王雱问："不知父亲有何感慨？"王安石意气风发地说："国若不兴，更待何时！"眼前的大江惊涛拍岸，轰然如雷……

处理好家事，王安石一家于当年初秋抵达汴京。到京后，王安石便迫不及待地上书要面圣。

这日一早，迩英殿内，神宗以手支颐，正在打盹儿，张茂则领着王安石快步趋入。王安石见神宗在打盹儿，毫不犹疑地跪地行礼道："微臣叩见皇上，吾皇万岁，万岁，万万岁。"吓得张茂则在一旁做手势叫王安石小声点。

神宗听到王安石响亮的声音，猛地惊醒，看见王安石，急忙遮掩睡态，道："快快平身！"王安石起身拱手道："微臣来迟，望皇上恕罪！"神宗笑道："呵呵，王安石，是朕早早来等你，连觉都没怎么睡！"王安石大为感动，复跪下道："陛下如此厚待微臣，微臣当肝脑涂地以报陛下。"神宗忙说："哎，起身，赐坐。"张茂则拿过锦凳，王安石谢过坐下。

神宗兴奋地说："王安石，听说这几年你使鄞州大治，朝野赞扬，不知你有何以教朕？"王安石道："陛下圣明，微臣不敢。"神宗道："不要客气，请随意讲吧，朕等着听哪！"王安石回道："是，陛下——但不知陛下以为国家当前之势如何？"神宗笑道："噢，你倒考起朕来啦！"王安石凛然道："微臣不敢，只是想帮陛下参详国事！"

神宗点头道："朕以为，大宋承平百年，虽积庆有余，但也积弊甚多。如今，民不富，国尤贫，官多、兵多、费多，政令不合时宜，法令不能畅通，西夏、辽国环伺而不能御，仁宗帝、英宗帝欲变而未能成，乃当今之国势！"王安石激动地站起道："陛下圣明，陛下圣明！大宋有陛下，乃大宋之福也！"神宗坚定地说："朕虽年幼，但奉天承运，不敢不秉承祖、父遗愿，不敢不富国强兵！还望王卿家倾力助我！"王安石大为感动，眼含热泪道："为陛下，为大宋，微臣愿鞠躬尽瘁！"

神宗点头道："好。朕看过你当年的万言书，深为所动。前日，富弼路过京城，朕召见之，问及国政。富弼认为应二十年不言兵，也不宜重赏有边功者。朕欲强国，当何以为先？"王安石显然早有准备，应声回道："陛下，当以术为先。"神宗沉吟片刻道："嗯，以术为先。那朕又问你，祖宗守天下，粗治太平，能百年无大变，又当怎么讲？"

王安石正气凛然道："因循苟且的官员们无不以百年无事为由而攻击变革图强者。然则，以唐、宋相比即可见分晓。大宋百年无事，积贫积弱，而大唐百年多事，天下大治；大宋百年无事，屈和于外邦纳贡，而大唐百年多事，疆土辽阔，天下无敌，万邦来朝。"

神宗猛地点头，深以为然，又问："对呀！朕欲效法唐太宗李世民，如何？"王安石摇了摇头，响亮地回道："陛下何不效法尧舜？唐朝虽强，但制度不周，故江山不能以永久；如果以法治推行尧舜之道，则天下可以永久大治也！"神宗兴奋地站起，说道："朕愿闻其详。"

…………

这是历史上一次著名的君臣问答，宋神宗与王安石整整谈了几个小时的国政。王安石系统地讲述了自己关于政治、财政、经济乃至军事上的改革谋略，神宗极受鼓舞，深感王安石就是能与自己成就大业的人才。而王安石亦为神宗励精图治、富国强兵的远大抱负所折服。君臣二人为了共同的理想和信念走到了一起，由此开始了不仅是宋朝，也是中国历史上影响深远的熙宁变法，又称王安石变法。

这日清晨，崇政殿内，气氛庄严，神宗临朝，器宇轩昂。

他扫视群臣，兴奋地说："今日朝会，可谓众卿齐聚，群贤毕集，朕十分高兴。朕今日要与众卿共商变法之事，希望众卿知无不言，言无不尽。"自神宗下旨要王安石进京，朝中大臣均已猜到神宗欲行改革的决心。今日神宗虽已发话，但事关大计，众人相互看看，都不敢轻言。

神宗觉得奇怪，无奈地问韩琦道："韩琦，你是首辅，你先说吧！"韩琦支吾不语，神宗逼问，韩琦才吞吞吐吐地说："臣不是不言，实是因为尚未思虑周全。"神宗笑道："哎，世上哪有万全之事，凡事只有先说先干，尔后才能完善。如事事都先策万全而后才做，那只能议而不决！"韩琦奏道："陛下圣明。那臣先说了。"神宗道："说吧，言者无罪。"韩琦高声说道："臣以为施行新政变法，时机尚未成熟。"

神宗大惊，问道："嗯！韩琦，先帝仁宗时，你就说时机尚未成熟；到了朕，你还说时机尚未成熟。你是不是对新政变法有何成见呀？"韩琦心头一紧，确知神宗改革之意已定，遂说道："陛下，臣对变法绝无成见。当年庆历新政，臣与富弼、杜衍、欧阳修皆是范公变革的骨干人物，庆历新政所提倡的'七事''八事'还是臣提出的呢！"

神宗点头道："喔，那你说什么时候时机才成熟呢！"韩琦道："施行变法还须数十年后。"神宗不悦地说："数十年，朕如何能等得及，你怕是更等不及了。"韩琦回道："陛下，所谓子子孙孙，无穷匮也。革故鼎新乃百年大计，千秋伟业，本不是一朝一夕可成的事。如疾行猛进，则欲速不达，恐怕有颠覆之虞！"范镇、欧阳修出班表示赞同韩琦的观点。他们当然也知改革之重要，只是大家素知王安石行事之迅猛，而神宗也正值年轻气盛之时，若强力推行改革，确实于国家有危险。

这时，王安石出班奏道："陛下，微臣有话要讲！"神宗高兴地应允。王安石高声奏道："韩琦所言，臣不敢苟同。以朝代论之，西汉初年，因战乱连年，亟须休养生息，故汉初行黄老之学，至有文景之治，这是慢慢调养；秦孝公时，国势不昌，诸侯争霸，形势危殆，孝公不得不用商鞅之法，商鞅变法虽屡遭诟病，但秦国因此富强，是不争的事实；中唐之时，永贞革新不成，至有晚唐的变乱；我朝仁宗时，庆历新政半途而废，至有今日的积弊。如此形势，若不行雷霆之变，若再慢慢调养，实则是愈加积重难返，愈加百弊丛生，终至外不能御契丹、西夏，内不足保民安国，至于变乱乃至覆亡，亦为可知。"随着王安石的话音，神宗频频点头，朝廷上却鸦雀无声。

王安石话音刚止，神宗便盯着大家，想寻求变法的支持者，此时也有些人轻声点头称是。胡宿欲出班说话，被王珪用眼神制止，王珪转动眼珠，仔细观察。这时，韩琦出班，回头朝王安石怒道："大胆！什么'变乱''覆亡'，一个五品州官，岂可在朝廷上如此放肆！"王安石驳道："皇上征言，言者无罪。宰相岂可阻塞言路！"神宗摆手道："哎，是朕要众卿畅所欲言。"

司马光出班奏道："皇上，大宋百年承平，自古所无。此乃上天所祐，遽变恐遭天谴；人心思安，遽变恐致人言；祖宗之法已深入人心，遽变恐使人不知所据！以此论之，法不可变。即使缓变，也要因循而行。"说完后也有人轻声表示赞同。

王安石一脸不满地驳道："天变不足惧，人言不足恤，祖宗之法不足守。唯有富国强兵、保境安民，才是天道，才是人言，才是万法之法！"司马光怒道："你……你……岂敢如此狂妄！"韩琦也指着王安石道："放肆！"王安石不屑地回道："哼，理屈而词穷不可怕，不堪的是理屈词穷还要强词夺理，最不堪的是理屈而词穷还要以势压人！"韩琦被气得一时说不出话。

神宗拍案而起，挥挥手道："朕说过，知无不言，言者无罪。朕虽不敏，也知以礼为先。朕方才说过群贤毕至，但没想到顷刻之间就朝堂鼎沸。"韩琦一愣，随即点头称罪。司马光也自称有失朝仪。

神宗坐下道："好啦。既是争论不下，朕只好乾纲独断。命王安石为参知政事，专主变法事宜。欧阳修，你替朕拟旨吧！"欧阳修迟疑地看看韩琦，一时未语。神宗见状，惊怒道："怎么，你敢欺朕，敢抗旨？"欧阳修心中一惊，低头道："是，臣遵旨！"神宗生气地宣布退朝。

虽然有着神宗的鼎力支持，但朝中老臣皆力反强行变法，因此王安石虽升任参知政事，但变法事宜一时难以展开。

远在眉州守制的苏轼兄弟却对朝中的风云变幻毫无所知。不知不觉，在家已有将近两年了，小莲为了不影响苏轼，自回眉州后闭门不出，每日教苏迈读书，吃饭也只由下人送至阁楼，避免与苏轼见面。但苏轼岂能忘情，见小莲如此，心中更是愧疚，于是形容日渐消减，也不修边幅，与过去的苏轼几乎判若两人。无聊与无望的日子困扰着他，也夺去了他双目中睥睨一切的豪气。

苏家的阁楼幽雅静谧，窗户紧闭，小莲正在楼上为苏迈缝补衣物。时至午饭之时，五岁的苏迈端着一大碗饭菜走了进来，脆生生地叫道："莲姨，吃饭了。"小莲收拾起针线，笑着接过饭菜。终日闭窗而不见阳光使她脸色苍白，有几分病美人的沉静虚弱。小莲笑道："莲姨这就吃。迈儿，去，把桌上那篇古文抄写一遍。"苏迈摇摇地跑过去，坐到桌前，执笔抄写古文。小莲小口地吃着饭，微笑地看着苏迈。

这时，苏辙、史云正在苏辙书房的窗边，看着小莲所在的阁楼。苏辙叹道："唉，哥哥如今终日消沉，深困于小莲姑娘。眼看丁忧期满，哥哥尚无法自拔，这可如何是好？"史云道："相公，哥哥对小莲姑娘情深似海，一时怎能割舍得下？你得劝劝哥哥。"苏辙摇摇头，说："怎么劝？哥哥现在谁的话也听不进。"史云转身坐下，叹道："唉，数日后王闰之妹妹就要进门了，这可如何是好？"二人无奈地叹气。

阁楼内，小莲吃完饭，盘中却还剩了许多。她走到苏迈身旁，苏迈搁下笔，娇声道："莲姨，我累了。"小莲笑道："迈儿不累，继续抄写。"

这时，采莲走进来收拾碗筷。小莲道："表姑，又烦劳您了。"采莲笑道："小莲，就别跟表姑客气了。"苏迈跑到采莲身边，拉着采莲的衣襟说："姑奶，教我唱个歌好不好？"采莲放下饭盘，笑道："好，好。迈儿听着。有个老头七十七，娶个媳妇八十一。生个儿子九十九，得个孙子一百一。"苏迈不解道："怎么儿子比父亲大，孙子比爷爷大呢？"采莲一愣，笑道："哟，看这孩子，我——"小莲笑道："那是说着玩的！"苏迈嘟起嘴说："说着玩也不能骗人啊！"采莲起身说："啊呀，我可教不了你。"

小莲抱过苏迈唱道："迈儿，来，跟莲姨学。正月梅花香又香，二月兰花盆里装。三月桃花红十里，四月蔷薇靠短墙。五月榴花红似火，六月荷花满池塘。七月栀子头上戴，八月桂花满树黄。九月菊花初开放，十月芙蓉正上妆。十一月水仙供上案，十二月腊梅雪里香。"苏迈摇头晃脑，跟着一句句地学。苏迈高兴地重复着小莲所教的歌谣，又蹦又跳，很是开心。采莲看着小莲，叹口气："小莲呵，真是枉了你好才学。"小莲微笑着，笑意中却有些凄凉。

苏轼从外面回来，在阁楼下痴痴地听着上面隐约传来的小莲的歌声，怅然地望着紧锁的门窗。很快，苏迈的歌声响起，苏轼侧耳听着，神情愈发黯然，只有无奈地闭上眼，仰首对着阳光，忽而睁眼，举步走了出去。

苏轼迷迷糊糊地来到一处野地里，秋日的阳光很温暖，苏轼找到山路边的一块草丛躺下打盹儿，用草笠遮住脸。

这时，一个牧童吹着短笛，骑着黄牛路过。黄牛没看到路边的苏轼，差点踩到他。牧童恼道："你是哪家的闲人，竟躺在这里睡大觉！"苏轼取下草笠瞟一眼牧童，并不理会，继续头盖草笠打盹儿。牧童哈哈大笑，随即又摇头叹气，对着黄牛说："唉，世上闲人多，谁知你这黄牛苦呀。"黄牛"哞——"了一声，甩着尾巴走开。苏轼听到牧童的话，揭开草笠想了想，但很快又盖上，继续睡觉。

一觉醒来，已是午后。眉山田间，农人正在收割水稻，一片喜悦的丰收景象。苏轼戴着草笠，靠着巨石，在旁百无聊赖地观看，手中摇动着一根狗尾巴草。

忽听得苏辙叫唤的声音，转脸看到不远处，苏辙手持一封书信兴冲冲地跑来。苏轼一副悲喜不惊的表情，向苏辙招了招手，又继续观看农人。苏辙兴奋地将手中书信交给苏轼，说："哥哥，找你好半天，王安石来的书信。"苏轼却几无反应，随意瞟了一眼信封。

苏辙兴奋地说："哥哥，闻说王安石受新帝重用，施行新政变法。他这封信当是与哥哥商讨变法大计的！哥哥，快拆开来看！"苏轼仍是一脸淡漠，掂量了一下手中书信，又将它交还给苏辙，懒洋洋地说："子由，我对朝中之事早已意兴索然。你若想看，自己看吧。"苏辙摇摇头，着急地说："哥哥，你！哥哥，你不能再这样萎靡不振了！唉，眼看丁忧将满，你我就要回京赴任，你岂能对朝中之事意兴索然呢？"苏轼笑道："子由，你坐下。"苏辙气呼呼地坐在草丛中。

苏轼淡淡地说："子由，你看这些农人，所做之事何其简单，且千篇一律。但他们何以如此怡然自得呢？"苏辙不悦地说："哥哥，子由连书经都温不过来，哪有空闲想这些！"苏轼笑道："子由之言差矣。'采菊东篱下，悠然见南山。山气日夕佳，飞鸟相与还。'我如果做一个眉州山间的陶渊明，在此潜山隐市，远离功名，就能像他们一般怡然自得了！"

苏辙急道："哥哥，你不能这样。我知道，你这样皆是因对小莲姑娘愧疚而起，但你我堂堂读书人，当心怀天下，以社稷为重，岂能为儿女情长之事所困？哥哥，你应该依父亲临终所嘱，与王闰之姑娘尽早完婚，重回京师，励精朝政，尽人臣本分。"苏轼摇摇头叹道："朝政，那是王珪、胡宿、吕诲之流的朝政，我心劳术拙，精通不了。"说着又将草笠盖在脸上，漫不经心地说："子由，我小寐一会儿，你且回去吧。"苏辙焦急地站起道："哥哥，你起来，你这样就能够怡然自得吗？"声音从草笠下悠悠传来："久在樊笼里，复得返自然。子由，你不懂。"

已近两年未曾下楼，这日逢王弗的祭日，小莲独自从阁楼上走下，挎着一个竹篮。长久的自我禁闭令她的四肢略显得僵硬，颇为蹒跚。她缓慢地走到院中，阳光照得她有些晕眩。当她渐渐适应了强烈的阳光，便挺胸抬步，走出院门，雇了一辆车子。

来到王弗墓前，小莲把墓碑清理了一番，轻轻用手抚摸着。少顷，她从竹篮里拿出供品，往供杯里斟酒，烧纸，青烟缭绕。小莲跪在王弗墓前，久久凝视着王弗的墓碑，向天祷告。

这时，苏轼出现在不远处，向王弗坟墓走了过来。他立即发现了小莲，目光一动。苏轼缓步走到小莲身后，小莲浑然不觉。苏轼不禁悲从中来，忍不住颤声叫了一声小莲。小莲惊醒，猛地回头，看见是苏轼，急忙擦拭脸上的泪水，站了起来施礼。苏轼深情地看着小莲，小莲却避开了苏轼的目光。

苏轼转身向王弗墓碑拜祭道："弗儿，今日为夫又来看你了，却不巧遇见了莲妹。弗儿，你替为夫问问莲妹，为何两年来她都不愿下楼，两年来她都不与为夫讲一句话。"小莲忧伤地啜泣道："哥哥，不要说了。"苏轼回头看着小莲，含着眼泪，苦笑道："小莲，这是两年来你与我说的第一句话。"小莲拎起竹篮，转身欲走，忽又停住，说道："哥哥，小莲想对哥哥说一句心中话。哥哥丁忧期满，该尽早与王闰之姑娘完婚，进京赴任，切莫忘了伯父临终前对哥哥的期望。"说罢转身即走。

苏轼望着小莲上车而去，心痛欲绝，转身默然地坐在王弗的坟前，暗暗流泪。

一天，苏辙、史云、巢谷和采莲在堂屋内的饭桌上准备用餐。巢谷问道："子由兄，子瞻呢？"苏辙叹息不答，拿起了碗筷。采莲叹道："唉，又去山上了，说是去找陶渊明。"巢谷将碗筷一摔，愤然道："岂有此理！我找他去。"采莲拉住巢谷，摇头道："你去做什么，连子由都说不动他，你拙嘴笨舌的，去了又有何用？"巢谷拍案道："我不与他讲理，我一拳打醒他。"众人无奈地叹气，无心吃饭。

史云灵机一动，向苏辙说："相公，不如你先与小莲姑娘商议一下，她的话哥哥准听，解铃还需系铃人嘛！"苏辙摇摇头道："此话我哪能说得出口？夫人，你聪明伶俐，你们又都是女人家，还是你和小莲姑娘去说吧。"史云道："相公，我的话小莲姑娘未必爱听，可你是做叔叔的，说话自然就不同了。"苏辙放下碗筷，叹道："那……也只好如此了。"巢谷郁闷地大口扒饭。

此时，一片荒芜的山路上，苏轼仍用草笠盖着脸，在路边草丛中沉睡。他翻了一个身，手忽然触到一个人。苏轼惊觉，睁眼一看，却是白须飘飘的吴复古睡在一旁，样子颇有几分滑稽。

苏轼惊异地坐起，道："吴道长，您怎么在此！"吴复古仍躺在草丛中，笑道："子瞻贤侄，我欲寻你无躲处，你觅我时无处寻。"苏轼登时笑逐颜开，重新躺下，说："吴道长，两年不见，这次现身一定有缘由吧。"吴复古坐起道："子瞻贤侄呀，误落尘网中，一去三十年。老道我可以萧然尘外，你可不行，你何时成婚呀？"苏轼苦笑道："吴道长方外之人，为何要问这等俗事啊？"吴复古道："方外之人也该出言有信，两年前我答应了明允公的事，不能不躬行呀。"

苏轼叹道："吴道长，晚辈何时也能像您一般，我欲寻你无躲处，你觅我时无处寻呵。"吴复古略带神秘地说："子瞻贤侄，你如今走的是治国安邦之道，想跟贫道一样优游自在，只怕时候未到。"苏轼一愣，欲再追问，想想又作罢。

时至黄昏，苏轼与吴复古二人走在山间，夕阳西下，染红天际。苏轼望着天边道："吴道长，三年守制期满，我若重上京师，怕就再也看不见这眉州的斜阳夕照了。"吴复古忧道："子瞻贤侄学优而仕，怀致君尧舜之志，一向以社稷苍生为己任，今日为何屡作空无之语呢？"苏轼望向山谷，语气悠长地说："吴道长，这致君尧舜之志者有一日忽然发现，他想娶一个心中所爱的女子，却招来天下人的同声反对，而他却无能为力。他为天下人而读圣贤书，为天下人谋福祉，天下人却要从他手中争抢一个孤苦伶仃的女子。吴道长，你说，到底是他误会了天下人，还是天下人误了他呢？"吴复古叹道："问得好啊！有道是理到情处说不尽，天下谁能道短长啊！"苏轼眉头紧蹙，望着无限苍凉的夕阳。

黄昏时的苏家院中，苏辙徘徊在小莲的阁楼下，好一会儿，终于下定决心走了上去。

来到阁楼外，苏辙轻轻地敲了敲门，小莲听到敲门声，放下手中针线，看到苏辙站在门外，不禁一愣，顷刻也就猜到苏辙所为何事了。苏辙微笑道："打扰了，小莲姑娘。"小莲让座，仍旧缝补针线，苏辙思忖着措辞，几度欲言又止，屋内越来越昏暗。

小莲先开口道："子由兄，有什么事你尽管说吧。"苏辙字斟句酌地说："小莲姑娘，那我就多口了，是关于哥哥之事。小莲姑娘，哥哥如今心灰意懒，怡情山水之间，无以自拔。眼看守制将满，哥哥与闰之姑娘婚期早定，他这个样子……我们都很担心。所谓解铃还须系铃人，也许只有小莲姑娘能劝转哥哥……"小莲低头道："子由兄，你不用说了。我知道，我去找哥哥说。"

苏辙感激不已，起身施礼道："多谢小莲姑娘。小莲姑娘两年来不愿下楼，用心良苦，苏家永远亏欠小莲姑娘。"小莲放下针线，起身回礼，叹道："子由兄，不必这么说。你我早已是一家人，小莲孤身一人，若不是伯父和哥哥收留，只怕早已暴骨荒野了。"

苏轼和吴复古回到家中，巢谷安排吴复古在客房中休息，苏轼也回到卧房内。夜晚，苏轼坐在灯下发呆，无所事事。这时门外响起轻微的敲门声。苏轼不耐烦地问是谁，门推开，小莲出现在门前。苏轼瞠目结舌，一时无话。小莲微笑施礼道："哥哥，小莲有话对哥哥说。"

二十三　王闰之

　　夜色渐浓，苏家院落中的灯光一一熄灭，但巢谷的屋子仍有昏暗的灯光映出。巢谷独自一人坐在屋内，呆呆地看着油灯中的灯花。忽觉肩头被人一拍，巢谷陡然心惊，转头便见师父吴复古笑呵呵地看着他。巢谷慌忙起身，欢喜地说："师父！您如何来此的！"吴复古手捻银须，意味深长地看着自己的徒弟，说："徒儿呀，为师近在身边，你却感念不到，难道心有旁骛吗？"巢谷被师父说中心事，脸一红，只好苦笑挠头。

　　深夜幽静，月色如洗，村外的荷塘里，败荷片片，两只翠鸟在残茎上哀哀而鸣，更显萧索。月光下，苏轼与小莲沿路走来。

　　苏轼不时看看小莲，终于鼓起勇气，正欲说话，小莲却先抢了话头，说道："哥哥，上次在姐姐墓前，你让姐姐问小莲，何以两年不曾下楼，何以两年不曾与哥哥说话。"苏轼默默点头。小莲接着说："其实小莲不必回答，哥哥也懂得其中缘由。哥哥之所以问，盖因担心小莲。"苏轼道："我想你也知道。你又何苦这样对待自己？"小莲看着苏轼，低声说："哥哥不必担心小莲，小莲答应哥哥，自今日起，小莲每日都下楼，与家人共餐，与哥哥说话，教导迈儿读书。哥哥，以为如何？"

　　苏轼惊异地看着小莲，暗自思忖，恍然大悟，皱着眉头说："小莲，你，你这是要逼迫于我……"小莲停下脚步，说："哥哥料中了小莲的意思，但小莲绝非逼迫于哥哥，丁忧期满，闰之妹妹家也早定了喜期，哥哥该与闰之妹妹完婚了。"

　　听到小莲这几句话，苏轼开始激动，大声说："小莲，你知道，此婚非我所愿。我一向心无矫饰，非我所愿之事从不委曲求全。"小莲继续说服苏轼："哥哥，闰之妹妹乃是姐姐的堂妹，也是大家闺秀，怎么就让哥哥委屈了呢？再说父亲遗命，朝廷之选，吴复古道长之媒，哥哥当娶闰之妹妹。"

苏轼禁不住愤慨地高声说道："是，天下人都以为我当娶闰之，我娶了她则合乎礼法，皆大欢喜。可是小莲你呢！天下人唯独将你忘了，你怎么办?！难道我娶了闰之，就可以正礼法，明道德，天下太平了吗？我若娶了你，礼法就乱，道德就坏，天下就祸乱滔滔了吗？"

小莲说："哥哥，你何以将闰之妹妹说得这般不堪，哥哥待闰之，该像当初待王弗姐姐一样才对。哥哥方才所言，更是意气用事。哥哥岂能为儿女情长之事，谬怪天下人。哥哥有青云之志，若因为区区一个小莲而负气消沉，心无社稷，小莲则成为天下人心中的罪人，受万人唾骂！小莲没有逼迫哥哥，现在是哥哥逼迫小莲，逼迫天下人问罪小莲，也逼迫小莲以死谢罪于天下人！"

苏轼顿时如醍醐灌顶，领悟了她的良苦用心，感动之际却又不禁心下大痛，低声道："小莲！我，我不能负你……"小莲此时也热泪盈眶，她低着头，竭力不让泪水落下，唯恐苏轼看见更加伤心，她满含深情地说："小莲一零落女子，不足哥哥挂齿。哥哥并未负小莲，小莲已明白哥哥的心意，这心意此刻已藏在小莲的心中，足够温暖小莲的一生一世。"说完这些，便再也不能抑制，泪水如断线的珍珠般落下。月光凄清，照着这莹莹珠泪，在夜色中划过一道哀美的曲线，滴落到塘边秋草上，细长的草叶也似俯首而泣……

苏轼眼眶湿润，只觉胸中千万言语无法说出，低声叫道："小莲！"小莲接着说："哥哥，本来人生不如意十之八九；能遇到你，我已感谢老天垂怜，再有所求就成了贪念。小莲是个知足的人。哥哥什么都不必想了，今后小莲就是你的亲妹妹。"

苏轼呆立无言，爱怜又绝望地注视着小莲。良久，他转头看着月光下的满塘残荷，怅然若失地吟诗道："芙蓉成碧海，冰姿不染埃。秋气失颜色，芳魂似抱柴。"吟毕，泪如雨下。小莲闻诗泪眼蒙眬，轻轻和道："抱残冰姿改，芳颜最易衰。毕竟风骨在，霜节逸尘埃。"

月辉清冷，笼罩着无语的荷塘和这对伤心的儿女……

经过小莲劝说，苏轼终于依照父亲遗命，与王闰之成婚。

　　夜幕降临，宾客们渐渐散去。在红烛的映照下，新房窗户上贴着的大红喜字显得更加可爱喜人。苏轼独临窗前，默默不语。新娘王闰之斟上一杯酒，来到苏轼身旁，见苏轼心不在焉，皱眉迟疑片刻之后强颜一笑，说："今宵是新婚之夜，夫君，咱们饮杯酒吧。"苏轼从沉思中被唤回，微微一怔，说："哦哦，当喝，当喝。"说着便接过酒杯，一饮而尽，浑然不知这交杯酒的习俗。王闰之心下一凉，愈发疑惑，她轻呷一口酒，关切地看着苏轼，说："夫君有心事？"苏轼忙说道："没有没有。"这却是欲盖弥彰，王闰之更加担心，问道："我不如姐姐？"苏轼忙摇手说："不，不。"既不是怀念姐姐的缘故，凭着女性的敏感，王闰之低头沉吟："那夫君心里还有谁放不下吗？"苏轼被说中心事，不禁"啊"了一声，急忙向妻子说："闰之，我心里很乱，不知说什么好，望你见谅。"便不再言语，呆立窗前，身子也遮断了烛光，使大红喜字笼罩在他的身影之下。当初得知自己将嫁给苏轼时，她心中充满了欢喜和希望，不想新婚之日，夫婿却是如此冷淡，王闰之看看窗上那大红的喜字，难过地低下了头。那红烛之泪一滴滴地沿着烛身滑落……

　　月光暗淡，雾气弥漫，小莲的阁楼上烛光闪烁，显得更加清冷孤凄。小莲在烛下剪着红喜字。苏轼和王闰之新房的红喜字都是她亲手剪的，新婚仪式已经结束，新人已双双进入新房，她也不知道自己还剪这些喜字做什么用。也许她觉得喜字很好看，也许她认为可以剪去自己心头的无边愁思。而她的眼泪终于控制不住，一颗一颗掉落到手中的喜字上，在红纸上浸染开来……

　　对面苏轼的新房灯光悄然熄灭。小莲抬头遥望明月，泪光闪烁。

　　采莲走了进来，小莲赶紧擦拭脸上的泪水，勉强笑着说："表姑，你忙了一天，怎么还未休息？"采莲关切地说："小莲，我是担心你……"小莲笑笑，说："表姑，哥哥大婚，小莲心中高兴，却有什么让你担心的。"采莲见她有意回避，只好说："我，我就是觉得……觉得你无父无母，一个人……"听到这里，小莲再也控制不住，伏在采莲的身上，剧烈地抽噎，将心中所有郁结倾情发泄。

　　庭院寂静，巢谷看着小莲房间的灯光呆呆出神，深深地叹一口气。而吴复古正隐身在不远处看着他，捻须沉吟，为徒儿忧心不已。

这天，神宗正在看王安石的奏章，奏章痛陈大宋之积弊，条条切中肯綮，鞭辟入里。神宗读到精彩处，不觉拍案大声叫好。这时，张茂则进殿禀道："陛下，王珪在外求见。"神宗浑然不觉，仍专注于阅读，继续说道："好，此处也甚有道理。"张茂则见状，只好提高声音："陛下，王珪求见。"神宗终于听到有人求见，但神思被打断，微微皱起眉头，有些不悦地问："谁？"张茂则躬身答道："陛下，王珪求见。"一听是王珪，神宗眉头紧皱，不耐烦地摆摆手，说："不见，不见，没看见朕在看奏章吗？"张茂则低声道："是，陛下。"脚步轻轻地退出去传告王珪。

眼见王安石极获神宗皇帝青睐，胡宿、吕诲二人自是不甘于心，更不安于心。于是跑到王珪家中，打探王珪的口风，也希望能够与之商议对策。

王珪将他二人迎进正堂。胡宿和吕诲颓丧而坐，唉声叹气。王珪却视而不见，命管家上茶。片刻间，管家便端来沏好的茶水，王珪笑着对胡宿、吕诲二人道："二位大人请喝茶，这是上好的西湖龙井。"一直紧皱眉头的吕诲只好微笑着端起茶碗，掀开盖子，闻了闻，欲饮又止，将茶碗放于桌上，颇为忧愁地说："茶是好茶，却没心思喝啊！"不想，王珪却又听而不闻，只是捻须深思。

胡宿见状，颇为无奈，只好深深叹气，说："当今圣上的眼中只有一个王安石，不光不见你王大人，对韩琦、欧阳修、范镇、曾公亮等一干老臣也都是冷眼相待。"似乎很为王珪等人抱不平。

吕诲忙紧接着说："看来新政变法已是箭在弦上，不得不发。虽然韩琦和欧阳修力主延缓施行，但皇上如今唯王安石是听，旁人再如何劝谏也都无济于事了。"

听二人如此说，王珪起身踱步，漫不经心地说："韩琦与欧阳修是主张延缓，还有一个司马光，他是大张旗鼓地反对变法，皇上却对他留有余地，此一着耐人寻味。"胡宿见王珪终于肯说话，而且见解独到，微笑着问："王大人，那依你看，我等该如何应对呢？"

王珪仍是低头沉思，并没有看到胡宿谄媚的笑容，但听到他的问题后，终于停下脚步，微微仰头，仍是捻着须，低声说："变法有违祖制，不敬天道，我等岂能苟同。但当今圣上决意推行变法，已是不争。故而无论进退，都非万全之策。以老夫的意思，最稳妥的还是作壁上观，藏而不露，伺机而动。"胡宿、吕诲二人恍然大悟，不住地点头，欢喜地说："王大人所言极是。令我等茅塞顿开！"

置身事外，远离斗争核心，确保自身利益不受损害，却又时刻观望，伺机而动，三人系于一心者全在自身利益。既然目的和方法已然明了，所谈论的便也从庙堂政事瞬刻间转移到歌管楼台、烟花柳巷。

这天，王安石正在书房奋笔疾书。他的儿子王雱脚步轻缓地走进屋中，来到父亲书桌前，刚要说话，突然不住地咳嗽气喘。王雱从小就体弱多病，中了进士也没能出仕做官，一直居家将养身体，帮父亲处理政事，近来正撰写《三经新义》，由于用力太过，咳嗽气喘的老毛病又犯了。

听到王雱的咳嗽声，王安石抬起头来，关切地看着王雱说："雱儿，不要太累，你小小年纪，就要写《三经新义》，实在有些操之过急了，慢慢来，多注意身体啊！"王雱有些无奈地回答说："唉，我中了进士，却因这不争气的身子不能做官，若再不写点书，人生还有什么意思！"说着，又咳嗽起来。王安石看着儿子，一时无语。

吴夫人在屋外听到儿子咳嗽的声音，忙走进来，爱怜地看着儿子，转头对王安石抱怨说："都是你自小逼着雱儿读书，看看，把他累成这个样子，中了进士又有什么用！"王雱忙扶着母亲坐下。王安石笑笑，疼爱地看着儿子，说："雱儿从小体弱多病，请过多少郎中，也请过不少和尚道士，始终不见效果。怎能怨我！况且，读书又岂是为了功名？为了功名而读书，不读也罢！"

王雱忙宽慰母亲说："母亲，怎么能怨父亲呢！我的两个叔叔安礼、安国，也都是当世才子，且都身体康健，想来上天不能只钟爱我王家一家，所以我就……"说着又禁不住咳嗽起来，竭力抑制住后接着说："虽有小才，却无健体了。"见王雱如此达观，王安石十分欣慰，笑着说："不妨，所谓歪脖子树耐倒，只要精心调养，也可得享年命。据说商朝的彭祖年轻时就身体虚弱，后来善于养生，成了长寿之祖。"

王雱本是为政事而来，他听说前日朝会上父亲遭到群臣的围攻，而欧阳修迟迟不为神宗皇帝起草任命父亲担任知制诰的诏书。王雱向父亲问起其中缘由。王安石不假思索地断定，大臣们对变法不理解，所以竭力反对；也遗憾地承认，改革涉及国计民生，是件大事，人们在大事上的意见，一时难以改变。但他坚定地说："只要皇上决心已定，谁又能阻挡？"决意与神宗皇帝一起突破大臣们的重重阻拦，推行变法。

见父亲如此朴直、慷慨，王雱心中激动，有些不忍地说："父亲差矣！"王安石一愕，问道："如何差矣？"王雱低声说："如无众臣支持，皇上就是真正的孤家寡人，上靠皇上一人，下靠父亲一人，必定孤掌难鸣！"

王安石猛然醒悟，霍地站起，大声说："对啊！那……以雱儿的意思？"王雱也站起身来，激动地说："韩琦、欧阳修、司马光既然一起反对你，你为何不寻找同道？"王安石一怔，迟疑着说："那……那不成了结党？"

王夫人再也忍耐不住，说："什么结党？你就知道直来直去，有些地方，雱儿可是比你有见识！"王安石摆摆手，说："夫人不要干预政事。"王夫人不屑地说："哼！我稀罕你的政事，我看那天下事不过如做饭缝衣一般罢了。"王安石略微沉吟，高兴地说："夫人之言大有道理，所谓'治大国若烹小鲜，统千军如缝衣衫'，夫人之言是至理啊！"王安石说完大笑，王夫人和王雱也笑了起来。

王雱向父亲解释说："为公乃是同道，为私才是结党。父亲为了改革大业罗致人才，怎可谓之结党。况且欧阳修就写过一篇《朋党论》，极力为所谓'朋党'辩诬，孩儿可是深受启发啊！"

王安石朴直无机心，凡事躬身亲为，一己担当，从来没有想过联结同道，听了王雱的解释，他大声说："雱儿言之有理！言之有理！"接着，王雱向父亲推举苏轼、吕惠卿、章惇，他说："苏轼在凤翔租土地、建村落、改募役、废刺义勇，名震天下。他赞同变法，几年前就与父亲论过变法事宜。吕惠卿现知随州，曾为太子中允、崇政殿说书，深得当今皇上信任，多次与父亲书信往来，论及父亲的鄞县新政，十分赞同。章惇有胆有识，当年就曾和苏轼一起反对太学体，如今是商州的知县。任上不拘一格，有许多新政，颇有政绩。在变法上，也必与父亲志同道合。三人都可谓父亲的同道中人，如果奏请皇上，将他们调入朝中，必将有助于变法大业。"

听着王雱一一道来，王安石不住地点头赞许，说："雱儿如若当政，必能做出一番轰轰烈烈的事业来。"接着又有些忧心地说:"我就盼着苏轼、苏辙兄弟俩早日回朝,他们一来,变法必成。只是我早已给苏轼写过一封书信,信中详陈变法大计,却久无回音,不知何故?好在他丁忧将满,即日就该回京师了吧。"

苏家乃当地望族,苏轼又是名满天下的才子,想当初王弗去世后有多少王公大臣欲将女儿嫁与他?王闰之自与苏轼订婚起就满心欢喜,充满希望,近日终于成婚,自是异常高兴,虽有些许不如意,也深埋到心底,新婚的喜悦写满脸上,光彩照人。

此刻,她兴趣盎然地在院中漫步,忽然听到远处断断续续地传来男童的读书声,便循声来到一座阁楼前。楼上传出朗朗的诵诗声:"丞相祠堂何处寻,锦官城外柏森森。映阶碧草自春色,隔叶黄鹂空好音。三顾频繁天下计,两朝开济老臣心。出师未捷身先死,长使英雄泪满襟。"

王闰之知道这是苏迈在诵读唐诗,于是拾级而上,推开房门,见苏迈正坐在桌边诵读,问道:"迈儿,你怎么在这里诵读唐诗呢?"苏迈回头见是王闰之,高兴地叫着"姨娘",扑向王闰之。王闰之也走上前去,蹲下身去,抱起苏迈。

小莲自跟随苏轼回到眉州,便一直住在这里,每日教导苏迈读书。今天,小莲教完苏迈《蜀相》,为了不打扰他的诵记,所以远远地坐着,摆弄些针线女红。这时,小莲站起身,说:"看迈儿和夫人多亲!"

王闰之这才发觉屋内还有别人,她转过身来,看到小莲清丽脱俗,目光澄澈,心中一震,说:"你就是小莲吧。"在得到肯定的答复后,王闰之说:"喔,早就听人说起过你了。今日初见,妹妹果然清丽绝俗,真是名不虚传。"小莲慌忙道:"夫人这么说,实在折杀小莲了。夫人国色天香,花容玉貌,岂是粗陋如小莲所能比的。"这个"比"字,正触动王闰之的心事,她语气中夹带着醋意,说:"小莲何必自谦,先生不也夸赞小莲吗?"听到王闰之如此说,小莲一愣,一时无法回答。

正在这尴尬的时候,苏迈忽然对小莲说:"莲姨,今天学的诗,我都背下来了,我可以出去玩了吧?"看到小莲点头,他又对王闰之说:"姨娘,你带我去玩秋千吧!""好!好!"说着,王闰之抱起苏迈,便往外走。小莲送二人到楼下。

苏迈拉着王闰之来到院子里的秋千下。王闰之将苏迈抱到秋千上,扶着他荡了起来，也时不时地问他一些问题，苏迈一一回答。后来，王闰之问道："迈儿——是莲姨好呢，还是我这个姨娘好？"苏迈想一想："都好。不过，莲姨日日教我念书，我很怕她！我不怕你！"

王闰之笑了笑，说："小鬼头。那——你父亲和你莲姨好吗？"苏迈沉思一会儿，说："他们俩，不好，他们俩平日又不见面。莲姨从前成天都不下楼来，也不同我们一块吃饭，都是我端饭给她吃，莲姨这个人，不怕饿。"王闰之略微沉吟一下，低声说："问心无愧，又何必躲躲藏藏呢？"

在这鸟语花香的院落中，苏迈乐呵呵地荡着秋千，王闰之却暗自思忖，新婚那天苏轼的反常情状又浮现在她的眼前。

第二天中午，采莲将午饭准备好后，招呼苏轼、王闰之、苏辙、史云、小莲、苏迈等人坐下。苏轼瞟一眼小莲，见小莲神色淡然，便埋头吃饭。

王闰之看着饭桌上的菜食比平日里丰富精美些，微微皱眉。采莲见状，说："闰之，快吃呀，不知饭菜可合你口味。小莲，你也夹菜吃呀。"小莲笑道："表姑今日把我当外人了。"说着夹了些菜到碗里。

王闰之却放下碗筷，说："表姑，今日饭菜怎么不同于昨日？"采莲说："闰之，今日吃饭的人多，我就加了几个菜。"王闰之正色道："表姑，你也知道，相公，还有子由兄弟，俸禄微薄，咱家也不是什么望族大户，吃饭的人却多，就该省用足财，节俭过日。闰之如今入门苏家，掌管家中用度，包括这一日三餐，衣食住行。这样吧，表姑，以后这三餐由我来安排，统一账目。"小莲听见这话，脸一红，顿觉周身不自在。苏轼紧皱眉头，一脸不悦。采莲说："闰之，家中用度自然由你来管，今日多几个菜，也是为了大伙高兴。"王闰之说："都是家中人，又不是逢年过节，也不必铺张浪费嘛。"采莲颇觉得尴尬。苏轼生气地放下碗筷，拂袖而去。

王闰之猝不及防，想以笑遮掩却不能，委屈地放下碗筷，眼圈微红。

苏辙忙放下碗筷，追赶出去。

苏轼走到院落中，看到弟弟赶来，他叹息一声，说："好个糟糠之妻，倒是会精打细算过日子！她这么说话，在小莲听来，倒像是寄人篱下，夺我们口中食粮。唉，竟至如此不顾周到。"苏辙劝慰道："哥哥莫怪嫂嫂，她也是为了这个家好。再说，小莲姑娘最明事理，不会介怀的。"苏轼听了弟弟此话，低声说："娶了这糟糠之妻也好，我可安身立命，决心在这眉山做我的陶渊明。'环堵萧然，不蔽风日；短褐穿结，箪瓢屡空'。"

见苏轼还是如此消沉，苏辙忧虑地说："哥哥，切不可这么说，国事朝政，振兴大宋，皆需要哥哥呀！小小眉州，只会荒废哥哥的宏才大略，望哥哥三思。丁忧期满，哥哥就该……"苏轼闭上眼睛，挥手止住弟弟，说："子由，我知道了。我想一个人在这月下静一静。"苏辙只好躬身道别，说："万望哥哥三思。"说罢，叹息离去。

茫茫夜色中，吴复古仿佛从天而降，突然出现。他回头望望苏家宅院，正欲离去。巢谷却倏尔现身，阻住了师父的去路，他笑着说："师父，这次您休想丢下我。您就让徒儿同您走吧。"见徒儿跟得这般紧，吴复古笑着称赞徒儿本事增强了不少，接着告诉他不能离开子瞻，他还有许多事要做。巢谷却执着地说："师父，徒儿这次怎么也要跟你走。"原来，这些日子，巢谷一直心有杂念，不能安心练功，他想跟随师父离开苏家。吴复古无奈地摇头叹气，说："那为师就再住几日。"

巢谷高兴不已，跟随师父回到卧房。服侍师父睡下后，巢谷担心师父又会飘然而去，于是便守在门前，却困得不停地打盹儿，终于支撑不住沉沉睡去。吴复古走过来，爱怜地看着熟睡的徒儿，微笑着说："徒儿呀，俗尘纷扰事，心中烦恼结，只有靠你自己参悟了。为师去也。"说罢，开门而去，转瞬间便消失不见了。

接到王安石的书信和朝廷的诏书后，吕惠卿万分欢喜，他知道飞黄腾达的机会来了，他立即起身，飞奔汴京。这一日，吕惠卿终于赶到汴京郊外，看着青草茵茵，绿柳成行，他勒马徐徐前行，汴京城就在眼前，他感到梦想中的荣华富贵就在那里。

进城后，吕惠卿直接到王安石府门前，请门房通报。过了一会儿，王雱亲自出来迎接。吕惠卿忙躬身一揖，说："王公子，久闻大名，今日得见，幸何如之！"王雱还礼，说："吕大人一路辛苦了。快快请进！"将吕惠卿引进院落，走向正厅。

二人转过影壁，吕惠卿见王安石已在正厅门首相迎，忙疾步上前，躬身施礼，说："下官见过王大人！"王安石笑着还礼，说："吕大人不必客气。哎呀，吕大人来得真快啊！"吕惠卿微微躬身，说："接到恩公的信和朝廷的转官文告，下官岂敢耽误。"王安石摆摆手，说："吉甫啊，不要叫恩公，直呼其名就可以了。"吕惠卿仍躬身说："岂敢，岂敢。大人学贯古今，思通天人，政绩卓著，书信往来，在下受益极多，大人又如此提携下官，称一声恩公，实不为过。"王安石微微沉吟，低声说："这样不好，朝廷里会说我们结党。"吕惠卿一怔，不知如何作答。王安石接着说："就以官称称呼好了。"说着示意吕惠卿进屋，吕惠卿忙点头，说："恭敬不如从命。"跟随王安石进入正厅。

按照大宋律例，转官者进京，需要首先到审官院报到，不得先见私人。吕惠卿却径直跑到王安石家求见。王安石得知他置律例于不顾后，虽有责怪之意，但也听从王雱"事急从权"的建议，既往不咎，与他谈起了朝政。

吕惠卿说："当今之急，在于让皇上任命您为参知政事的诏书尽快颁布，以免生变，否则，变法大业，尚未开始，就会胎死腹中。"接着，他自告奋勇，说："下官在朝中多年，交人颇多，这事就由下官办吧！"近日，王安石正苦于此事，一直想不到办法说服欧阳修等尽快草诏。今天，吕惠卿主动请缨，王安石十分高兴，笑着点头同意。他心中赞许儿子寻找同道的建议，感觉犹如多了臂膀，轰轰烈烈的变法就在眼前。

西池酒楼雅阁内，吕惠卿与薛宗孺对坐饮酒。对于吕惠卿刚刚进京，便邀请自己饮酒，薛宗孺又吃惊又感动。他不住地赞叹吕惠卿不忘故旧的深情厚谊，说："吕大人真是让我感动。难得啊，你就要飞黄腾达了，还记得我这个白丁！"吕惠卿谦虚一番，故作惊讶地说："薛兄，你这当朝参知政事、大文豪欧阳修的内弟，竟然会是白丁？！你好歹也是中了进士的人，怎么就没有一官半职的？"薛宗孺叹了一口气，说："还不是因为我得罪了姐夫！"

吕惠卿心中暗笑，表面上愤愤不平地大声说："这就让人不解了。欧阳公不帮你，也不能毁你啊！"他隔桌抓住薛宗孺的手，接着说："薛兄，如今新皇登基，立志变法。当年我俩一起共事，我可知道你薛兄是个不愿守旧的人。"薛宗孺深深点头。吕惠卿低着声音，慢慢地说："其实吕某也有求于薛兄，皇上钦命王安石大人主持变法，但欧阳公迟迟不下诏书。这可如何是好？"

薛宗孺会意地瞧了一眼吕惠卿，却低头喝酒，并不说话。吕惠卿只好说："吕某想来想去，也只有薛兄能帮这个忙。"薛宗孺放下酒杯，注视着吕惠卿，沉吟良久，终于下定决心，说："吕大人尽管说，薛某当倾力而为。"吕惠卿点头……

迩英殿内，神宗正在批阅奏章，突然怒不可遏地将一份劄子拍在龙案上，大声喊道："宣胡宿觐见！"内侍张茂则从未见神宗发过这么大的火，忙低声答应，去宣胡宿。

许久，胡宿随张茂则进殿，见神宗踱步不止，心中更加肯定自己的猜测，躬身施礼，说："微臣参见陛下！"神宗停步，面沉似水，低声说："胡宿，蒋之奇在劄子中上奏欧阳卿家，帷薄不净，与长媳勾搭有奸。朕问你，蒋之奇可有证据？"

胡宿心中一喜，将早已准备好的言辞一一说出："陛下，蒋之奇说他某日到欧阳公府上拜望，出门后不期与欧阳公的内弟薛宗孺相遇，薛宗孺质问蒋之奇为何与一个道貌岸然实则男盗女娼的人相来往。于是蒋之奇责他胡说八道。薛宗孺却信誓旦旦地证明曾亲眼目睹姐夫欧阳修与儿媳有染。蒋之奇不信，就问微臣。臣以为帷薄之私非外所知，该作核实。没想到，蒋之奇却擅自密奏了陛下。"

听到皆是传言，神宗略感心安，微微沉吟，缓缓地说："欧阳卿家道德文章天下第一，怎么可能这样呢？胡宿，朕素知你刚正不阿，秉公直言，你去即刻查办。如是诬告，严惩不贷！"胡宿躬身领旨。

最近在崇政殿外等候上朝时，欧阳修发觉，官员们三三两两围成一团，小声谈论着什么事，表情或惊讶或得意，有的人还偷看自己，见到自己走近经过，他们便闭口不言或四下散开。欧阳修虽不明所以，也预感到有事要发生，不想竟是有人编造出自己帷薄不净的谣言。久经宦海的他知道此事必有阴主，或许便是因为自己迟迟不草写圣上任命王安石为参知政事的诏书而遭人忌恨。王安石君子之行，不会为此小道，定是宵小之徒为跻身变法行列以求仕宦腾达所为。新皇支持王安石锐意变法，王安石却失于识人，想到变法将成群小竞进之局面，大宋未来殊为难料，自己垂垂老矣，又身陷流言，无能为力，欧阳修心灰意冷，决定辞官归隐。

寒冬冷夜，一灯如豆，欧阳修伏案书写奏劄，不觉潸然泪下……他写道："臣宦海挣扎四十年，进退荣辱不敢忘忧君国。臣耿直狷介，故积怨甚多，所谓众口铄金，积毁销骨，时下流言蜚语之甚，使臣无颜面君。乞望陛下，垂念老臣几十载风雨之甘苦，准允辞去宰辅之职，放归隐居……"

崇政殿内，神宗发觉往日欧阳修的位置空着，便问道："欧阳修为何没来上朝？"韩琦躬身回奏道："陛下，最近流言蜚语甚多，尽是有辱欧阳公之言，乞望陛下体谅欧阳公的良苦之心。这是欧阳修托臣转呈的奏章。"说完，呈给当值的内侍。

司马光紧接着奏道："陛下，臣以为，这些流言蜚语，尽是造谣中伤，必有阴主。欧阳大人的品德节操可与日月共明，天下有目共睹。臣恳请陛下下旨查明实情，为欧阳公洗雪耻辱，造谣中伤者，应严惩不贷！"王安石也大声奏道："陛下，司马光所言极是，欧阳公是当今文坛泰斗，不可受此耻辱。"

神宗边看奏章，边点头说："胡宿已将此事查清。欧阳修内弟薛宗孺因欧阳修拒绝他的请托，怀恨在心，故意造谣诬陷欧阳修。但蒋之奇不加核实，妄奏朝廷，以至引起朝野物议，使欧阳修蒙辱。贬蒋之奇为鄂州团练副使。将薛宗孺发配边疆。"

欧阳修家内一片纷乱，家丁们来来往往，打理东西。坐在椅子上的欧阳修抚着怀中的小猫，默默不语。

仆人带韩琦、范镇进入厅堂，禀报说："老爷，宰相大人和范镇大人来见。"范镇走上前握着欧阳修的手，两眼噙泪，说："老伙计，受委屈了！"欧阳修握住范镇的手，潸然泪下。韩琦看看屋里，说："永叔啊，皇上已查清了事情的原委，贬了蒋之奇，流放了薛宗孺，你为何还要自请外放，急着离京呀？"范镇也劝道："欧阳公你还怕什么呀？"

这时，欧阳修回过神来，平和地说："是啊，不怕什么。但我有些累了，不想再与小人纠缠，所以才自请外放。李太白言'且放白鹿青崖间，须行即骑访名山'。我本不属于官场，眼下想过几年逍遥日子了！"

韩琦忙说："你逍遥了，朝廷怎么办？"范镇也语重心长地说："欧阳公啊，眼下朝廷正是用人之际，你这一走谁来辅佐新皇呢？"欧阳修叹息一声，说："新皇登基，大变在即，我怕有些应付不了了！"韩琦也忧心忡忡地说："眼下皇上一意孤行，唯听介甫之言，大举变法怕有过激之处呀。若能用子瞻，行稳健之策，则我大宋有望呀！唉，老夫当初令子瞻仕途受阻，现在悔恨不已，可如今新君怎肯听老夫之言？"

欧阳修望着他二位，郑重地说："子瞻乃我朝希世人才，今后还望二位多加呵护啊，我已给子瞻去信，向他细说其中原委。他三年丁忧期满，就要回京，还请二位多提携于他。"韩琦和范镇深深点头。

冬日的汴河上，舫船缓缓而行。欧阳修手捋灰髯，孤立于船头，抬头仰望，一只白鹭孤飞于蓝天白云……

蜀地的冬季并不寒冷，草木生长，流水汩汩。这一日，苏轼像往常一样戴着草笠，来到河边垂钓。没过多久，突然有人急促地跑来，只听苏辙不断地喊："哥哥，哥哥！"苏轼并不抬头，悠然道："子由，何事匆忙呀？"苏辙手执书信狂奔而至，满脸焦急，将书信递到苏轼面前，喘着气说："哥哥，欧阳修大人来信。"苏轼并不接信，仍是悠闲地说："原来是恩师来信，不急，我等会儿再读。"苏辙愈发着急，大声说："哥哥，我听人说，恩师已乞求外放，到青州任太守去了！"苏轼沉吟一瞬，方才反应过来，丢下钓竿，夺过书信，急切地拆开阅读。未及数行，苏轼脸色大变，拉着苏辙便往家里跑。

苏轼和苏辙赶回家中，便急忙翻找之前王安石的来信，苏辙边找边说："我记得是秋天，九月收到的。我拿给哥哥看，哥哥说无心于朝政，当时就没看。"苏轼遍寻书案不见信件，有些气恼地说："究竟被我放到哪里去了呢？"这时，小莲从书堆里找出一封书信，大声说："找到了，在这里！"苏轼急忙接过，拆开阅读。王闰之正好端茶进来，见到这一幕，登时不悦。苏轼脸色慢慢变紫，喊道："这是什么变法，岂能这样变法！不当陶渊明了，不当了！子由、小莲，天下将要大乱！回京，我们明日就回京！"苏辙激动地看着哥哥，小莲见苏轼这般，不禁为之欣慰。王闰之在一旁看见，瞪了小莲一眼。小莲遂觉失礼，低下头去。

宋神宗熙宁元年（1068 年）的冬天，苏轼和他的弟弟苏辙第二次守制期满。在祭拜苏洵父母、王弗、八娘的坟墓，并安排好祭扫事宜后，苏轼、苏辙一家人辞别故里，前往京师汴京。

自此，兄弟二人再也没能回到故乡。

二十四　王安石

　　就在苏轼、苏辙启程不久，于熙宁二年（公元 1069 年）二月初三，神宗皇帝降旨，任命王安石为龙图阁大学士、参知政事，主持制定新法事宜；任命韩维为翰林学士，之后又根据王安石的推荐，任命吕惠卿、章惇为三司条例司检详文字，主持新法条文的审定。这意味着轰轰烈烈的变法运动开始了！

　　这一日，王安石正独自坐在桌旁吃饭，一边拿书捧读。他被书中内容深深吸引，只顾夹取面前的一盘菜，举箸夹菜到嘴边，不慎将菜掉落衣服之上，也浑然不觉。这一幕正好被走进屋来的吴夫人看到，她嗔怪着说："老爷，你怎么吃成这样啊，这书就不能搁下一时半会儿吗？瞧你这身袍服，尽是些菜汤饭渍，待为妻给你换下。"王安石仍是盯着书，说："不换，不换，哪有空闲换它呀，就这样吧。"吴夫人接着劝道："老爷再忙，也不会连换衣服的工夫都没有。你如今是朝中重臣，可不能像过去那么不讲究。"但王安石却坚持不换，还说："不换，当官是为圣上、百姓做事，不是为了穿衣服的，要那华冠丽服又有何用，华而不实，耻也。"吴夫人欲语又止，十分无奈，只好叹息一声，说："总之老爷都是对的，你可真拗呀。"

　　这时，管家王全进屋禀报吕惠卿和章惇求见。吕惠卿与章惇进屋，一同施礼问候。王安石挥挥手，算是还礼，指指座位示意吕、章二人坐下。吕惠卿坐在座位上，身体前倾，拱手说："介甫公，《均输法》和《青苗法》正在起草之中，不日就告完成了。"原来，王安石决定改革首先从抑制商人和地主对农民的盘剥开始，命吕惠卿等制定《均输法》和《青苗法》。听到即将完成的消息，王安石兴奋地一拍桌子，大声说："好！吉甫，你起草完后，再由条例司同仁讨论，纳言修订，补阙拾遗，即可呈皇上御览，施行于天下！"吕惠卿忙拱手称是。

王安石转头对章惇说："子厚，你胆识过人，在商州任上不拘一格推行新政，我很是欣赏。此次熙宁变法，事关国运，成则我大宋国富兵强可比汉唐！你须施展才华，竭智尽力，我等同舟共济，共襄盛举。"说完，捻须微笑，忽觉手中有黏物，抬手一看，原来是刚才吃饭时不小心粘到胡须上的饭米粒，呵呵一笑，将米粒放入口中。

章惇自奉诏命进京以来，这是第一次到王安石府上拜访，也是第一次见到王安石。听到王安石对自己的称赞和对变法的雄心壮志，章惇回答说："卑职一定殚精竭虑，不负厚望。"

因为章惇与苏轼是同年的关系，王安石又向章惇问起苏轼的消息，章惇回答说："苏轼再过几日便将抵京。"王安石大喜："好！苏轼当初与我约定，各自在地方上试行新政，来年再会。子瞻在凤翔之新政，真是闻名朝野啊！他这一来，对我变法大业可说是如虎添翼，又多了几成胜算！"章惇也欣喜地微笑着说："子瞻才华冠绝，可堪大任！"

王安石捻须一笑，点了点头。吕惠卿却迟疑片刻，忙拱手微笑着恭喜王安石，心中暗自思忖。

对于苏轼即将抵京的消息，与王安石、章惇的欣喜和吕惠卿的忌惮不同，六十五岁的宰相韩琦心中的滋味颇为复杂。此时，韩琦正静坐在太师椅上闭目养神，面沉似水。想及前几次朝堂上王安石谈及变法的万分急切之情，而这种好大喜功的行事风格也深合年轻的神宗皇帝的心性。神宗皇帝准许了欧阳修辞官外放，并提升了一大批官员。韩琦明白变法已成定局，无可挽回。他深深地为变法前景、大宋未来担忧，他感到自己对万事皆无能为力，便三上奏章，请求辞去宰相，外放任职。

丫鬟进来禀告范镇来访。二人见礼后，韩琦苦笑着说："此刻，也就是老夫看老夫啦。"范镇是奉圣上之命前来探望韩琦的，范镇道明来意，韩琦问："圣上还没准我辞去相位吗？"范镇说："这是什么话。宰相几日不上朝，圣上甚是关心，命我前来问候。"韩琦摇摇手，说："偶有不适，圣上如此关心老臣，心有不安呀。我已三上奏劄，乞求辞去相位，外放任职，圣上何以苦苦挽留呢？"范镇说："若非宰相之力，圣上今日焉能继承大统，圣上倍念旧恩，企望宰相能助圣上实现图强大业。"

韩琦淡然一笑，说："蜀公，人贵在有自知之明，识时务者为俊杰。我已不合时宜了。一朝天子一朝臣，总把新人换旧人。这样，朝政才有生气。王安石必将为相，与其那时被赶下台，还不如现在就让贤。"韩琦所说，范镇听了句句是实，只好叹气道："宰相这话说的，我本是来游说你的，现在反而被你说得也想辞官了……"

忽然有一沙哑的声音喊道："皇上驾到——"

韩琦、范镇慌忙出迎，神宗早已进得房来。二老臣深施一礼，道："不知圣驾到来，老臣有失远迎，乞陛下恕罪。"神宗笑道："二位免礼。"韩琦急忙敬让神宗坐下，神宗坐下后，便说："二位也都坐吧，范镇，劝动宰相否？"范镇并未落座，而是躬身拱手说："陛下，微臣无能，有负圣恩。宰相去意已决，非天子莫能留。微臣告退。"得到神宗的首肯后，范镇又向韩琦施一礼，趋步退去。

韩琦跪于神宗面前，说："陛下，老臣去意已定，乞望陛下外放老臣，全我名节吧。"神宗慌忙离座俯身扶起韩琦，潸然泪下，说："宰相当年力排众议，冒生死之险，拥先帝继嗣，又拥朕登基，天大功劳，无人不晓。如此而退，岂非置朕于不义乎？"

原来，当年，仁宗老而无子，正是韩琦等人冒死进谏仁宗过继英宗为嗣，也就是神宗之父。英宗早逝，韩琦等又力保神宗即位。所以韩琦实有大功于英宗、神宗二帝，也有大功于大宋。此时，神宗对韩琦是由衷地感激。

韩琦也老泪纵横，说："陛下，老臣力保先帝，是为我大宋江山；力保陛下继承大统，亦为大宋江山；而今急流勇退，还是为我大宋江山。要振兴国家，必图新政，而对改革朝政，老臣尚无良策，如何佐我英主？议事一出，陛下又须照顾老臣的颜面，则如何刚断一切？"

神宗见韩琦如此恳切，只好准允，接着谈起继任人选的问题，以自己心目中的人选王安石征询韩琦的意见。韩琦躬身说："王安石为翰林学士则才能有余，位处宰辅尚有不及。"神宗为之一怔，问道："何以见得？"韩琦回答道："位极人臣，既要有胸怀天下之心，又必有五湖四海之量。介甫忠君爱民之心可鉴，但容人之量有限，更乏识人之明！诚如陛下领众大臣黄河观澜，河宽者则畅，道窄者则险。"

神宗不置可否地点了点头，问道："那可大用者当首推为谁？"

韩琦回答道："苏轼。苏轼既有尊君爱民之志，又有安邦定国之策；文有经邦济世之才，武可运筹帷幄，决胜千里。"

神宗疑惑着说："朕听说，宰相曾说那苏轼连翰林学士都不够格，如今怎么就能做首辅了呢？"

韩琦惭愧地说："陛下，当局者迷，旁观者清。臣这几日称病家中，行思坐忆，才知道苏轼其才其志，迂腐之臣难以看透。臣过去实乃迂腐不堪，目滞神昏也。而仁宗帝知人善任，鲜有能比，仁宗帝说过大苏小苏是为陛下所储的宰相之才。"

听到这些，神宗大惊。

韩琦接着说："用与不用，皆由陛下。仁宗帝曾让臣考验苏轼，臣以为苏轼已通过了臣的考验。"

神宗思索着说："苏轼，苏轼，朕对他却不了解。宰相以为苏轼比王安石如何？"韩琦不假思索地说："如黄河观澜，河宽者是苏轼，道窄者乃王安石。"

神宗有些不悦地说："宰相，朕倒喜欢那道窄的黄河，急流勇进，万马奔腾；而那河宽者，平流缓进，死水微澜，最是乏味了！"

见神宗如此年轻气盛，近乎鲁莽，韩琦只好说："陛下英明。"他也为即将归京的苏轼深深担忧……

几天后，韩琦便在料峭春寒中，启程返乡。虽然这倒春寒并不是十分寒冷，而且预示着暖春的到来和万物的复苏，但他的心中却是异常寒冷。

初春时节，到处春光怡人，柳青风动，百舸争流，汴河码头一片繁忙。范镇得知苏轼一家今日到京，便前来迎接。范镇远远见苏氏兄弟站在船头，频频招手，苏轼喊道："恩公无恙乎？！"

说话间，船已靠抵码头，苏轼一个箭步跃上岸来，大为感动，深施一礼："我与子由何德何能，敢劳恩公相迎！"范镇、苏轼、苏辙不断地说笑。范镇问起苏轼对王安石变法的看法，苏轼认为这样急风暴雨式的改革恐怕太猛，应该徐立徐行，并说他此刻恨不得马上就见到王安石。

巢谷在船上指挥船家搬运行李，只见小莲要搬动一口大箱，连忙上去劝住小莲。巢谷大方地说："小莲，这个由我来，你先上岸吧。"小莲感受到巢谷的转变，也为之微笑，说："有劳巢谷哥了。"巢谷憨厚明朗地点头一笑。

苏轼守制期满归京的消息，牵动着许多人的神经，有人欢喜有人愁。张璪自从在凤翔任满奉调回京，便巴结上了王珪，王珪也看中他科考前十名的身份，又喜他曲意逢迎，于是着意笼络。他打探到苏轼已经抵京的消息，立刻跑到王珪府上禀告。

王珪正在品茶，见张璪进来，便一脸忧虑地示意他坐下，命丫鬟上茶。王珪叹气道："邃明，这人呀，闲来无事可比忙起来要累，心累。"张璪忙说："恩师要保重身体，平心静气，莫要积忧成疾。"

王珪无奈地说："平心静气？只怕不行。韩琦辞相，其实与罢相又有何异呢？胡宿、吕诲两位大人也萌生去意。接下来就该轮到老夫了，但见新人笑，哪闻旧人哭呀。"张璪一怔，试探着说："恩师在朝中德高望重，为圣上倚重，怎么会呢？"

王珪不住地苦笑，说："如今圣上倚重的是王安石。不过你去他那条例司，正是他所管辖，前途远大，晋升在望。"在吕惠卿的推荐下，王安石前不久邀请张璪到条例司任职，襄助变法大业。张璪虽然忙不迭地答应，但心中一直担心王珪为此怪罪于他，所以迟迟未敢赴任，今天一是来报告苏轼抵京，另外就是想向王珪解释此事，听到王珪提到此事，他忙拱手，郑重地说："全赖恩师栽培举荐，在下才有今日。"一脸感激之情。

王珪沉思片刻，说："你去条例司好呵，老夫也能知道个风吹草动，不像现在这般双耳塞聪，置身事外。"见王珪不但不责怪，还颇有倚重之意，张璪心中大喜，忙笑着说："恩师，这是自然。"接着他便向王珪禀告苏轼的消息。

听到苏轼抵京，王珪霍地站了起来，无奈地说："一个王安石还不够，又回来个苏轼，唉！"

听到苏轼抵京的消息，王安石面带喜色，走向内堂，一边解衣一边高声叫喊吴夫人。

吴夫人匆匆进屋，未及询问何事，王安石就急命她快快准备热水，以便洗澡。平日里吴夫人叫夫君洗澡，王安石总说公务缠身，无暇顾及。现在大白天的，王安石突然要求洗澡，吴夫人大为诧异，便询问缘由。王安石却自顾自地看着身上的衣服，喜悦地说："该洗，该洗。袍服确乎是脏了，夫人给我换一件袍服。"吴夫人一边帮王安石换下袍服，一边喃喃地问道："老爷，今日是怎么了，六月飞雪，冬雷震震，太阳从西边出来了。"王安石笑呵呵地说："应该如此，应该如此。"

这时，管家王全进屋来禀报魏王和高王下帖邀请王安石去西池赴宴一事，王安石不假思索地说："替我回了，就说公务繁冗，脱不开身。"王全忙说："老爷，昨日已经回了颖川王和故相，今日再推，恐惹人话柄。"不想，王安石大声说："回了就是，今日我有要事，去见一个人。"

吴夫人一听，更是惊异，问："谁呀？竟这么惊动老爷。"王安石哈哈一笑，兴奋地低声说："夫人，苏轼回京了！"

苏轼、苏辙的新家在仪秋门外，众人将带来的行李等安排妥当。此刻，苏轼、苏辙、王闰之、史云、采莲、苏迈等正在堂屋吃中饭。

王闰之看看一桌的粗茶淡饭，皱眉叹气，说："这汴京的五谷菜蔬，家禽鱼肉都比眉山要贵上几倍有余，这日子不好过，家难当呀！"一听王闰之又抱怨这些，苏轼不耐烦地说："夫人，不是答应了我，吃饭的时候不说这些吗？"王闰之无奈收声，白了苏轼一眼。

这时，巢谷走了进来，对苏轼说："子瞻兄，王安石、吕惠卿、章惇、韩维大人来访，正在门外等候！"苏轼有些吃惊，看看苏辙，笑着说："子由，我正要去找他，他却先上门来了，也好。"

苏辙迟疑地看着对苏轼说："哥哥，此四人一起来访……"小莲插话说："哥哥说话留心。吕惠卿、韩维都是生人，话说三分即可！"苏辙接着小莲说："哥哥，小莲姑娘说得是，不可言无顾忌。"苏轼点头说："嗯，多谢妹妹提醒。"

王闰之见状，脸上一红，朝小莲酸酸地说："好不害羞，'哥哥'也是你叫的。"小莲一惊，脸也大红。王闰之接着说："该讲礼数，记得以后叫先生。"小莲捂着脸跑开。

王闰之先是抱怨居家不易，接着又这样羞辱小莲，苏轼大为光火，一拍桌子，直盯着王闰之，大声说："你！岂有此理！"王闰之一怔，眼泪夺眶而出，也掩面而出。

苏轼起身，不住地跺脚、转圈、叹气。苏辙忙提醒说："哥哥，快迎客人！"苏轼这才醒悟，和苏辙出迎。

兄弟二人将王安石、吕惠卿、章惇迎进苏轼书房，分宾主落座。王安石一身新装，洁净清爽，越发显得心情大好，喜形于色，说："子瞻不用客气。"接着向苏轼、苏辙介绍韩维、吕惠卿。又指着章惇说："这位是你同年，自然不用介绍了。"苏轼、苏辙与韩维、吕惠卿互道久仰，接着与章惇互相问好。采莲奉上茶水。

王安石见到苏轼，不禁忆起六年前自己出知鄞县时，苏轼到汴京码头为自己送行的情景，感慨道："当年，满朝大臣除你之外无人给我送行，真是……"说着，摇头不语。苏轼并不想以此来攀交情，与其议论人情冷暖，他更加称赞当年王安石所说"就是无一人送行，我也会我行我素"的豪气。王安石很高兴，热情地说："是啊，我还说，'有子瞻一人为我送行，胜过千万人矣'，也是言犹在耳啊。"苏轼也说："是啊！犹如昨日！"

王安石话锋一转，说："怎么样，如今圣上要厉行新法，该是你苏子瞻一显身手的时候了。我日夜思盼，终于等到子瞻回来。如今我还是那句话，得子瞻一人，胜过千万人矣，变法有望！"章惇也笑着说："是呀，子瞻，王大人天天念叨你。"吕惠卿忙称赞苏轼，说："听说子瞻在凤翔时施行了不少新政，什么改差役为募役，改刺义勇为募义勇，这正是如今的新法要实行者，子瞻真是有先见之明。"

苏轼却沉稳不露地说："吕大人取笑了，那只是因事变通，称不上什么先见之明。"听到苏轼如此回答，吕惠卿一愣，沉思不语；苏辙紧张地瞟了一眼苏轼，咳嗽了一声。苏轼接着说："王大人在鄞县时诸法并施，成效显著，那才是有先见之明呢！"

王安石呵呵一笑，说："哎呀，子瞻竟学会吹捧人了！"苏辙忙说："哥哥说的是真心话，平时哥哥经常给我讲王大人的鄞县变法之事。"

王安石闻言大喜，转头询问苏轼，在得到肯定的答复后，他大声说："那太好了。子厚是你的同年，当年你们为罢黜太学体可谓闹了个天翻地覆，这些年文风已经大改，可政风依然如故。改革文风原是为了改变政风，政风不改，文风改了又有何用？"吕惠卿忙笑着恭维王安石，说："大人一言，入木三分。追随大人左右，可谓日日受益。"王安石更加高兴，接着说："所以，你们如今再度携手，改革政风，又闹他个天翻地覆！有韩持国、吕吉甫，还有老夫助阵呐喊，该不亚于你等当年击登闻鼓以动天下的阵势吧！哈哈！"

吕惠卿、章惇二人点头称是。苏轼却仍然不动声色。

吕惠卿有所觉察，皱眉说："吕某过去听闻苏子瞻豪气干云，当世的狂士。原想子瞻听了大人这番话，定会振臂一呼，却何以安坐不动呢？"

听到吕惠卿这么说，苏辙一惊。苏轼听到王、吕二人言语，再也忍不住，问道："原来是要天翻地覆，看来王大人果然如写给在下的信中所说，要骤行新法了？"

王安石似乎并没有注意到苏轼的神色、言语中对变法有所保留，他慷慨地说："对！子瞻，仁宗之时，就是因为过于宽仁，施行过缓，执行不力，才使得庆历新政半途而废。"吕惠卿马上附会着说："是啊！是啊！前车之鉴！"

苏轼并不同意王安石对庆历新政失败原因的总结，直截了当地说："但不才以为，庆历新政之失，却在于其法不当！"

吕惠卿立刻不悦，皱眉不语。王安石也一惊，不明白苏轼为何突然对变法是如此态度，他捻须沉思，说："想必子瞻另有高论。那我来问你，不论过去，只说现在，你以为要不要变法？"苏轼不假思索地大声说："当然要变法！"

王安石一喜，马上追问："好！那从何处变法？"苏轼站起身来，回答道："改革弊政！"王安石点头称赞，又问那弊在何处，苏轼回答说："官多、兵多、费多；国穷、民穷、兵弱；衙门混乱而相失，政法因袭而不合时宜。故而动辄得咎，百弊丛生！"

王安石抚掌一笑，不住地称赞，说："好，说得太好了！国家状况如此，不以万钧之力、雷霆之势行新法，如何能除旧布新，如何能使国家重获生机！"

没想到，苏轼却恭敬而坚定地说："苏某不才，窃以为不可。"苏辙大惊，在后面掣苏轼的衣襟，苏轼却置之不理。

之前，苏轼在凤翔改弊端、立新法，一往无前，也曾与王安石畅谈变法。王安石本对苏轼大有期许，没想到，这一刻苏轼却说新法不可行，王安石略微沉吟，有些不满地说："噢……人言士别三日，当刮目相看，何况子瞻大才，又是六年不见，老夫想听听如何不可啊！"

苏轼站起身来，恭敬而又毫无顾忌地说："当今之势，不改不可，急改亦不可；不改会国弱民穷，外不能御强敌，内不能保平安；急改则上下相失，百政变乱，轻则一蹶不振，重则……重则有覆亡之虞！"

章惇轻轻点头，深感苏轼所言甚是、所虑甚远。吕惠卿很是恼火，拼命瞪着那双小眼睛，厉声说："你……"却又找不出反驳苏轼的言语。苏辙很是无奈，叫道："哥哥！"觉得已无可挽回，便不再说什么。

王安石这时知道苏轼并不反对变法，很是欣慰，也觉苏轼所言颇有道理，于是问苏轼该当如何是好。苏轼充满自信地说："当细定良法美制，徐行徐立，待政法通达，民用稍足之时，再以大人的雷霆之势行之。"

王安石接着问："那……那以你说，何时才能大行新法？"苏轼见王安石如此问，他略微沉思，说："大约……大约二三十年后。"

吕惠卿哈哈大笑。王安石也粲然，觉得苏轼所想近乎幼稚，他低声说："二三十年后，你我垂垂老矣，大宋也垂垂老矣，子瞻之言差矣。我有一疑问，子瞻方才说我在鄞县时诸法并施，成效显著，如今我将诸法推及全国，为何却要改成徐行徐立呢？请予指明。"

苏轼立刻反驳说："橘生淮南为橘，橘生淮北为枳。鄞县可行，未必全国可以通行。区区鄞县，王大人力所能及，诸法易行；全国之大，力不能及，诸法难行！故鄞县与全国，不可同日而论！"

王安石大为不悦，心中极度失望，他无言以对，又觉得没有再谈的必要，遂起身告辞，说："今日不早了，不打扰了。只望你兄弟早为朝廷效力！"说完，便和吕惠卿走向门外。

苏轼、苏辙相送，章惇最后出门，转身对苏轼说："你呀，还是老脾气！"苏轼面色沉郁，说："本性难移！子厚，从今日之谈话看来，我更以为时局不妙呀！"

王安石气呼呼地回到条例司后，一屁股坐在座椅上，茶也不喝，话也不说，瞪着眼睛生闷气。吕惠卿察言观色地说："下官以为，大人错看苏轼了。今日听他一席话，他原来是个流俗之人，守旧因循，与那些老臣何异，实在有负大人之望！"章惇立即反驳吕惠卿，说："吉甫不可言之过早，子瞻在凤翔施行新政闻名天下，我曾亲眼目睹，怎可说是守旧流俗之人？他今日所言，也许有他的道理。"

看着王安石生气的样子，又听到吕、章二人的言语，张璪心下了然，脸上却强作正色，有些不满地说："子厚，你与子瞻私交甚厚，至于变法大业则该灭私奉公。我与他在凤翔做过同僚，他在凤翔施行的所谓新政其实只是倚仗先帝恩宠，出风头，博虚名，岂能与大人今日之宏伟变法相提并论。正因当初他只为沽名钓誉，如今才对我等变法不做同声之应！"曾布也忙帮腔说："我以为邃明所言极是，他毕竟与苏轼共事数年，看得比我等都清楚。其实当年科考之时，我也有几分看不惯苏轼，动辄以辅佐天下尧舜自居，难称谦谦君子。"

吕、张、曾三人只关心他人是否赞同自己主张，赞同的就欢喜，反对的就仇视，丝毫不考虑他人赞同、反对的理由和意见，却从个人动机猜度他人，近乎以小人之心度君子之腹，党同伐异。章惇听了心中愤怒，又不好过于激烈，毕竟以后还要在变法阵营中共事，只好劝说道："邃明、子宣，你我与苏轼都是同年，岂能在背后这么说他！"

不想，张璪却反驳说："同年就要徇私而枉法，做和事佬吗?!"章惇气得一时无语。吕惠卿又对王安石说："大人，总之，下官以为苏轼不堪重用，望大人三思呀。"

王安石皱着眉，挥挥手，说："好了，都不要争了。子瞻我还是了解的，绝不是沽名钓誉、志大才疏之辈。就冲当年他只身送我离京，他就称得上是我的朋友。也许是他初来乍到，对我新政变法所知不详，以至误解，等过一段时日我以为他自然会想通的。好了，此事不必再讲了，我等来讨论《均输法》细则。"

吕惠卿虽心有不甘，也只好去取《均输法》的草稿，章惇瞪了一眼张璪，张璪却只作没看见。张璪知道，这是个好消息，要及时报告恩师王珪。

于是，次日清晨，王珪正在家中剪理花枝，怡情养性，管家便送入张璪的密信。王珪阅后微微一笑，将信收起。回到盆景前，王珪剪下一根枝蔓，陶醉地看着枝蔓上的花朵，只见那花殷红如血……

过了几日，崇政殿内，神宗临朝，王安石、范镇、王珪、司马光、韩维、吕惠卿、胡宿、吕诲等俱在。神宗向王安石问起新法条例拟定的进展，得到王安石诸种新法条例已粗有眉目的回答后，神宗催促王安石加快速度。之后，范镇便向神宗提到苏轼、苏辙已回京有日，应该授以职事。神宗虽未见过苏氏兄弟，但韩琦离相之前，对他大力举荐，还说先帝欲授苏轼翰林学士之职，未及到任就父丧丁忧去了。所以神宗这几天也想到了此事，但授以何职，他心中并未想好，于是询问诸位大臣意见。

范镇向神宗禀道："陛下，先帝仁宗时就欲授苏轼翰林学士之职，英宗时亦欲授此职，皆因故未成。微臣以为，以苏轼才学人品，以他在凤翔任上的政绩，授翰林学士一职是妥当的！"神宗再次询问其他大臣们的意见，见朝上一片寂静，无人言语，神宗便要授予苏轼翰林学士一职，说道："那好……"

王珪急忙偷偷地向胡宿使眼色，示意他出言阻止，可是胡宿却皱眉摆手，不肯出头。此时，王珪看到实在无人站出来反对，只好硬着头皮出班，禀道："陛下，臣有话说。"王珪久未在朝堂上奏事，今日突然发表意见，神宗颇觉新鲜，命他说来。

王珪禀道："陛下，先帝英宗时确曾议及授苏轼翰林学士之职的事，但因他欲娶犯官之女杨小莲而惹动朝议，故而没有授职。至于苏洵去世而丁忧，是此后的事！"神宗见王珪所说似乎颇合情理，便问范镇是否属实。

当初，王珪发现小莲身份四处播散，鼓动许多大臣到史馆围攻苏轼，而苏洵病重去世，这几乎都是同时的事情；而且小莲的父亲杨云青的冤案，仁宗也已下诏予以昭雪，就连王珪等人死咬的所谓审刑院的批文也已下了。王珪如此说，实是颠倒黑白，混淆视听。但是，当时情景苏轼和小莲之事毕竟招致群臣反对，范镇也不想和王珪纠缠，只是生气地瞪着王珪，回禀神宗道："陛下，所说属实。"

神宗果然问道："那后来苏轼娶了杨小莲没有？"范镇禀道："陛下，苏轼遵父命娶了亡妻的堂妹王闰之为妻。蜀中之俗，尚亡妻之妹为妻，是莫大的荣耀；再说，苏轼之子尚小，需要至亲之人照顾，所以苏洵有此遗命。"神宗："噢……原来是这样。那就准了范镇所奏，授苏轼……"王珪急忙打断神宗，说道："陛下，微臣还有话要讲。"

神宗更加奇怪，说："噢，王珪，你今日的话很多嘛，讲！"

王珪见泼污水不起作用，立刻决定改变策略，慨然说道："是，陛下。苏轼乃远大之才，他日自当为天下用。但还是要先在朝廷培养他，等人人都说应该进用之时，然后取而用之，则天下之士莫不畏服。如今骤然用之，天下之士未必以为然，反而会因此拖累了苏轼。"

听到王珪明里暗里反对苏轼任翰林学士，范镇大怒，说："王珪！你怎么出尔反尔，当初先帝欲用苏轼时你可是赞同的。"对于范镇的指责，王珪并不生气，也不觉得汗颜，而且道貌岸然地说："此一时，彼一时！"

神宗略微沉吟，也觉得先让苏轼锻炼一下更好，便说："嗯，也好，现在条例司急需人才，都说苏轼文才盖世，又在凤翔任上施行了诸多新政，到条例司似乎适宜。"说着便征询王安石的意见。

前几日和苏轼谈论变法的情景犹在目前，苏轼反对自己变法主张的言语犹在耳畔，王安石不知自己是否能够说服苏轼改变意见，是否应该赞成苏轼任职条例司。正在王安石沉吟迟疑之际，吕惠卿急忙出班，说道："陛下，苏轼对施行新法的主张与条例司不合，如进条例司，似有诸多不便。其弟苏辙老成持重，文笔朴实，若能参与检详文字，倒是妥当。"通过上次的交谈，吕惠卿深知苏轼绝不是容易相与之辈，而其弟苏辙言语较少，似乎容易对付，所以他才希望通过举荐苏辙，将苏轼排除在条例司之外，毕竟兄弟二人同时为官，要尽量避免同处一署。神宗便问王安石意见，王安石也觉得苏辙不错，所以神宗宣布："那就任苏辙为条例司检详文字。"

接着，神宗思索片刻，问道："那这苏轼……诸位，让苏轼修起居注如何？"范镇回禀："陛下，苏轼可当此任。"修起居注就是记录皇帝的言行起居，与替皇帝起草诏书的翰林学士、知制诰相似。但因更接近皇帝，位置也就更加重要。王珪心中大惊，忙说："陛下，不可。修起居注是记录皇帝的言行起居的，与替皇帝起草诏书的翰林学士、知制诰相似。苏轼年纪尚轻，只怕言行还不老成。"

王珪就是要百般阻挠苏轼担任重要官职，范镇怒火中烧，狠狠地瞪着王珪，王珪低下头，躲避着范镇的目光。

这时，司马光突然出班："陛下，臣修《资治通鉴》，正缺人手，苏轼史才难得，不如让他先到史馆，助我修史。"吕惠卿附和道："这样确是人尽其才。"范镇大怒，说："你们，又让苏轼去当个小史官，我看分明是你们嫉贤妒能。王安石，你来说！你说苏轼该授何职？"王安石一时无语，而王珪则说："陛下，史馆乃清要之职，以后正可以大用。况且苏轼可以在史馆中替陛下参详时政得失！"

神宗见司马光、吕惠卿、王珪都同意苏轼任职史馆，王安石未表态，只有范镇一人反对，似乎心满意足，便说："好吧。众卿家听着，朕不是先帝，朕并不了解苏轼。苏轼日后要想升任翰林学士，就须如王安石一般，证明他可堪大用。你们所有人，皆是一样。就授苏轼殿中丞直史馆吧！"王珪、司马光、吕惠卿、王安石等齐呼："陛下圣明！"当值内侍便喊："退朝！"

下朝之后，王珪转身就跑，他不能不跑，他明白把刚直的范镇惹恼了不会有好果子吃。果然，范镇在后面紧追王珪。王珪急匆匆一路跑到管家牵着的马匹旁，翻身上马，却因着急心慌，险些跌倒。管家忙扶住王珪，这时，就听范镇在后面边追边喊："王珪，你给老夫站住！你站住！"王珪不由分说，扬鞭而去，管家只好跑着追赶，主仆二人非常狼狈。范镇眼看追不上了，便站在原地，一边喘气，一边痛骂："王珪，你这小人！你……你……直娘贼！"

傍晚时分，内侍张茂则带着任命苏轼为殿中丞直史馆、苏辙为新设三司条例司检详文字的圣旨，来到仪秋门外苏轼家宣旨。苏轼、苏辙二人跪地听旨后，一起送张茂则出门。

苏辙最先进来，王闰之好奇地问苏辙："弟弟，你这条例司检详文字是几品官？"苏辙道："嫂嫂，忠君无怨，咱不能论品级！"王闰之仍是执着地说："我不就是问问你是几品吗？与忠不忠君有什么关系！"苏辙说："这条例司检详文字是新设官职，其实品级未定，参照同类官职，大约是六七品的样子。不过，时下正在变法，这是显要之职，据说日后升迁极快，很多人都想进入这条例司！"王闰之点点头，说："原来这样。那这殿中丞直史馆是几品官？"苏辙回答："七品！"王闰之吃惊地大声说："什么？七品，怎么还是七品！"苏辙说："史馆当直，本是七品的俸禄，但加上了殿中丞，就可以接近皇帝了，有皇上的参谋的意思，乃是清要之职！"王闰之"哼"了一声，抱怨说："说得再好听，也还是个七品！"

这时，苏轼和巢谷正好进来。苏轼说："七品就七品，官品不论高低，只论人品高低。"王闰之却反问说："汴京的粮油又涨价了，人品能当饭吃？"史云忙向王闰之使眼色，低声叫道："嫂子……"意思是让她少说两句。

采莲端碗茶给苏轼，也有相劝之意。苏轼接过茶碗，没想到王闰之竟说出这种话，一时无语，只是瞪着她，生气地说："你……"王闰之接口道："我怎么了，这一大家子，你来当家看看。不开源，光节流有何用。当初教你说话小心，得罪了那王安石、吕惠卿，你嘴上一时痛快，全家人肚子跟着挨饿。迈儿怎么办，三月不知肉味了，你瞧他瘦的……"说着，爱怜地摸摸苏迈的小胳膊。

苏轼看一眼苏迈，苏迈可怜巴巴地看着父亲。苏轼自知理亏，叹息一声，说："若是听了莲妹的，我只说三分话，迈儿和你想必就有肉吃了……"然而这句话更触动了王闰之的心病，她气呼呼地说："啊！你！对，什么都怨我，都是你的莲妹好！"说罢，起身掩面，向门口跑去。

苏轼怒极，将茶碗猛地摔在地上，喝道："岂……岂有此理！"

小莲闻道争吵声，赶进屋来，迎住王闰之，低声说："夫人，不要生气了，以后小莲不多嘴了。"又向苏轼低声说："先生，以后小莲不多嘴了。"

苏轼大惊，低声说："什么？夫人？小莲，你叫我先生？！"又见小莲说完话后弯腰拾茶碗碎片，苏轼疾步向前扶起小莲，说："你……啊……你不是仆人！"又对采莲说："表姑，你赶快雇个仆人来！"采莲答应一声，走上前去，帮小莲拾碎片，巢谷、史云也拾。王闰之呆在当地，苏轼瞪着王闰之，见王闰之低头饮泣，苏轼怒气冲冲地走了出去。

苏轼气呼呼地走在路上，不知不觉地走到范镇府门前，便进去拜见。范镇见苏轼怒容满面，问明缘由，呵呵一笑，边为苏轼泡茶，边说："好了，子瞻不必生气了，老夫还一肚子气呢！王珪若让老夫追上，必将他一顿好打！"苏轼仍不消气，见范镇为自己倒茶，慌忙说："哎呀，有劳恩师，学生岂能无礼。"范镇却说："你我不拘世俗，什么礼不礼的。只是这殿中丞直史馆实在委屈你了，唉，天意弄人，十几年前你就该是翰林学士了，可到了今日竟还是个小小的史馆。是老夫无能，愧对明允公呀！"苏轼豪爽地说："恩师，官大官小，学生并无所谓。只是家中俗妻……"一时苦恼无语。

范镇憨态可掬地说："女人嘛，有时候就要打！打过吗？"见苏轼苦笑摇头，范镇接着说："子瞻，你看呀，老夫是书生，但老夫身上却没有书生气，你有。所以老夫无论才德，都不如你，但官却做得比你大。"苏轼笑着说："恩师，折杀我也，学生岂敢望恩师才德之项背！"范镇挥挥手，说："你不必自谦，老夫也犯不着恭维你，只是老夫有愧于你。至于这女人嘛，你听老夫的，不是难养嘛，打！越打越好养！"苏轼哈哈大笑："纵有万般烦恼，听恩师一席话，皆化为乌有了！"二人相对开怀大笑。

二十五 疾风暴雨

苏轼与范镇相谈甚欢，不觉天色已晚，推辞不过，只好陪范镇吃过晚饭才辞别归家。左右寻不见小莲的踪影，苏轼缓步踱到离家不远的河塘边，四下张望，终于看见小莲独自坐在岸边，神情落寞。

苏轼急忙走上前去，说："小莲，让我好找，为何到这里来？"小莲起身施礼，说："先生，外面的风景好。"苏轼皱眉生气，说："小莲，你又叫我先生？！先生！好个先生！就是因为闰之教你这么说的？你呀……小莲！"小莲仍是坚持，说："小莲该叫先生，以前是小莲不懂礼数。"苏轼痛苦地说："小莲！你怎么还这么说呵！"

小莲竭力掩饰心中的委屈，轻声说："先生，夫人其实是个好人，她为了这个家所以才会心有怨气，她是直性子，先生不要责怪她。"苏轼叹息一声，抬头仰望明月，说："我当初若非你不娶，也就听不见你叫我先生这两个字了。小莲，你声如莺啼，说这两个字却是这般呕哑难听！"

小莲强装笑颜，说："先生，你又笑话小莲了。不过这些日子，小莲总想起姐姐……"终于抑制不住，落下泪来。苏轼也忧伤地唤了一声："弗儿……"

小莲忙擦泪，控制住情绪，说："看我，又提这个……先生，如今朝中动荡，人事更迭，先生应该谨言慎行，藏锋敛锐，才可避此风浪，日后再另作图谋。"苏轼微微皱眉，说："小莲岂不是让我睁一眼闭一眼？这绝非君子所为。"小莲知道苏轼并未理解自己所言，解释道："并非睁一眼闭一眼，而是等待时机。现今说了，不但无用，还定被诬为侮蔑新法！哥哥若因此获罪外放，将来就算时机成熟，又有何人能担起大任，想百姓所想？"

苏轼点点头，说："小莲言之有理，我知道。但这次我只听我自己的。"小莲惊道："先生，你这是何意？"苏轼低头看着河塘中的圆圆月影，低声说："听自己心中所言而行事，即使错了也无怨无悔。若我早懂得，此时在我身边的人，是你。"小莲闻言，低头默然。

河塘垂柳，月光泻银，微风拂过，水面上的柳影月光晃动不止。

转眼便由春入夏，条例司外的高树上夏蝉鸣噪，伴着屋中传出的激烈的辩论之声。原来，苏辙到条例司上任不久，王安石便召集众人讨论吕惠卿起草完成的《青苗法》。曾布大赞《青苗法》切实可行，因为其法乃王安石首创，早在知鄞县时，就已实行过，功效昭然，证明此法实为救民于急，抑制土地兼并的良法。

苏辙已提前看过《青苗法》草稿，深觉其中漏洞颇多，便起身对王安石说："相公，子宣之言不无道理。但是，相公在鄞州推行此法时，皆在相公控制之下，若在全国实行，还须谨慎行事。第一，以钱贷民，本为救民，非图利也。若使出息二分，即牟利于民，其法恐难深入人心。第二，出纳之际，官、吏为奸，立法的本意为民，但恐又成盘剥农民的手段。第三，钱入民手，虽良民也不免枉用；等到还钱，虽富民也不免逾期。逾期不缴，必兴牢狱，州县之事则不胜其烦。"

一听苏辙指出自己所草《青苗法》的不足，吕惠卿拍案而起，大声说："子由，你如何断言贷出钱而不能收回？贷钱为民，取利也为民，有何不可！"

章惇忙劝吕惠卿说："吉甫，讨论嘛，不同看法可以提。预事在先，乃立法之要也。"吕惠卿无言反驳章惇，只好气呼呼地坐回原位。苏辙白了吕惠卿一眼，冷声说："若是你吕吉甫的家法，送我万金，不言一字。"说完也坐回座中。吕惠卿闻言，气得把头拧向一边。

王安石低声说："子由之言也不无道理，当徐思之……"没有明确表示采纳苏辙意见，而且言语中对吕惠卿所草《青苗法》颇多回护。

一场讨论就这样无果而终，剩下的只是那屋外不断的蝉鸣。

苏辙归家后，便向苏轼说起在条例司讨论《青苗法》的情形和自己的主张，以及王安石说要延迟推行《青苗法》，而吕惠卿、曾布等人坚持施行等情况。苏轼听完苏辙叙述，点头说："子由，你说的是对的。韩琦说王安石不能知人善任，确有道理。王安石近小人，远贤臣，却不自知！"说罢，不禁叹气。苏辙说："曾布还拟定了《均输法》，更是荒唐！而且章惇也参与其中。"

苏轼更加着急，说："《均输法》不更是与民争利吗？章子厚竟然也同意？走，找章子厚去！"说完，拉着苏辙就走。

兄弟二人在街上快步如飞，急匆匆赶到章惇家。苏轼上前，啪啪地打门，大喊道："子厚，开门，开门！我是苏轼！"片刻后，传来一阵急促的脚步声，章惇衣冠不整地开门出来，一脸吃惊，说："哎呀，子瞻，如此风急火燎的，找我何事呀？"

苏轼抓住章惇，说："好你个章子厚，你搞的什么《均输法》，与民争利之法，与豪强蚕食、盗贼劫财毫无两样！"章惇道："子瞻言之过矣，这太玄乎了！"说着，将苏轼、苏辙兄弟让进家中。

苏轼边走边慷慨陈词："均输之法，早在汉武帝时桑弘羊就用过了，结果如何？失败了。曾布蒙蔽圣听，别有用心，你章子厚不该随波逐流啊！"章惇却劝说苏轼说："老朋友，听我一句话吧，你在史馆待着，没人把你当哑巴卖了，何必引火烧身呢？吕惠卿、曾布正在设法把子由排挤出新条例司，你也要等待时机啊！"

苏轼紧皱眉头，说："等待时机？等时机到了，国家、百姓就会陷入灾祸之中。应当未雨绸缪，不使天下丧失中兴之机，所以等待不得。"章惇仍然劝苏轼说："我的老兄啊，你还不明白，他们怎么会听你的？他们在投圣上所好，急功近利。"

苏辙不禁感叹，低声说："如今的变法，已成群小竞进的局面！这些人不惜以天下民众之苦，换取自己的功名。"苏轼知道吕惠卿等全是十足的投机者，王安石给他们搭了台，他们就粉墨登场，而章惇素来方正不苟，便劝说章惇这次千万不可与他们同流合污。章惇却反问道："同流合污？子瞻言过也，连皇上都站在他们这边，这流这污又当何论呢？"

苏轼慨然道："大宋百年基业，历经六帝，时至今日天下积重难返。我们遇上了一个立志变法图强的有为之君，而且圣上才二十岁，有能力有时间完成大宋的中兴大业，这是百年不遇的好时机。但是，圣上毕竟年轻，而且好胜心强，我们做臣子的，如果不及时提醒我主，被投机者所利用，不仅置我主于不明之地，而且会丧失这次机遇，那大宋的元气将尽。到那时候，哭都没地方！"

苏辙也同意苏轼的意见，并向章惇解释苏轼之所以如此着急，正是因为这次中兴之机正在被人利用。

苏轼说："介甫公是个志诚君子，也是为民富国强着想，但他太拗了，听不进忠告，必为他人所利用。今日之介甫公说话还是介甫公，明日之介甫就是个摆设了。"听到苏轼如此说，章惇不免疑问，苏轼接着对他说："吕惠卿和曾布他们一旦羽翼丰满，就会越介甫而过，直接惑乱于圣上。到那时候，王安石就不可能掌握局面了，变法将会失控，决不会像他在鄞县那样游刃有余了。"

章惇停住脚步，低头沉思。

苏轼看看章惇，低声说："不过，子厚，跟你说也无济于事。我须找王安石再谈一次，对他和盘托出！"章惇、苏辙马上劝阻，认为时机未到，不可冒险。

苏轼略微沉吟，说："子厚、子由，看似时机未到，其实稍纵即逝。我要赌一赌。"

范镇在汴河码头迎接苏轼一家时，他就对范镇吐露了对王安石变法的不同意见。范镇了解苏轼的性格，担心他直言闯祸，便来到史馆看望苏轼。果然，苏轼向范镇说起他准备劝说王安石并上书朝廷的打算。范镇阻止说："看看满朝文武哪个不是噤若寒蝉，你闹就等于忤逆圣意！"苏轼坚持说："恩师，你还看不出，变法的路走偏了。"

范镇虽然同意，但仍是劝阻说："那也跟你这小小史馆没干系，你怕是又不甘寂寞了吧？隔三岔五你就捅娄子，谁给你后面擦屁股，老夫是也。你就不能体谅老夫年老体衰，需要安养晚年吗？"

苏轼摇手，说："非也。老爷子，大宋百年不遇，才有了这么个想中兴祖宗基业的年轻圣主，这个中兴之机要用不好，大宋就完了。还能有什么晚年可安养？"

范镇点头，说："说得不错，但不能这么做。你现在只能做一件事，韬光养晦。得罪人的事，要干也由我这老家伙来干。你……老老实实地给我待着。当哑巴不说话，才能专心做大事。"

听到恩师如此说，苏轼也只好答应说："好好好，哑巴就哑巴。"范镇再次强调，说："不许去找王安石。"苏轼呵呵一笑，说："自然，那是自然。"

苏轼虽然接受了范镇的劝阻，但送走范镇后，心中实在按捺不住，终于回家换了便服，前去王安石府上。

汴京街市上商铺林立，叫卖声声，贩夫走卒，人群熙攘。苏轼与王安石身着便服，行走在街市中，与行人摩肩擦踵，两人争论不休。王安石气呼呼地说："子瞻，你行止怪异，将老夫约到这街市上来，原来是跟老夫大谈《均输法》之弊！老夫可不似你，我日理万机，哪有空闲听你在此坐……不……行而论道啊。"

苏轼说："相公，均输之法，实是政府经商。官府是干什么的？官员是干什么的？《均输法》一旦实行，官员就成了"说着，指指路边的摊主，"你看看，就成了这些贩夫走卒。民争不过官，所以《均输法》看似为国为民，实则误国害民。官府若无论大小，趋利当前，百事都管，则官员必显不足。官多、费多、兵多乃目前之大弊，变法本是要去官多之弊，而《均输法》则使官员愈来愈多，这与相公变法初衷岂不恰恰相反？官府经商，必败无疑！"

王安石有些不以为然，认为苏轼言之过重，是危言耸听。他强调《均输法》旨在使民得益，使国聚财。但苏轼反问王安石当年为何上奏朝廷让官营茶叶变成私营茶叶，将王安石问得一时语塞，不知如何回答。

苏轼一拱手，说："恕我直言，变法之道偏矣。天下之病，病在官制，官制不改，百业百法不兴！时下当务之急是改革官制，办好农桑，不可到处开花！"

王安石怒气冲冲地说："恰恰相反，百业有兴，必须多法并行，否则互不协调。"苏轼平心静气地回答："相公之言，固然不错，但那是将来的事。时下若多法并行，定会首尾不能相顾，动辄得咎。"王安石笑着讽刺苏轼："子瞻之言，真似个裹足不前的老太太！"苏轼严肃地说："急行易蹶！相公之行，怕有盲人瞎马、夜半临深池之忧！"

听苏轼说得如此严重，王安石看着苏轼，觉得难以置信。不想突然被一小贩装满梨子的木轮车险些撞倒，王安石赶紧避开。车上的梨子掉了许多到地上，小贩抱怨说："你这人，看起来颇体面，怎么连路都不看，弄撒了我的梨你是要赔的！"王安石向小贩一瞪眼，喝道："你！"又无奈地挥挥手，说："好了，好了，老夫不与你理会。"小贩一听，更加气愤，说："你这人，是我不与你理会。"

苏轼将王安石拉到路边，说："相公，我有一个法子，要不你将这《均输法》讲给这小贩听，问他愿不愿意，他若愿意，则代表民心，变法可行。他若不愿意，变法当缓行。"

小贩一边捡掉在地上的梨子，一边说："你们两个嘀嘀咕咕地做甚，是不是在骂我？"

王安石听到苏轼的话，大怒道："子瞻，你说什么？！这冥顽草民，字都不识一个，他懂得什么！我堂堂宰相之尊，去问一个草民变法可行与否！有比这更荒唐无稽、不可理喻的事吗？子瞻呀，老夫近来对你所作所为实在失望，你原来也不过是个流俗之人。"

苏轼正色道："相公，所谓道理，不论尊卑，不论长幼，理之所在则成，理所不在则不成，你岂能视民间清论为流俗！"王安石怒气冲天，大声说："你！老夫与你在此争论，简直就是个笑话！"说罢，甩袖离去。苏轼冲着王安石喊道："相公，你好好想想，也许不是我流俗，而是你太过激进！"

小贩已捡完梨子，停在原地，不明所以，愣愣地看着苏轼和离去的王安石。苏轼回头看看小贩，伸手掏碎银，说："来，掉地上的梨子我买了。"小贩忙欢喜地称梨。

王安石回到条例司后，向吕惠卿等人怒气冲冲地抱怨苏轼，大道失望之情。吕惠卿、曾布、张璪三人心中大喜，你一言、我一语地谩骂苏轼，章惇虽不同意，却也不好为苏轼辩护，只好默然不语，心中抱怨苏轼不听劝。

张璪跟着鼓噪几句，就编了个理由，请假外出，一溜烟儿地跑到王珪府上。

听完张璪的禀报，王珪带着张璪走到刚刚正在修剪的盆景边，教导他剪理花枝。王珪一边指点，一边叹气，说："你们这些年轻人呀，火气刚猛，做事急躁。平日里修剪花枝，最可平心静气，怡情养性，不要以为这是奇淫巧术，对你在仕途历练都大有神益！"张璪忙点头称是，继续修剪。

王珪眯起他那对儿小眼睛，接着说："王安石与苏轼眼看就要分道扬镳，他二人相斗，必有一伤，只有鹬蚌相争，渔翁才会得利。真是人算不如天算，所谓福兮祸所伏，祸兮福所倚。这法变得好，变得好。这样一来，老夫这个看客呀，就不必沦为过客了，嘿嘿。"

迩英殿外，神宗身骑白马，手挽宝弓，神采飞扬，雄姿英发，正在练习骑射。众宦官鼓掌喝彩。张茂则疾奔来到神宗面前，赞道："陛下文韬武略，功盖天地。"知道张茂则有事禀告，神宗笑着询问，张茂则答道："王安石等人求见，说是《均输法》已经拟定完成。"神宗惊喜异常，赶忙翻身下马。

走进迩英殿内，神宗便开始听取王安石、吕惠卿、曾布关于《均输法》的解释。

吕惠卿以流利的口才和信誓旦旦的口气讲述着《均输法》："……《均输法》的最大不同，乃开天辟地建立国家贸易管理新制，可以平衡国内商贸业发展，及时为朝廷充实朝廷府库，如此，朝廷才能把天下之财调动自如。人无血而不能活，国无财道畅通而不能存。《均输法》之用就在于此。"神宗听得津津有味。曾布接着道："陛下，时也，势也。以往之朝政，之所以使我大宋积贫积弱，固然原因甚多，然则经邦济世之术与历来被轻视有关。经邦济世并非以四书五经治国，重经济则国强，远经济则弱邦。是以我朝当以均输理财聚财，则天下之强，指日可待！"

神宗听《均输法》有这么多的好处，龙颜大悦，说："好！《均输法》在淮南、两浙、江南东、江南西、荆湖南、荆湖北六路施行。朝廷赐内库钱五百万缗、贡米三百万石，用于均输平准之本钱。"

王安石等人施礼齐呼："陛下圣明！"稍后，神宗命吕惠卿、曾布二人且先退下。二人知圣上有大事与安石相商，心领神会地施礼告退。

吕惠卿与曾布笑着走出殿外。《均输法》已获圣上恩准，曾布问起前不久在条例司谈论中因苏辙意见暂时搁置的《青苗法》。吕惠卿笑笑说："这有何难，我已让京东路使王广渊向圣上备陈《青苗法》的好处。"并嘱曾布不要让他人知道此事。曾布心领神会地称赞吕惠卿的手段，二人相视"嘿嘿"一笑，各自离去。

神宗将王安石留下，向他询问吕惠卿、曾布二人的才德。王安石回禀道："学先王之道而能用者，独惠卿而已；腹有厚学，通晓时变，独曾布而已。陛下应重用此二人，变法大事不愁不成。"见王安石对二人大加称赞，神宗沉吟片刻，决定加封吕、曾二人为崇政殿说书、集贤校理、判司农寺。王安石起身施礼道："果断用人，提拔俊才，陛下英明也。"

就这样，在王安石、吕惠卿、曾布的鼓动下，《均输法》在淮南、两浙等六路施行。吕惠卿、曾布也借着王安石的推荐，平步青云，二人进一步千方百计地推动《青苗法》。历史不幸地朝着苏轼担忧的方向演进。而且，几天后，又一个十足的小人——李定——将粉墨登场。

在招揽了吕惠卿、曾布、章惇三名变法同道后，王安石也向自己的学生、故旧发出了邀请。这一日，王安石的学生李定赶到汴京，拜望恩师。王安石非常高兴，热情搀起施礼的李定后，便问起百姓对《青苗法》持何态度。

李定忙大赞《青苗法》，说："恩师，《青苗法》深得民心，百姓无不拍手称快。都说圣上和相公使大宋中兴有望。"王安石听后大悦，却有些不太相信，再次告诫李定要说实话。李定诚挚地说："恩师，学生虽然愚钝，但知廉耻二字，别的不会，就会说实话。"王安石遂深信不疑地点头，说："如此，为师就放心了。可是……"见王安石还有所疑虑，李定忙出言询问。原来，王安石看到朝中多位大臣一直攻击变法，尤以《青苗法》最甚，便派御史台的孙觉暗访。孙觉暗访回来，禀报《青苗法》不得人心。两人所报正好相反，王安石也不能不疑虑。

没想到王安石还有另外的消息渠道，李定心中战栗不已，低下头，眼珠一转，说："学生只知道说实话，可据学生所知，京师却不兴说实话。学生一上码头，御史台左正言孙觉大人和右正言李常大人就提醒学生不要讲《青苗法》的好话。"

一听孙觉、李常竟背着自己做出这等事，王安石大怒，一手拍在桌子上，桌上茶碗中的水都溅了出来，大声说："台谏们可恶至极！资深啊，你仗义直言，是非分明，老夫甚为高兴。好，我推荐你面见圣上，如实禀报百姓的看法。"李定受宠若惊，忙深施一礼，感激涕零地说："恩师情义，重于泰山，形同再造，学生当肝脑涂地，追陪恩师，为变法大业尽瘁国是！"王安石深深点头，满心欢喜。

突然，管家王全慌慌张张地跑进来，禀告说："相爷，不好了！一帮宗室贵族正在家门前示威呢。"王安石摆摆手，说："不管他们。"扭头对李定说："资深，我带你去条例司看看。"又命王全备马，说着，抬腿就走。

王安石带李定来到门洞前，上百名宗室子弟见到王安石立即大声嚷嚷起来："宰相大人啊，《裁减贵族恩例》不可行啊，再不赐名授官，我等就要饿死街头呀！""《刊定任子条式》破了祖宗之法，大逆不道！""你这宰相为谁而当，不为赵氏做主，意欲何为！""赵氏江山，岂能容你这置赵氏江山于不顾的宰相！"

任何改革都必然触动某些人的利益。为了裁抑贵族特权、限制祖宗荫蔽，王安石制定了《裁减贵族恩例》《刊定任子条式》，这也是出于精简机构、裁减冗官的考虑，但打击了宗室子弟的利益。他们相约来找王安石理论，纷纷攘攘，理直气壮，喋喋不休。

王安石大吼一声："住口！你们这些只知吃祖宗饭而不知守祖宗业的败家子，告诉尔等，要有荣华富贵，就不要再当寄生虫！闪开！"

人群中有人呼道："不，我们不走！看他能怎么样！""打这奸贼！""打这王莽！"这些人冲上来就要动手，但被王府的卫兵们冲散。李定本来躲在王安石身后，现在看到卫兵势大，立刻走上前来，大声喊道："卫兵，把他们逮起来，送到衙门，逐个问案，登记造册！"一校官马上答应，指挥卫兵，众卫兵立即逮起人来，李定也扶着王安石上马。

这时，苏轼与巢谷急忙从人群后面跑到王安石马前。苏轼满脸焦虑，说："相公，闻悉《均输法》已获圣准，但求《青苗法》缓行呀！"

李定眼一横，手指苏轼，喝道："你是何人，胆敢拦住当朝宰相去路，快些避让！"

原来，苏轼得知《均输法》已获圣上批准，心中焦急，赶来王安石府劝阻他递交《青苗法》。而巢谷则是听从小莲嘱托，追着劝苏轼不宜鲁莽草率行事。苏轼却认为形势危急，已顾不上了，坚持前来。来到王安石家外，远远看见家门口静坐着百位宗室子弟，黑压压的人群。苏轼在旁观望，等待王安石出门。这时王安石上马要走，苏轼忙跑过来劝阻。

在这宗室子弟聚众围攻相府、反对变法的场合，苏轼突然出现，劝谏《青苗法》，气头上的王安石不由得将他视为宗室贵族的同类，怒不可遏，大声说："子瞻，你我毕竟是朋友，你竟与这些宗室败家子串通一气，向老夫示威，你是何居心？！"

苏轼惊道："相公，误会子瞻也！"王安石却哼了一声，与李定绝尘而去。

望着王安石的背影，苏轼摇头叹气，说："唉，巢谷兄，我只怕再也追不上他了……"

第二天，崇政殿内，神宗临朝。吕惠卿转呈京东路使王广渊按照他的指使写的奏章。神宗边看奏章，边听吕惠卿所奏。王广渊奏章陈述今年春天农事大兴，但百姓苦于无钱耕种，而大商大户又乘机邀利，若朝廷发放青苗贷款，则可便民，且可获利，故向朝廷乞留本道钱帛五十万以便明年贷给贫民，岁可获息二十五万。

听到王广渊力陈《青苗法》的诸般好处，并请求施行，朝臣们立即哗然，议论纷纷。

然而，神宗阅完奏劄，却是高兴不已。《青苗法》已经制定月余，未能正式颁布，神宗一直念念不忘。现在得到王广渊所奏，认为此法深合民意，就打算正式颁布天下。

司马光忙出班阻止，他说："陛下且慢，《青苗法》牟利于民，断不可行。若济贫民青苗之难，常平仓稍加修备，即可成之。若贷民以钱，奸吏行诈，又如之何？所贷之民，逾期不还，必绳以法，鞭笞兴狱，必不能少，初为利民，实为害民。"

范镇、范纯仁也先后出班支持司马光的意见，范镇认为《青苗法》尚未实行，仅凭王广渊一人之奏疏即颁一法，有失草率。范纯仁认为王安石变祖宗法度，攫财取利，不合仁道，而且仓促间颁布如此多的新法，定会使民心不宁。

吕惠卿抓住范纯仁"民心不宁"四字，大肆攻击说："如今陛下圣明，天下太平，你岂敢说民心不宁！"范纯仁刚直地以一句"本人知谏院，职分所在，言者无罪"回敬于他。吕惠卿便不能再攻击他动机不良，只好接着说："陛下，青苗贷钱，皆取自愿，无强迫之意。范纯仁所谓民心不宁，所奏不实。"

《青苗法》尚未施行，民心之宁与不宁只是推测，但《均输法》确实已经引起民众担忧。宋代的赋税部分征收实物，纳税前后，大商人操纵物价，加重纳税户负担，并影响国家用度。《均输法》本是以官营方式调节全国各地物资供需关系、平抑物价、保护百姓和小商人、打击大商人、增加国家收入的政策，但在推行中过快、过粗，而且官商勾结，致使怨声载道。有美髯公之称的翰林学士吕公著知通进银台司，了解相关情况，出班奏道："微臣主管银台司，知《均输法》实行以来，天下商户无不愤怒，人心惶惶，大有不可终日之势。"

曾布见百姓对新法有怨已是不争，思索片刻，出班说："陛下，新法有怨，旧法难道无怨？无论商鞅，无论桑弘羊，凡有变法，必有怨者。大臣安于无事苟且，而不顾天下苍生之苦，以数人之怨为天下之怨，是何道理！"将百姓之怨，归为少数，进而攻击反对变法的大臣们用心不良，实是以小人之心度君子之腹，置百姓生死于不顾。

司马光低声讽刺说："好一个念天下苍生之苦的新进人物！牟民于利，不知念谁！"

王安石出班奏道："陛下，《均输法》六路既行，虽有小怨，而国家财富之门却已大开，无复争论。《青苗法》利弊未有实证，若条款再加修改，实施加以节制，断无大差。"

最后神宗听从王安石所奏，诏命颁布《青苗法》于天下。

苏轼劝阻王安石缓行《青苗法》不成，却又被误解为与宗室无赖子弟一路，现在《青苗法》已获诏命颁行天下，心中更加愁闷。这几日从史馆归来，便一心照顾出生不久的次子苏迨。这一天他一边抱着小苏迨掂来掂去，一边自嘲地说："迨儿，《均输法》《青苗法》在外面大行其道，你父亲我惹不起，却躲得起。事不关己，高高挂起，安心在家抱迨儿。"

王闰之一边做针线，一边挖苦苏轼堂堂大丈夫，被人排挤，只能回家抱孩子，却像当了宰相一般高兴。苏轼笑着说："夫人，你又来了。他治他的大国，我抱我的迨儿，各施所长，各得其所。"王闰之脸一沉，不悦地说："越说越不像话了，你的所长是抱孩子，那我干什么去？当初多少人劝你，要你收敛锋芒，小心谨慎，你就是不听！你才多大个官，要管这些事！这下好了，管来管去让你回家管孩子！"

苏轼叹息一声，他认为位卑未敢忘国忧，又抱怨自己在外边烦扰，恳请回家后王闰之就不要再烦他。然而，王闰之却理由充分，说："大道理我这妇道人家不懂，我就知道我是你苏轼的妻子，要给你生孩子，给你管家，计算柴米油盐酱醋茶，要对你知冷知热。最不愿你受委屈的人是我，你却不顾我们母子，非要往那火坑里跳。"苏轼慨然说："时下，整个国家都往火坑里跳，如果我一个人跳进火坑，而使万民免此一跳，那我赴汤蹈火，在所不辞！"

王闰之气呼呼地说："你又讲你的大道理，我听不懂，你最好还是找你的莲妹去！"苏轼无奈地说："看你，又来了！"王闰之接着抱怨说："你说王安石是拗相公，我看你也够拗的，听不进别人劝阻。"苏轼一笑，说："不一样，一是性格之拗，一是执着之刚。"王闰之更加生气地说："刚，刚，你就这样刚吧！再刚下去就刚到九品了，没银子买米吃饭我看你怎么刚！"

苏轼嘲讽地说："无欲则刚，人到无求品自高。就是刚到三十六品，七十二品，一百零八品，我也刚！不仅我刚，迈儿刚，迨儿也刚，子子孙孙，都要刚！就唯独夫人不刚，夫人真乃俗人也！"

王闰之火冒三丈，站起身来，大声说："啊！我俗？！我俗？！有那现成不俗的，你怎么不找啊！"说完，伸手抹泪。苏轼怒吼："你……你岂有此理！"

这时，采莲进来劝架。原来，采莲和小莲在院中拾掇，听到苏轼与王闰之争吵，急得面面相觑……小莲不知所措，脸红低头。自从颁布了均输、青苗两法，苏轼的脾气一天坏似一天，夫妻二人争吵不断，一直都是苏辙、史云夫妻劝解。但二人今日外出未归，小莲低声请采莲前去劝解。

采莲说："子瞻，你就不要说了，夫人也都是为你好。"苏轼回答说："表姑，若按夫人所说，我苏轼就该不尽臣子之道，思小惠而忘大耻，苟活偷生，奔走钻营。不求为民，但求家中的米缸日日都是满的！那……那我当官做什么！"

王闰之无言反驳苏轼的大道理，就气呼呼地说："反正就是多了我，我说一句都不行！要是小莲，就是说一万句你也不会烦！"

苏轼转过身来，大声说："夫人总算说对了，小莲才不会说你这样的混账话！"

采莲急切地说："子瞻，不要了！"却哪里劝得住？王闰之哭着说："啊？谁不说混账话，你找谁给你生孩子吧！"说着，转身跑出。苏轼大声说："这家不能待了！"气得跺脚不已。

王闰之跑过院子，看见小莲，气呼呼地对小莲："你是个不会说混账话的，还不进屋里去！"说完，扭头跑出院外。小莲又羞又急，心中无比委屈。苏轼怒气冲冲地走了出来，见小莲便一愣，随即也走了出去。巢谷恰巧兴高采烈地走进来，见小莲站在院中哭泣。巢谷犹豫了一下，走上前去，说："莲妹……你……"突然，小莲扔掉笤帚，失声痛哭跑进屋去。巢谷似乎明白了，长叹一声。

汴京街道上人行如织，市声喧哗。苏轼孤独地站在人群中，不知向何处去，迷茫的目光空洞乏力。一个从未有过的孤独的苏轼，被人群抛弃在阳光下。

崇政殿中，神宗临朝，范镇、司马光等奏报《青苗法》施行中弊端太多，希望诏命暂停施行。而神宗之前却得到内侍关于《青苗法》颇得民心的报告，现在听到范镇、司马光等大说《青苗法》不得民心，顿时火冒三丈，对满朝文武发起龙威，说："朕一心想革除天下弊端，富国强兵，可新法一出，不少人横加责难，甚至说新法误国害民。主张变法者被说成大奸大恶，反对变法者反倒成了大贤大哲，动不动就用祖宗之法来压朕。朕也不想生事，但我大宋的弊端不革除，积贫积弱的局面不改变，朕就对不起列祖列宗，就对不起自己的臣民。最近，我派身边的内侍作了暗访，结果与反对《青苗法》的种种言论完全相反。这其中的是非曲直难道不是很明白了吗？"

神宗却哪里知道，实际情况确实是下层官吏强迫摊派贷款，穷人、富户无所遗漏，而且不问借贷者的偿还能力，一味放贷。有些乡村青年贷了钱就到城里挥霍享乐，无钱还贷就被捉拿下狱，华夏大地真是怨声载道。他所派出的两名内侍耿小童和于小山外出也亲眼看到、亲耳听到百姓对《青苗法》的不满和官吏们对《青苗法》的强制推行。但是在二人返程抵京时，有人送了大包的金银，说是几位大人的心意，耿、于两位也就心领神会地收下了。回到皇宫，二人便谎报《青苗法》很得民心。就这样，神宗的耳目被阻塞了。

听到神宗竟然听信内侍，而不信大臣之言，范镇出班说："陛下，别人的话你可以不信，但魏公韩琦上奏全国各路官员强贷农民钱币，邀功固位之事多有发生，难道堂堂魏公的话还顶不上一个太监吗？！"神宗无言以对，呆立在龙台上。吕惠卿见事不好，马上救驾："范镇大胆，竟然在朝堂之上顶撞人主，目中还有王法吗！"范镇对吕惠卿雄狮般吼着说："吕惠卿，就你起草的《青苗法》也算是王法吗？你跳梁小丑，唯恐天下不乱。你蛊惑圣听，排除异己，居心何在！"

吕惠卿不回应范镇的质问，却攻击范镇倚老卖老，目无人主，咆哮朝堂，请求神宗治范镇无礼之罪！

范镇慷慨激昂地对神宗说："陛下，老臣就是要为大宋江山卖老卖命，如果直言忠议就是目无人主，大宋就没有当年的铁面御史包拯、赵抃！"接着，转头呵斥吕惠卿："吕惠卿，你的忠君不过是投人主之好罢了！"朝堂中立即发出一阵哄笑声。吕惠卿瞪眼欲狂，说："你——！"又欲上奏，却被神宗阻止。一声"退朝"，结束了早朝。神宗愤然退出朝堂，大臣们纷纷退去。

曾布陪着王安石走下殿外台阶，向王安石抱怨范镇可恶至极。王安石沉着脸道："罢了，你等有所不知，包公尚且让他三分，你们在朝堂上和他直面交锋，犯了大忌，他是一只没掉牙的老虎。"接着向不明所以的曾布感叹说："范公有包公的刚正，包公却无范公的学问。若论文史，范公乃我大宋第一流人物。何止包公要让他三分，就是皇上也都要让几分啊！"

这时，司马光挟着几本书路过，正好碰上王安石，他劝王安石改正新法不妥之处，王安石却以"朝令夕改，不成体统"拒绝。

司马光大为不悦，说："知错即改，君子所为；知错不改，非君子所行！"

王安石心中有气，说："变法者被谤为小人，守旧者反誉君子，这样的君子之道，闻所未闻！"

司马光嚷道："是非不明，知错不改，事君从政，何以服天下！"

王安石怒容满面，反驳司马光说："韩琦为相，一身正气，君实你说他不是贤臣；韩琦去相，反对变法，你马上改口说他是个贤臣。此一时司马光，彼一时司马光也。不知是非何在！"

二人终究不能说服彼此，一个说对方"不可理喻"，一个说对方"顽固不化"，各自"哼"了一声，背道而去……

自此以后，司马光与王安石这对好友彻底分道扬镳，形同水火，成了变法与反变法两大阵营的代表人物，斗争更趋激烈。